Villa Vintage

ISABEL WOLFF

Villa Vintage

DE KERN

Oorspronkelijke titel: *A Vintage Affair*
Oorspronkelijke uitgever: Harper, an imprint of HarperCollins*Publishers*
Copyright © 2009 by Isabel Wolff
Isabel Wolff asserts the moral right to be identified as the author of this work
Copyright © 2009 voor deze uitgave:
Uitgeverij De Kern, De Fontein bv, Postbus 1, 3740 AA Baarn
Vertaling: Ans van der Graaff
Omslagontwerp: Mariska Cock
Omslagillustratie: Getty Images
Auteursfoto omslag: Jerry Bauer
Opmaak binnenwerk: Hans Gordijn, Baarn
ISBN 978 90 325 1171 5
NUR 302

www.dekern.nl
www.uitgeverijdefontein.nl

Ter nagedachtenis aan mijn vader

Welk een vreemde macht heeft kleding

— ISAAC BASHEVIS SINGER

PROLOOG

Blackheath, 1983

'...zeventien, achttien, negentien... twintig! Ik kom!' roep ik. 'Wie niet weg is...' Ik haal mijn handen voor mijn ogen weg en start mijn zoektocht. Ik begin beneden, half verwachtend Emma ineengedoken achter de bank in de woonkamer te vinden, of als een snoepje in de karmozijnrode gordijnen gewikkeld, of op haar hurken onder de kleine vleugel. Hoewel ik haar pas zes weken ken, beschouw ik haar nu al als mijn beste vriendin.

'Jullie hebben een nieuw klasgenootje,' had juffrouw Grey de eerste dag na de vakantie gezegd. Ze had daarbij naar het meisje in de te stijve blazer naast haar geglimlacht. 'Haar naam is Emma Kitts en haar familie is pas uit Zuid-Afrika naar Londen verhuisd.' Daarna had juffrouw Grey de nieuwelinge naar het tafeltje naast het mijne gebracht. Het meisje was klein voor iemand van negen, een beetje gezet, met grote groene ogen, hier en daar wat sproeten en een ongelijke pony boven glanzende bruine vlechten. 'Wil jij een beetje op Emma passen, Phoebe?' had juffrouw Grey gevraagd. Ik had geknikt en Emma had me een dankbare glimlach geschonken...

Nu loop ik door de gang de eetkamer in en ik kijk onder de bekraste oude mahoniehouten tafel, maar daar zit Emma niet; ze is ook niet in de keuken, met zijn ouderwetse dressoir waarvan de planken vol staan met niet bij elkaar passende blauwe en witte borden. Ik had haar moeder wel willen vragen welke kant Emma op was gegaan, maar mevrouw Kitts was net 'weggeglipt om te gaan tennissen' en had Emma en mij alleen gelaten.

Ik loop de grote, koele provisiekamer binnen en schuif een lage kast open die er groot genoeg uitziet, maar alleen wat oude thermosflessen bevat; daarna loop ik de trap af naar het washok, waar de wasmachine staat te schudden in zijn laatste centrifugeerronde. Ik trek zelfs het deksel van de vriezer omhoog voor het geval Emma tussen de bevroren erwtjes en ijsjes mocht liggen. Dan keer ik terug naar de warme gang met zijn eiken panelen, waar het naar stof en bijenwas ruikt. Aan één kant staat een reusachtige, kunstig gesneden stoel – een troon uit Swaziland, heeft Emma me verteld – van hout zo donker dat het zwart is. Ik ga er even op zitten, vraag me af waar Swaziland ergens ligt en of het iets met Zwitserland te maken heeft. Dan dwaalt mijn blik naar de hoofddeksels aan de andere muur, minstens tien, die allemaal aan een kromme koperen haak hangen. Er is een Afrikaans hoofddeksel in roze en blauwe stof en een kozakkenmuts die best eens van echt bont gemaakt kan zijn; er hangen een panamahoed, een slappe deukhoed, een tulband, een hoge hoed, een paardrijcap, een pet, een fez, twee versleten strohoeden en een smaragdgroene tweedhoed met een fazantenveer erop.

Ik loop de brede, lage treden van de trap op. Bovenaan is een vierkante overloop waar vier deuren op uitkomen. Emma's slaapkamer is de eerste deur links. Ik duw de klink omlaag en blijf in de deuropening staan luisteren of ik haar hoor giechelen of ademhalen. Ik hoor niets, maar Emma kan dan ook goed haar adem inhouden; ze kan de hele lengte van het zwembad onder water zwemmen. Ik sla haar glanzende blauwe donsdekbed open, maar ze ligt niet in bed... en ook niet eronder; het enige wat ik zie is het geheime doosje waarin ze haar geluks-Krugerrand en haar dagboek bewaart. Ik open de grote witgeschilderde kast in de hoek met de safari-afbeeldingen erop, maar ook daar zit ze niet in. Misschien zit ze in de kamer hiernaast. Zodra ik er binnenstap, realiseer ik me met een onbehaaglijk gevoel dat het de kamer van haar ouders is. Ik zoek Emma onder het smeedijzeren bed en achter de toilettafel met de spiegel die in de hoek gebarsten is; dan open ik de kleerkast en vang ik een geur van sinaasappelschil en kruidnagel op die me aan Kerstmis doet denken. Terwijl ik naar de kleurige zomerjurken van mevrouw Kitts kijk, besef ik plotseling dat dit geen zoeken meer is, maar snuffelen. Ik trek me met een vaag gevoel van schaamte terug uit de kamer. Ik heb nu geen zin meer om verstoppertje te spelen. Ik wil liever rummikub spelen of tv-kijken.

'Ik wed dat je me niet kunt vinden, Phoebe! Je vindt me nooit!'

Zuchtend steek ik de overloop over naar de badkamer, waar ik achter het dikke witte douchegordijn kijk en het deksel van de wasmand optil, waar niets anders in zit dan een paarse handdoek die er verbleekt uitziet. Ik ga naar het raam en trek de halfgesloten jaloezieën omhoog. Ik kijk de zonovergoten tuin in en voel me meteen opgetogen. Daar is Emma... achter de grote plataan aan het eind van het gazon. Ze denkt dat ik haar niet kan zien, maar ze zit op haar hurken en haar ene voet steekt uit. Ik ren de trap af, door de keuken het washok in en ik duw de achterdeur open.

'Gevonden!' roep ik terwijl ik naar de boom ren. 'Gevonden,' herhaal ik blij, verbaasd over mijn eigen euforie. 'Oké,' zeg ik hijgend, 'mijn beurt om me te verstoppen. Emma?' Ik kijk naar haar. Ze zit niet gehurkt, ze ligt op haar linkerzij, volmaakt stil en met haar ogen dicht. 'Sta op, toe nou, Em?' Ze antwoordt niet. En nu zie ik dat haar been in een rare hoek ligt. Met een plotselinge bons in mijn ribbenkast begrijp ik het. Emma had zich niet achter de boom verstopt, maar in de boom. Ik kijk omhoog naar de takken en zie stukjes blauw door het groen heen. Ze had zich in de boom verstopt en is eruit gevallen.

'Em...' mompel ik en ik raak haar schouder aan. Ik schud voorzichtig, maar ze reageert niet en nu zie ik dat haar mond een beetje openhangt en dat er een draadje speeksel op haar onderlip glanst. 'Emma!' roep ik. 'Word wakker!' maar er gebeurt niets. Ik leg mijn hand op haar ribben, maar ik voel ze niet op en neer gaan. 'Zeg iets,' mompel ik met bonkend hart. 'Alsjeblieft, Emma!' Ik probeer haar op te tillen, maar ik kan het niet. Ik leg mijn handen om haar hoofd. 'Emma!' Mijn keel doet pijn en er prikken tranen in mijn ogen. Ik kijk achterom naar het huis, maar mevrouw Kitts is nog niet terug van tennissen. Dat maakt me kwaad, want we zijn te jong om alleen thuis te worden gelaten. Verontwaardiging jegens mevrouw Kitts maakt plaats voor afgrijzen bij de gedachte aan wat ze waarschijnlijk zal zeggen... dat Emma's ongeluk mijn schuld is omdat het mijn idee was om verstoppertje te spelen. In gedachten hoor ik juffrouw Grey weer vragen of ik op Emma wil passen en dan haar teleurgestelde tuttut.

'Word wakker, Em,' smeek ik haar. 'Alsjeblieft!' Maar ze ligt daar maar... verfrommeld als een achteloos weggegooide lappenpop. Ik weet dat ik hulp moet gaan halen, maar eerst moet ik haar onderstoppen, want het wordt fris. Ik trek mijn vest uit en leg het over Emma's bovenlijf, strijk het glad over haar borst en stop het onder haar schouders in.

'Ik ben zo terug. Maak je geen zorgen.' Ik doe mijn best niet te gaan huilen.

Opeens komt Emma met een idiote grijns op haar gezicht overeind, haar ogen stralend van ondeugend plezier.

'Gefopt!' zingt ze, en ze klapt in haar handen en gooit haar hoofd achterover. 'Ik had je echt te pakken, hè?' roept ze uit terwijl ze opstaat. 'Je maakte je zorgen, nietwaar, Phoebe? Geef maar toe. Je dacht dat ik dood was! Ik heb eeuwenlang mijn adem ingehouden,' zegt ze nog hijgend terwijl ze haar rok afklopt. 'Ik had echt geen lucht meer over.' Ze blaast hard uit en haar pony komt een beetje omhoog. Dan glimlacht ze weer. 'Oké, Phoebe... jouw beurt.' Ze reikt me mijn vest aan. 'Ik zal beginnen te tellen... tot vijfentwintig als je wilt. Hier Phoebe, pak je vest nou aan.' Emma kijkt me aan. 'Wat is er?'

Mijn handen zijn tot vuisten gebald, mijn gezicht voelt heet aan. 'Doe dat nooit meer!'

Emma knippert verbaasd met haar ogen. 'Het was maar een grapje.'

'Het was een afschuwelijke grap!' Er verschijnen tranen in mijn ogen.

'Ik... sorry.'

'Doe dat nooit meer! Als je het wel doet, praat ik nooit meer tegen je... nooit!'

'Het was maar een spelletje,' protesteert ze. 'Je hoeft je er niet zo...' – ze gooit haar handen in de lucht – 'druk over te maken. Ik speelde het toch maar.' Ze haalt haar schouders op. 'Maar als het je van streek maakt zal ik het niet meer doen. Echt niet.'

Ik graai mijn vest uit haar handen. 'Beloof het.' Ik kijk haar boos aan. 'Je moet het beloven.'

'Oké dan,' mompelt ze en dan ademt ze diep in. 'Ik, Emma Mandisa

Kitts, beloof plechtig dat ik die grap nooit meer met jou, Phoebe Jane Swift, zal uithalen. Ik beloof het,' herhaalt ze. 'Ik zweer het zelfs.' En dan voegt ze er, met die guitige glimlach van haar die ik me na al die jaren nog steeds kan herinneren, aan toe: 'Ik mag dood neervallen als ik het toch doe.'

1

SEPTEMBER IS EEN GOEDE TIJD VOOR EEN NIEUW BEGIN, BEDACHT IK TOEN
ik vanmorgen het huis uit ging. Ik heb bij september altijd al meer
het idee van vernieuwing gehad dan bij januari. Misschien, dacht ik
terwijl ik Tranquil Vale overstak, omdat september altijd zo fris en
helder lijkt na de benauwdheid van augustus. Of misschien, mijmerde
ik toen ik langs Blackheath Books kwam, waar de etalage vol lag met
terug-naar-school promotiemateriaal, is het gewoonweg de associatie
met het nieuwe schooljaar.

Terwijl ik de helling op liep naar de Heath, kwam de pas geschilderde voorgevel van Villa Vintage in het zicht en ik stond mezelf een
korte aanval van optimisme toe. Ik opende de deur, raapte de post op
van de mat en begon met de voorbereiding voor de officiële opening
van de winkel.

Ik werkte non-stop door tot vier uur, koos boven in de voorraadkamer de kleren uit en hing ze aan de rekken. Ik drapeerde een jurk uit
de jaren twintig over mijn arm en streek met mijn hand over de zware
zijden satijn, de complexe kralenversiering en de volmaakte handge-
stikte naden. Dit is wat ik zo fantastisch vind aan vintage kleding,
dacht ik. Ik hou van de prachtige stoffen en de fijne afwerking, van
de wetenschap dat ze met zoveel vaardigheid en kunstgevoel zijn gemaakt.

Ik keek op mijn horloge. Nog twee uur tot het openingsfeest. Ik
bedacht dat ik was vergeten de champagne koud te zetten. Terwijl ik
me de kleine keuken in haastte en de dozen opende, vroeg ik me af
hoeveel mensen er zouden komen. Ik had er honderd uitgenodigd,
dus ik moest minstens zeventig glazen klaar hebben staan. Ik legde

de flessen in de koelkast, stelde hem in op 'vriezen' en zette toen snel een kop thee voor mezelf. Ik keek de winkel rond terwijl ik van mijn Earl Grey nipte en gunde mezelf even de tijd om te genieten van de overgang van droombeeld naar realiteit.

Het interieur van Villa Vintage was modern en licht. Ik had de houten vloer kaal laten schuren en witten, de wanden duifgrijs laten schilderen en grote spiegels met zilverkleurige lijsten opgehangen; er stonden glanzende potplanten op chroomkleurige standaards, er zaten spotjes in het witgeschilderde plafond en naast de paskamer stond een grote crèmekleurig gestoffeerde bergère-sofa. Door het raam strekte Blackheath zich tot in de verte uit en de lucht erboven was een duizelingwekkend blauw gewelf met hoge witte wolken. Voorbij de kerk dansten twee gele vliegers op de wind en aan de horizon glommen en schitterden de glazen torens van Canary Wharf in de namiddagzon.

Ik realiseerde me plotseling dat de journalist die me zou komen interviewen al meer dan een uur te laat was. Ik wist niet eens van welke krant hij was. Het enige wat ik me van ons korte telefoongesprek van gisteren kon herinneren was dat hij Dan heette en had gezegd dat hij rond halfvier hier zou zijn. Mijn irritatie ging over in paniek bij het idee dat hij misschien helemaal niet zou komen; ik had de publiciteit nodig. Mijn ingewanden krompen samen bij de gedachte aan de gigantische lening. Terwijl ik het prijskaartje aan een geborduurde handtas bevestigde, dacht ik eraan hoe ik de bank ervan had proberen te overtuigen dat mijn plan een veilige investering voor hen zou zijn.

'Dus u hebt bij Sotheby's gewerkt?' had de manager van de afdeling kredietverstrekking gevraagd toen ze mijn ondernemingsplan bestudeerde in een klein kantoor waarvan elke vierkante centimeter – inclusief het plafond en zelfs de deur – met dik grijs laken bekleed leek.

'Ik werkte op de textielafdeling,' had ik uitgelegd. 'Ik beoordeelde vintage kleding en ik organiseerde veilingen.'

'Dan zult u er wel veel van weten.'

'Dat klopt.'

Ze krabbelde iets op het formulier; haar pen kraste op het glanzende papier. 'Maar u hebt dus nooit in de detailhandel gewerkt?'

'Nee,' zei ik, en de moed zonk me in de schoenen. 'Dat is waar, maar ik heb een aantrekkelijk, toegankelijk pand gevonden in een plezierige, drukke buurt waar geen andere vintage kledingzaken in de omgeving zijn.' Ik gaf haar de brochure van de makelaar voor Montpelier Vale.

'Het is een leuke locatie,' zei ze toen ze die bestudeerd had. Ik kreeg weer moed. 'En dat het op de hoek staat, maakt het goed zichtbaar.' Ik zag de etalage vol jurken al voor me. 'Maar de huur is wel hoog.' De vrouw legde de brochure op het grijze tafelblad en keek me meedogenloos aan. 'Wat brengt u op het idee dat u voldoende zult kunnen verkopen om de kosten te dekken, laat staan om winst te maken?'

'Nou...' Ik onderdrukte een gefrustreerde zucht. 'Ik weet dat er vraag naar is. Vintage is momenteel zo ín dat het bijna de voornaamste trend is. Je kunt tegenwoordig zelfs vintage kleding kopen in winkels in High Street, zoals Miss Selfridge en Top Shop.'

Het bleef stil terwijl ze weer schreef. 'Dat weet ik,' zei ze toen. Ze keek weer op, maar deze keer glimlachte ze. 'Ik heb pas een prachtige nepbontjas van Biba gekocht bij Jigsaw – ongedragen en met originele knopen.' Ze schoof het formulier naar me toe en gaf me toen haar pen. 'Wilt u onderaan tekenen, alstublieft?'

Nu rangschikte ik de avondjurken aan het rek met formele kleding en zette ik de tassen, ceintuurs en schoenen neer. Ik legde de handschoenen in hun mandje, de namaaksieraden op de fluwelen schalen en toen legde ik de hoed die Emma me voor mijn dertigste verjaardag had gegeven op een hoge plank in de hoek.

Ik deed een stap naar achteren en tuurde naar de bijzondere vorm van bronskleurig stro waarvan de bol zich oneindig hoog leek uit te strekken.

'Ik mis je, Em,' mompelde ik. 'Waar je nu ook bent...' Ik voelde de bekende pijn, alsof er een spies door mijn hart stak.

Achter me klonk een luid getik. Aan de andere kant van het raam stond een man van ongeveer mijn leeftijd, misschien iets jonger. Hij was lang en goedgebouwd, had grote grijze ogen en een bos donkerblonde krullen. Hij deed me aan een beroemd persoon denken, maar ik kon er niet opkomen wie.

'Dan Robinson,' zei hij met een brede glimlach toen ik hem binnenliet. 'Sorry dat ik een beetje laat ben.' Ik weerstond de verleiding om hem te vertellen dat hij érg laat was. Hij haalde een notitieboekje uit zijn versleten uitziende tas. 'Mijn vorige interview liep nogal uit en toen kwam ik vast te zitten in het verkeer, maar dit hoeft niet meer dan een minuut of twintig te duren.' Hij stak zijn hand in de zak van zijn gekreukte linnen jasje en haalde er een potlood uit. 'Ik heb alleen wat basisgegevens over de zaak nodig en iets over uw achtergrond.' Hij keek naar de wirwar van zijden sjaals die over de toonbank heen lagen en naar de half aangeklede etalagepop. 'Maar het is duidelijk dat u het druk hebt, dus als u geen tijd hebt, kan ik...'

'O, ik heb wel tijd,' onderbrak ik hem. 'Heus... als u het tenminste niet erg vindt dat ik doorwerk terwijl we praten.' Ik hing een zeegroene chiffon cocktailjurk op een fluwelen hangertje. 'Van welke krant zei u ook weer dat u was?' Vanuit mijn ooghoek merkte ik op dat zijn mauve gestreepte overhemd niet bij zijn grijsgroene broek paste.

'Het is een nieuwe gratis krant die twee keer per week verschijnt en de *Black & Green* heet – de *Blackheath and Greenwich Express*. De krant bestaat pas een paar maanden, dus we zijn onze oplage nog aan het uitbreiden.'

'Ik ben blij met alle publiciteit die ik kan krijgen,' zei ik terwijl ik de jurk vooraan in het rek met dagkleding hing.

'Het artikel zou er vrijdag in moeten komen.' Dan keek de winkel rond. 'Het interieur is mooi en licht. Je zou niet zeggen dat er oude spullen verkocht worden... ik bedoel, vintage,' corrigeerde hij zichzelf.

'Dank u,' zei ik ironisch, al was ik dankbaar voor zijn observatie.

Terwijl ik snel het cellofaan van een bos witte leliën knipte, keek Dan naar buiten. 'Het is een fantastische locatie.'

Ik knikte. 'Ik vind het heerlijk dat ik over de Heath kan uitkijken en de winkel is vanaf de straat erg goed zichtbaar, dus ik hoop dat ik behalve echte vintage-liefhebbers ook wat passanten binnen krijg.'

'Zo heb ik u ook gevonden,' zei Dan terwijl ik de bloemen in een grote glazen vaas zette. 'Ik liep hier gisteren langs en zag dat u' – hij stak zijn hand in zijn broekzak en haalde er een puntenslijper uit – 'op het punt stond te openen en ik dacht dat het een leuk artikel zou opleveren voor de vrijdageditie.' Toen hij op de sofa ging zitten, zag ik dat hij twee verschillende sokken droeg, een groene en een bruine. 'Niet dat ik echt iets met mode heb.'

'O nee?' zei ik beleefd toen hij een paar keer flink aan het potlood draaide. 'Gebruikt u geen bandrecorder?' kon ik niet nalaten te vragen.

Hij inspecteerde de aangescherpte punt en blies erover. 'Ik geef de voorkeur aan snelschrift. Juist.' Hij stopte de puntenslijper weg. 'Laten we maar beginnen. Tja...' Hij tikte met het potlood tegen zijn onderlip. 'Wat moet ik als eerste vragen...?'

Ik deed mijn best niets van mijn ergernis over zijn gebrek aan voorbereiding te laten merken.

'Ik weet het al,' zei hij. 'Bent u van hier?'

'Ja.' Ik vouwde een lichtblauw kasjmiervest op. 'Ik ben opgegroeid in Eliot Hill, dichter bij Greenwich, maar nu woon ik al vijf jaar in het centrum van Blackheath, in de buurt van het station.' Ik dacht aan mijn spoorarbeidershuisje met zijn kleine voortuin.

'Station,' herhaalde Dan langzaam. 'Volgende vraag...' Dit interview zou eeuwen gaan duren en dat was wel het laatste wat ik nodig had. 'Hebt u een achtergrond in de mode?' vroeg hij. 'Denkt u niet dat de lezers dat zouden willen weten?'

'Eh... dat zou kunnen.' Ik vertelde hem over mijn studie modegeschiedenis aan St Martin's College en mijn carrière bij Sotheby's.

'En hoelang hebt u bij Sotheby's gewerkt?'

'Twaalf jaar.' Ik vouwde een zijden sjaal van Yves Saint Laurent op en legde hem op een schaal. 'Ik was zelfs onlangs gepromoveerd tot hoofd van de afdeling kostuums en textiel. Maar toen... besloot ik te vertrekken.'

Dan keek op. 'Terwijl u net promotie had gemaakt?'

'Ja.' Mijn hart sloeg over. Ik had al te veel gezegd. 'Ik werkte daar al bijna vanaf de dag dat ik was afgestudeerd, ziet u, en ik had behoefte aan...' Ik keek uit het raam en probeerde de golf van emotie die me overspoelde te onderdrukken. 'Ik had het gevoel dat ik...'

'Een carrière-onderbreking nodig had?' opperde Dan.

'Een... verandering. Dus heb ik in maart een soort sabbatical genomen.' Ik drapeerde een ketting imitatieparels van Chanel om de hals van een zilverkleurige etalagepop. 'Ze zeiden dat ze mijn baan vrij zouden houden tot juni, maar begin mei zag ik dat dit pand hier te huur was komen staan, dus besloot ik de sprong te wagen en zelf vintage te gaan verkopen. Ik speelde al een tijd met het idee,' voegde ik eraan toe.

'Met... het... idee,' herhaalde Dan zacht. Je kon dit niet bepaald 'snelschrift' noemen. Ik keek even naar zijn vreemde krabbels en afkortingen. 'Volgende vraag...' Hij beet op het uiteinde van zijn potlood. Die man was waardeloos. 'Ik weet het al: waar haalt u uw voorraad vandaan?' Hij keek me aan. 'Of is dat vakgeheim?'

'Niet echt.' Ik sloot de haakjes van een *café-au-lait*-kleurige zijden blouse van Georges Rech. 'Ik heb veel gekocht bij de kleinere veilinghuizen buiten Londen, en bij gespecialiseerde handelaren en particulieren die ik al kende van mijn werk bij Sotheby's. Ik vind ook dingen op vintage markten en op eBay en ik ben een paar keer naar Frankrijk gereisd.'

'Waarom Frankrijk?'

'Je kunt daar prachtige vintage kleding vinden op provinciale markten... zoals deze geborduurde nachthemden.' Ik hield er een omhoog. 'Deze heb ik in Avignon gekocht. Ze waren niet al te duur, omdat Franse vrouwen minder geïnteresseerd zijn in vintage dan wij in ons land.'

'Vintage kleding raakt hier tamelijk geliefd, is het niet?'

'Heel geliefd.' Ik waaierde snel wat exemplaren van de *Vogue* uit 1950 op het glazen tafeltje bij de sofa uit. 'Vrouwen willen individualiteit, geen massaproductie, en vintage geeft ze dat. Het dragen van vintage kleding geeft originaliteit en flair. Ik bedoel maar, een vrouw kan in High Street een avondjurk kopen voor 200 pond,' vervolgde ik nu ik plezier kreeg in het interview, 'en de volgende dag is hij bijna niks meer waard. Voor hetzelfde geld had ze echter iets van een prachtige stof kunnen kopen, waar ze niemand anders mee rond zou zien lopen en dat, als ze het niet verpest, alleen maar meer waard wordt. Zoals dit...' Ik trok een staalblauwe tafzijden dinerjapon van Hardy Amies uit 1957 uit het rek.

'Hij is erg mooi,' zei Dan, die naar de halternek, het slanke lijfje en de gerende rok keek. 'Je zou denken dat hij nieuw is.'

'Alles wat ik verkoop verkeert in uitstekende conditie.'

'Conditie...' mompelde hij, weer schrijvend.

'Elk kledingstuk is gewassen of chemisch gereinigd,' vervolgde ik terwijl ik de jurk terug hing. 'Ik heb een fantastische naaister die de grote reparaties en aanpassingen doet; de kleinere kan ik zelf. Ik heb achterin een kamertje waar mijn naaimachine staat.'

'En voor hoeveel worden de spullen verkocht?'

'Dat varieert van 15 pond voor een handgerolde zijden sjaal tot 75 pond voor een katoenen middagjapon, 200 tot 300 pond voor een avondjapon en tot 1500 pond voor een couturestuk.' Ik haalde een met kralen bezette goudkleurige avondjurk in faille van Pierre Balmain uit begin jaren zestig uit het rek, waar pijpkraaltjes en zilverkleurige lovertjes op geborduurd waren en haalde de beschermende hoes eraf. 'Dit is een bijzondere jurk, gemaakt door een groot kledingontwerper op het hoogtepunt van zijn carrière. Of kijk deze eens...' Ik pakte een zijdefluwelen broek met wijd uitlopende pijpen in een psychedelisch dessin van sorbetroze en groene tinten. 'Deze is van Emilio Pucci en zal bijna zeker worden gekocht als investering, niet om te dragen, want Pucci doet het net als Ossie Clark, Biba en Jean Muir, erg goed als verzamelobject.'

'Marilyn Monroe was dol op Pucci,' zei Dan. 'Ze is begraven in haar favoriete groene zijden Pucci-jurk.'

Ik knikte, omdat ik niet wilde toegeven dat ik dat niet wist.

'Die zijn leuk.' Dan knikte naar de muur achter me waaraan, als schilderijen, vier strapless korte avondjurkjes hingen – een citroengeel, een zuurstokroze, een turquoise en een limoengroen – met een satijnen lijfje en daaronder een schuimige massa tulen petticoats met sprankelende kristallen.

'Die heb ik daar opgehangen omdat ik ze zo mooi vind,' legde ik uit. 'Het zijn schoolbaljurken uit de jaren vijftig, maar ik noem ze "cupcakes" omdat ze zo betoverend en luchtig zijn. Ik word al vrolijk als ik ernaar kijk.' Of in elk geval zo vrolijk als ik nu kan zijn, dacht ik ontmoedigd.

Dan stond op. 'En wat is dat wat je nu in je handen hebt?'

'Dit is een tournurejapon van Vivienne Westwood.' Ik hield de jurk voor hem omhoog. 'En deze...' ik pakte een terracottakleurige zij-

21

den kaftan, 'is van Thea Porter, en dit suède hemdjurkje is van Mary Quant.'

'En deze hier?' Dan had een oesterroze satijnen avondjurk met een capuchonkraag, fijne plooitjes aan de zijkanten en een wijde rok uit het rek gepakt. 'Hij is prachtig. Het lijkt op iets wat Katharine Hepburn gedragen zou hebben, of Greta Garbo... of Veronica Lake,' voegde hij er peinzend aan toe, 'in *The Glass Key*.'

'O. Die film ken ik niet.'

'Hij is sterk ondergewaardeerd. Hij werd in 1942 geschreven door Dashiell Hammett. Howard Hawks leende eruit voor *The Big Sleep*.'

'O ja?'

'Maar weet je wat...' Hij hield me de jurk voor op een manier die me verraste. 'Hij zou jou goed staan.' Hij keek me schattend aan. 'Jij hebt iets van het smachtende verlangen van de film noir.'

'Vind je?' Hij had me weer verrast. 'Eerlijk gezegd... is deze jurk van mij geweest.'

'Echt waar? Wil je hem niet meer?' vroeg Dan bijna verbolgen. 'Hij is erg mooi.'

'Dat is hij zeker, maar... ik... ik raakte er gewoon op uitgekeken.' Ik hing de jurk terug. Ik hoefde hem de waarheid niet te vertellen. Dat Guy me de jurk nog geen jaar geleden had gegeven. We gingen een maand met elkaar om en hij had me een keer meegenomen naar Bath. Ik had de jurk in een etalage zien hangen en was naar binnen gegaan om hem te bekijken, voornamelijk uit professionele interesse, omdat hij 500 pond kostte. Maar toen ik later in de hotelkamer had zitten lezen, was Guy weggeglipt en hij kwam terug met de jurk, verpakt in roze vloeipapier. Ik had nu besloten hem te verkopen omdat hij bij een deel van mijn leven hoorde dat ik wanhopig graag wilde vergeten. Ik zou het geld aan een goed doel schenken.

'En wat is voor jou de grootste aantrekkingskracht van vintage kleding?' hoorde ik Dan vragen toen ik de schoenen in de verlichte glazen kubussen tegen de linkermuur goed zette. 'Is het dat de spullen van zo'n goede kwaliteit zijn in vergelijking tot de kleren die tegenwoordig worden gemaakt?'

'Voor een deel,' antwoordde ik terwijl ik een suède pump in een elegante hoek ten opzichte van de andere schoen plaatste. 'Vintage dragen is een schop geven tegen de massaproductie. Maar wat ik het leukste vind aan vintage kleding...' Ik keek hem aan. 'Niet lachen, wil je.'

'Natuurlijk niet...'

Ik streek over de ragfijne chiffon van een peignoir uit de jaren vijftig. 'Wat ik echt zo bijzonder vind aan deze kledingstukken... is het feit dat ze iemands persoonlijke geschiedenis bevatten.' Ik liet de rand van maraboezijde over de rug van mijn hand glijden. 'Ik ben altijd benieuwd naar de vrouwen die ze gedragen hebben.'

'Echt waar?'

'Ik vraag me af hoe ze geleefd hebben. Ik kan nooit naar een kledingstuk kijken, zoals dit bijvoorbeeld...' Ik liep naar het rek met dagkleding en haalde er een op maat gemaakt jasje en rok in donkerblauwe tweed uit de jaren veertig uit, 'zonder aan de vrouw te denken van wie het geweest is. Hoe oud was ze? Was ze getrouwd? Was ze gelukkig?'

Dan haalde zijn schouders op.

'In het pakje zit een Brits label uit begin jaren veertig,' vervolgde ik, 'dus vraag ik me af hoe het die vrouw tijdens de oorlog is vergaan. Heeft haar man het overleefd? Heeft zij het overleefd?'

Ik liep naar de schoenenafdeling en pakte een paar slippers van zijdebrokaat uit de jaren dertig, met gele rozen erop geborduurd. 'Ik kijk naar deze prachtige schoenen en ik stel me de vrouw voor die ze gedragen heeft, die ermee wandelde, danste of iemand kuste.' Ik liep naar het roze fluwelen dameshoedje op zijn standaard. 'Ik kijk naar een hoedje als dit,' ik trok de voile omhoog, 'en ik probeer me het gezicht eronder voor te stellen. Want als je een vintage kledingstuk koopt, dan koop je niet zomaar stof en garen... dan koop je een stukje van iemands verleden.'

Dan knikte. 'Dat jij weer naar het heden haalt.'

'Precies... ik geef die kleren een nieuwe levenstermijn. En ik vind het heerlijk dat ik ze kan herstellen,' vervolgde ik. 'Terwijl er in het leven zoveel dingen zijn die niet hersteld kunnen worden.' Ik kreeg weer het bekende, akelige gevoel in mijn buik.

'Zo zou ik vintage kleding nooit bekeken hebben,' zei Dan even later. 'Ik vind het leuk dat je zoveel hartstocht hebt voor wat je doet.'

Hij keek in zijn notitieboekje. 'Je hebt me een paar mooie citaten gegeven.'

'Mooi zo,' antwoordde ik zacht. 'Ik vond het leuk om met je te praten.' Na een hopeloos begin, dacht ik er achteraan.

Dan glimlachte. 'Nou... dan zal ik je maar door laten werken... en ik moet dit ook gaan uitwerken, maar...' Zijn stem stierf weg toen zijn blik naar de plank in de hoek dwaalde. 'Wat een bijzondere hoed. Uit welke periode stamt hij?'

'Die is hedendaags. Hij is vier jaar geleden gemaakt.'

'Hij is erg origineel.'

'Ja... enig in z'n soort.'

'Hoeveel kost-ie?'

'Hij is niet te koop. Ik heb hem gekregen van de ontwerpster... een heel goede vriendin van me...' Ik voelde mijn keel samentrekken.

'Omdat hij zo mooi is?' opperde Dan en ik knikte. Hij klapte zijn notitieboekje dicht. 'En komt ze ook naar de opening?'

Ik schudde mijn hoofd. 'Nee.'

'Nog één ding,' zei hij, en hij haalde een camera uit zijn zak. 'Mijn redacteur heeft me gevraagd een foto van je te maken voor bij het artikel.'

Ik keek op mijn horloge. 'Als het niet te lang duurt. Ik moet de ballonnen nog buiten hangen, ik moet me nog omkleden en ik heb de champagne nog niet ingeschonken: dat gaat nogal wat tijd kosten en de mensen komen over twintig minuten.'

'Laat mij dat dan doen,' hoorde ik Dan zeggen. 'Om goed te maken dat ik te laat hier was.' Hij stak zijn potlood achter zijn oor. 'Waar staan de glazen?'

'O. Er staan drie dozen achter de toonbank en in de koelkast in het keukentje liggen twaalf flessen champagne. Bedankt,' voegde ik eraan toe, terwijl ik me gespannen afvroeg of Dan overal champagne zou morsen. Hij schonk echter behendig de Veuve Clicquot — vintage, uiteraard, dat kon natuurlijk niet anders — in de glazen terwijl ik me waste en iets anders aantrok; een duifgrijze satijnen cocktailjurk uit de jaren dertig met zilverkleurige pumps met open hiel. Daarna deed ik wat make-up op en haalde ik een borstel door mijn haar. Ten slotte maakte ik de tros licht goudkleurige heliumballonnen los van de stoel-leuning waaraan ik ze had vastgebonden en bevestigde ze in groepjes van twee en drie aan de gevel van de winkel, waar ze heen en weer dansten op de aanzwellende bries.

Om klokslag zes uur stond ik met een glas in mijn hand in de deur-opening en maakte Dan zijn foto's.

Na een minuutje liet hij zijn camera zakken en keek hij me duidelijk verbaasd aan.

'Sorry, Phoebe... denk je dat je zou kunnen glimlachen?'

Mijn moeder arriveerde net toen Dan vertrok.

'Wie was dat?' vroeg ze, recht naar de paskamer lopend.

'Een journalist die Dan heet,' antwoordde ik. 'Hij heeft me geïnter-viewd voor een lokale krant. Hij is een beetje chaotisch.'

'Hij zag er leuk uit,' zei ze toen ze zichzelf in de spiegel kritisch stond te bekijken. 'Hij was vreselijk gekleed, maar ik hou wel van krulhaar bij een man. Het is ongebruikelijk.' Haar spiegelbeeld keek me bezorgd en teleurgesteld aan. 'Ik zou echt willen dat je iemand anders vond, Phoebe... ik vind het vreselijk dat je alleen bent. Alleen zijn is helemaal niet leuk. En ik kan het weten,' voegde ze er spijtig aan toe.

'Ik geniet er eigenlijk wel van. Ik ben van plan nog heel lang alleen te blijven, misschien wel voor altijd.'

Mam opende haar tas. 'Dat is zeer waarschijnlijk mijn lot, lieverd, maar hopelijk niet het jouwe.' Ze pakte een van haar dure nieuwe lip-sticks. Hij leek op een gouden kogel. 'Ik weet dat je een zwaar jaar achter de rug hebt, lieverd.'

'Ja,' mompelde ik.

'En ik weet,' – ze keek naar Emma's hoed – 'dat je erg... geleden hebt.' Mijn moeder had geen idee hoeveel. 'Maar,' zei ze terwijl ze de kleur naar boven draaide, en ik wist wat er ging komen, 'ik begrijp nog steeds niet waarom je het moest uitmaken met Guy. Ik weet dat ik hem maar drie keer heb gezien, maar ik vond hem erg charmant, knap en aardig.'

'Dat was hij inderdaad allemaal,' stemde ik met haar in. 'Hij was geweldig. Eigenlijk was hij volmaakt.'

Mams ogen keken me via de spiegel aan. 'Wat is er dan tussen jullie gebeurd?'

'Niets,' loog ik. 'Mijn gevoelens waren gewoon... veranderd. Dat heb ik je al verteld.'

'Ja, maar je hebt niet gezegd waarom.' Mam bracht de kleur – nogal opzichtig koraalrood – op haar bovenlip aan. 'Het leek mij allemaal nogal onnatuurlijk, als ik het zeggen mag. Ik weet dat je destijds erg verdrietig was.' Ze ging zachter praten. 'Maar wat er met Emma is gebeurd...'

Ik sloot mijn ogen in een poging de beelden buiten te sluiten die me voor altijd zullen blijven achtervolgen.

'Nou ja... het was vreselijk,' zei ze met een zucht. 'Ik snap echt niet hoe ze dat heeft kunnen doen... En dan te bedenken dat het leven haar nog zoveel te bieden had.'

'Ja, zoveel,' zei ik spijtig.

Mam depte haar onderlip met een tissue. 'Maar wat ik niet begrijp is waarom je daarna, hoe verdrietig je ook was, een eind maakte aan wat een gelukkige relatie met een heel aardige man leek. Ik denk dat je een soort zenuwinzinking had,' vervolgde ze. 'Het zou me niet verbazen.' Ze drukte haar lippen op elkaar. 'Ik denk dat je niet wist wat je deed.'

'Dat wist ik heel goed,' antwoordde ik kalm. 'Maar weet je wat, mam? Ik wil er niet over pra...'

'Hoe had je hem eigenlijk ontmoet?' vroeg ze plotseling. 'Dat heb je me nooit verteld.'

Ik voelde mijn gezicht warm worden. 'Via Emma.'

'Echt waar?' Mam keek me aan. 'Wat vreselijk lief van haar,' zei ze terwijl ze zich weer naar de spiegel wendde, 'om je aan zo'n leuke man voor te stellen.'

'Ja,' zei ik, slecht op mijn gemak...

'Ik heb iemand ontmoet,' had Emma een jaar geleden opgetogen gezegd aan de telefoon. 'Mijn hoofd tolt gewoon, Phoebe. Hij is... fantastisch.' Het had me moedeloos gemaakt, niet alleen omdat Emma elke keer zei dat ze een 'fantastische' man had ontmoet, maar omdat die mannen gewoonlijk alles behalve dat waren. Emma was altijd lyrisch over hen, maar een maand later begon ze hen te ontlopen en zei ze dat ze 'vreselijk' waren. 'Ik heb hem ontmoet tijdens een benefietfeest,' legde ze uit. 'Hij beheert een beleggingsfonds, maar het mooie is,' had ze er met haar gebruikelijke, ontwapenende ongekunsteldheid aan toegevoegd, 'dat het een ethisch verantwoord fonds is.'

'Dat klinkt interessant. Dan zal het wel een pientere jongen zijn.'

'Hij is als beste afgestudeerd aan de London School of Economics. 'Niet dat hij me dat zelf verteld heeft,' voegde ze er snel aan toe. 'Ik heb hem gegoogeld. We zijn pas een paar keer uit geweest, maar er komt schot in, dus ik wil graag dat jij hem keurt.'

'Emma,' zei ik zuchtend. 'Je bent drieëndertig. Je bent zelf erg succesvol aan het worden. Je maakt hoofddeksels voor enkelen van de bekendste vrouwen in het Verenigd Koninkrijk. Waarom heb je mijn goedkeuring nog nodig?'

'Nou...' Ik hoorde haar met haar tong klakken. 'Omdat oude gewoontes niet gemakkelijk af te leren zijn. Ik heb altijd al jouw mening gevraagd over mannen, niet dan?' peinsde ze. 'Vanaf dat we tieners waren.'

'Ja... maar we zijn nu geen tieners meer. Je moet op je eigen oordeel leren vertrouwen, Em.'

'Ik hoor wel wat je zegt, maar ik wil toch dat je Guy ontmoet. Ik geef volgende week een klein etentje en dan zet ik jou naast hem, oké?'

'Oké,' zei ik met een zucht.

Ik wou dat ze me er niet bij betrokken had, dacht ik terwijl ik Emma de donderdagavond daarna in de keuken van haar huurhuis in Marylebone stond te helpen. Vanuit de huiskamer klonk het geluid van negen lachende en pratende mensen. Emma's idee van een 'klein etentje' was een maaltijd met vijf gangen voor twaalf personen. Terwijl ik de borden uit de kast haalde dacht ik aan de mannen op wie Emma de afgelopen jaren 'waanzinnig verliefd' was geweest: Arnie de modefotograaf, die haar bedroog met een handmodel; Finian de tuinontwerper, die elk weekend doorbracht met zijn zesjarige dochter... en haar moeder. Dan was er nog Julian geweest, een bebrilde effectenmakelaar die belangstelling had voor filosofie en verder bijna nergens voor. Emma's laatste relatie was met Peter geweest, een violist bij het London Philharmonic. Dat had er veelbelovend uitgezien; hij was erg aardig en ze kon met hem over muziek praten. Hij was echter voor drie maanden met het orkest op wereldtournee gegaan en toen hij terugkwam was hij verloofd met de tweede fluitiste.

Misschien zou die Guy een betere keus zijn, dacht ik terwijl ik in een la naar Emma's servetten zocht.

'Guy is volmaakt,' zei ze terwijl ze de oven opende en een wolk damp en de geur van geroosterd lamsvlees vrijkwamen. 'Hij is de ware, Phoebe,' zei ze blij.

'Dat zeg je elke keer.' Ik begon de servetten op te vouwen.

'Maar deze keer is het waar. Ik maak mezelf van kant als het niets wordt,' voegde ze er opgewekt aan toe.

Ik onderbrak mijn werk. 'Doe niet zo raar, Em. Je kent hem nog helemaal niet zo lang.'

'Dat klopt, maar ik weet wat ik voel. Maar hij is laat,' klaagde ze terwijl ze het lamsvlees uit de oven haalde. Ze zette de vleesschaal van Le Creuset met een bons op de tafel, haar gezicht een masker van spanning. 'Denk je dat hij zal komen?'

'Natuurlijk komt hij,' zei ik. 'Het is pas kwart voor negen... hij is waarschijnlijk opgehouden op zijn werk.'

Emma duwde met haar voet de ovendeur dicht. 'Waarom heeft hij dan niet gebeld?'

'Misschien zit hij vast in de metro...' Er verscheen weer een gespannen uitdrukking op haar gezicht.

'Em... maak je niet zo druk!'

Ze begon op het vlees te slaan. 'Ik kan er niets aan doen. Ik zou graag zo kalm en bedaard zijn als jij, maar dat ben ik nooit geweest.' Ze ging recht staan. 'Hoe zie ik eruit?'

'Prachtig.'

Ze glimlachte opgelucht. 'Bedankt... niet dat ik er iets van geloof, want dat zeg je altijd.'

'Omdat het altijd waar is,' zei ik resoluut.

Emma was zoals gewoonlijk apart gekleed, in een gebloemde zijden jurk van Betsey Johnson met kanariegele netkousen en zwarte enkellaarsjes eronder. Haar golvende kastanjebruine haren werden door een zilverkleurige haarband uit haar gezicht gehouden.

'En staat deze jurk me écht goed?' vroeg ze.

'Echt waar. Ik vind de geschulpte halslijn erg mooi en de jurk kleedt mooi slank af,' voegde ik eraan toe, maar daar had ik meteen spijt van.

'Bedoel je dat ik dik ben?' Emma's gezicht betrok. 'Zeg dat alsjeblieft niet, Phoebe... niet vandaag. Ik weet dat ik wel een paar pond zou mogen afvallen, maar...'

'Nee, nee! Dat bedoelde ik niet. Natuurlijk ben je niet dik, Em, je ziet er fantastisch uit. Ik bedoelde gewoon...'

'O, god!' Ze sloeg haar hand voor haar mond. 'Ik heb de blini's nog niet gedaan!'

'Die doe ik wel.' Ik opende de koelkast en haalde er de gerookte zalm en een potje crème fraîche uit.

'Je bent een geweldige vriendin, Phoebe,' hoorde ik Emma zeggen. 'Wat zou ik toch zonder jou moeten,' voegde ze eraan toe terwijl ze takjes rozemarijn in het lamsvlees stak. 'Weet je,' zei ze, met een takje naar me wijzend, 'we kennen elkaar al bijna een kwart eeuw.'

'Zo lang al?' mompelde ik, en ik begon de gerookte zalm fijn te hakken.

'Jazeker. En daar zal nog wel een jaar of vijftig bijkomen.'

'Als we het juiste merk koffie drinken.'

'We moeten natuurlijk wel naar hetzelfde bejaardentehuis!' zei Emma giechelend.

'Waar jij nog steeds je vriendjes door mij zult laten keuren. O, Phoebe,' zei ik met krakende stem, 'hij is drieënnegentig... denk je dat hij misschien iets te oud voor me is?'

Emma lachte en gooide het bosje rozemarijn naar me toe.

Ik grilde de blini's en deed mijn best mijn vingers niet te verbranden terwijl ik ze snel omdraaide. Emma's vrienden praatten zo hard – en er zat iemand piano te spelen – dat het slechts vaag tot me doordrong dat de deurbel ging, maar Emma sprong op bij het geluid.

'Hij is er!' Ze controleerde snel haar uiterlijk in een spiegeltje, verschoof haar haarband een beetje en rende toen de smalle trap af. 'Hoi! O, dankjewel,' hoorde ik haar roepen. 'Ze zijn prachtig. Kom boven... je weet de weg.' Ik besefte dat Guy al eerder hier was geweest; dat was een goed teken. 'Iedereen is er al,' hoorde ik Emma zeggen toen ze de trap op kwamen.

Ik pakte de pepermolen en draaide flink aan de dop. Niets. Verdorie. Waar had Emma de peperkorrels staan? Ik ging op zoek en trok een paar kastjes open voor ik een nieuw potje boven op haar kruidenrekje vond.

'Ik zal je wat te drinken inschenken, Guy,' hoorde ik Emma zeggen. 'Phoebe.'

Ik had het plastic van het potje afgehaald en probeerde nu het deksel eraf te krijgen, maar het zat vast.

'Phoebe,' zei Emma weer. Ik draaide me om. Ze stond in de keuken met een stralende glimlach om haar mond en een bosje witte rozen in haar hand; achter haar, nog in de deuropening, stond Guy.

Ik keek hem geërgerd aan. Emma had gezegd dat hij 'grandioos' was, maar dat had me niets gezegd, omdat ze dat altijd zei, ook al was de man in kwestie lelijk. Guy was echter adembenemend knap. Hij was lang en breedgeschouderd, met een open gezicht en fijne, gelijkmatige trekken, donkerbruin haar dat vertederend kort was geknipt en donkerblauwe ogen waar een geamuseerde blik in lag.

'Phoebe,' zei Emma, 'dit is Guy.' Hij glimlachte naar me en ik voelde mijn hart bonzen in mijn borstkas. 'Guy, dit is mijn beste vriendin Phoebe.'

'Hoi!' zei ik, als een idioot glimlachend terwijl ik met de peperkorrels worstelde. Waarom moest hij nou zo knap zijn? 'God!' Het deksel kwam plotseling van het potje en de peperkorrels vlogen er in een zwarte boog uit en verspreidden zich toen over de vloer en het aanrecht. 'Sorry, Em,' zei ik. Ik pakte een veger en begon driftig te vegen, al was het alleen maar om mijn verwarring te verbergen. 'Het spijt me!' zei ik lachend. 'Wat een sufferd!'

'Het is niet erg,' zei Emma. Ze zette snel de rozen in een kan en pakte het blad met blini's. 'Ik breng deze wel naar binnen. Bedankt, Phoebe... ze zien er geweldig uit.'

Ik verwachtte dat Guy haar zou volgen, maar in plaats daarvan liep hij naar het aanrecht, opende het kastje onder de wasbak en haalde er de stoffer en blik uit. Hij wist dus de weg in Emma's keuken, dacht ik.

'Dat is niet nodig,' protesteerde ik.

'Het geeft niets... ik help je wel even.' Guy trok de knieën van zijn City-broek iets op, hurkte neer en begon de peperkorrels op te vegen. 'Ze rollen overal heen,' wauwelde ik. 'Zo stom van me.'

'Weet je waar peper vandaan komt?' vroeg hij plotseling.

'Geen idee,' antwoordde ik terwijl ik bukte om er een paar op te rapen. 'Zuid-Amerika?'

'Kerala, een deelstaat van India. Tot de vijftiende eeuw was peper zo waardevol dat het als betaalmiddel kon worden gebruikt.'

'Echt waar?' vroeg ik beleefd, en ik bedacht hoe vreemd het was dat ik op mijn hurken op de vloer wetenswaardigheden over zwarte peper zat te bespreken met een man die ik pas een paar minuten kende.

'Maar goed,' zei Guy terwijl hij overeind kwam en het blik in de prullenbak leegschudde. 'Ik kan misschien maar beter naar binnen gaan.'

'Ja,' zei ik glimlachend. 'Emma zal zich wel afvragen waar je blijft. Maar eh... bedankt.'

De rest van het etentje ging in een waas aan me voorbij. Zoals beloofd had Emma me naast Guy gezet en ik deed mijn best mijn emoties te beheersen terwijl ik beleefd met hem babbelde. Ik hoopte steeds dat hij iets zou zeggen waarop ik zou afknappen – dat hij net uit een ontwenningskliniek kwam, bijvoorbeeld, of dat hij twee ex-vrouwen en vijf kinderen had. Ik hoopte dat ik zijn conversatie saai zou vinden, maar hij zei alleen maar dingen die hem nog aantrekkelijker maakten. Hij vertelde interessant over zijn werk en over zijn verantwoordelijkheid om het geld van zijn klanten zo te investeren dat het niet alleen niet nadelig was voor, maar zelfs een positief effect kon hebben op het milieu en de gezondheid en het welzijn van de mens. Hij vertelde over zijn samenwerking met een liefdadigheidsinstelling die een eind wilde maken aan kinderarbeid. Hij praatte vol genegenheid over zijn ouders en zijn broer, met wie hij eens per week ging squashen bij de Chelsea Harbour Club. Emma is een geluksvogel, dacht ik. Guy leek alles te zijn wat ze over hem had beweerd. Tijdens het verloop van de maaltijd keek ze vaak naar hem en noemde ze geregeld zijn naam.

31

'We zijn laatst naar de opening van de Goya-tentoonstelling geweest, nietwaar, Guy?'

Guy knikte.

'En we proberen kaartjes te krijgen voor *Tosca* in het Opera House volgende week, hè?'

'Ja... dat klopt.'

'Het is al maanden uitverkocht,' legde ze uit, 'maar ik hoop online geannuleerde kaartjes te kunnen kopen.'

Het drong geleidelijk tot Emma's vrienden door dat er kennelijk iets tussen hen gaande was. 'Hoelang kennen jullie tweeën elkaar al?' vroeg Charlie met een insinuerende glimlach aan Guy. De woorden 'jullie tweeën' brachten bij mij een steek van jaloezie teweeg, en bij Emma een blos van plezier.

'O, nog niet zo lang,' antwoordde Guy zacht, en zijn terughoudendheid leek alleen maar een bevestiging van zijn belangstelling voor haar...

'En... wat vond je?' vroeg Emma me de ochtend na het etentje aan de telefoon.

Ik draaide aan mijn Rotadex. 'Wat vond ik waarvan?'

'Van Guy natuurlijk! Vind je hem niet grandioos?'

'O... ja. Hij is... grandioos.'

'Prachtige blauwe ogen... vooral bij dat donkere haar. Een fantastische combinatie.'

Ik keek door het raam naar New Bond Street. 'Fantastisch.'

'En hij is een onderhoudende prater, vind je ook niet?'

Ik hoorde het gonzende geluid van het verkeer. 'Ik... ja.'

'En hij heeft een leuk gevoel voor humor.'

'Hmm.'

'Hij is zo aardig en normáál vergeleken met de andere mannen met wie ik uit ben geweest.'

'Dat is beslist waar.'

'Hij is een goed mens. De beste van allemaal,' besloot ze, 'en heel intelligent!'

Ik kon het niet over mijn hart verkrijgen haar te vertellen dat Guy me een uur daarvoor had gebeld om me mee uit eten te vragen.

Ik had niet geweten wat ik moest doen. Guy had me gemakkelijk opgespoord via de telefoniste bij Sotheby's. Ik was verrukt... en hevig geschokt. Ik had hem bedankt, maar gezegd dat ik niet kon. Hij had me die dag nog drie keer gebeld, maar ik had geen tijd gehad om met hem te praten omdat ik druk bezig was met de voorbereiding voor een veiling van twintigste-eeuwse mode en accessoires. De vierde keer dat Guy had gebeld had ik kort met hem gesproken. Ik had mijn stem zorgvuldig gedempt omdat ik in een open kantoorruimte zat. 'Je bent erg vasthoudend, Guy.'

'Dat klopt, maar dat komt omdat ik je leuk vind, Phoebe, en ik denk – zonder mezelf te willen vleien – dat je mij ook leuk vindt.' Ik maakte het objectnummer vast aan een gevlekt groen wollen broekpak van Pierre Cardin van halverwege de jaren zeventig. 'Waarom zeg je geen ja?' smeekte hij.

'Nou... omdat... het nogal moeilijk ligt, niet?'

Er viel een onbehaaglijke stilte. 'Luister eens, Phoebe... Emma en ik zijn alleen maar vrienden.'

'Echt?' Ik inspecteerde iets wat verdacht veel op een mottengaatje in de ene broekspijp leek. 'Je lijkt haar anders behoorlijk veel te hebben gezien.'

'Tja... dat is vooral omdat Emma me belt als ze ergens kaartjes voor heeft, zoals de Goya-opening. We hebben wat dingen samen gedaan en met elkaar gelachen, maar ik heb nooit de indruk bij haar gewekt dat ik...' Zijn stem stierf weg.

'Maar het was duidelijk dat je eerder in haar flat was geweest. Je wist precies waar haar stoffer en blik lagen,' fluisterde ik beschuldigend.

'Ja... omdat ze me vorige week vroeg een lekkage onder haar aanrecht te verhelpen en ik alles uit het kastje moest halen om erbij te kunnen.'

'O.' Ik werd overspoeld door opluchting. 'Ik begrijp het. Maar...'

Guy slaakte een zucht. 'Luister, Phoebe, ik vind Emma een aardige meid. Ze heeft veel talent en ze is leuk.'

'O, dat is ze zeker... ze is geweldig.'

'Maar ik vind haar een beetje intens,' vervolgde hij. 'Om niet te zeggen een beetje getikt,' bekende hij met een nerveus lachje. 'Maar zij en ik hebben niets met elkaar. Dat kan ze onmogelijk denken.' Ik antwoordde niet. 'Dus wil je alsjeblieft met me gaan eten?' Ik voelde mijn vastberadenheid afnemen. 'Wat zeg je van aanstaande dinsdag?' hoorde ik hem zeggen. 'Bij het Wolseley? Ik zal een tafeltje reserveren voor halfacht. Kom je, Phoebe?'

Als ik enig idee had gehad waar het toe zou leiden, had ik gezegd: 'Nee. Ik kom niet. Geen sprake van. Nooit.'

'Ja,' hoorde ik mezelf zeggen.

Ik overwoog om Emma niets te vertellen, maar ik kon het niet voor haar verzwijgen, onder andere omdat het vreselijk zou zijn als ze er zelf achter kwam. Dus vertelde ik het haar die zaterdag, toen we bij Amici's, onze favoriete koffiebar in Marylebone High Street, bij elkaar kwamen.

'Heeft Guy je mee uit gevraagd?' zei ze zwakjes. Het leek wel of haar pupillen samentrokken door de teleurstelling. 'O.' Haar hand trilde toen ze haar kopje neerzette.

'Ik heb hem niet... aangemoedigd,' legde ik zachtmoedig uit. 'Ik heb niet met hem geflirt tijdens je etentje, en als je liever hebt dat ik het niet doe, dan ga ik niet, maar ik kon het niet voor je stilhouden... Em?' Ik pakte haar hand vast en zag hoe rood haar vingertoppen waren van al het stikken, lijmen en stro spannen. 'Emma... gaat het?' Ze roerde in haar cappuccino en staarde naar buiten. 'Want ik spreek niets met hem af, niet één keer, als jij dat niet wilt.'

Emma gaf niet meteen antwoord. Haar grote groene ogen dwaalden naar een jong stelletje dat aan de overkant van de straat hand in hand liep. 'Het geeft niets,' zei ze uiteindelijk. 'Ik ken hem immers nog niet zo lang, zoals je al zei... hoewel hij me niet ontmoedigde in het idee dat...' Haar ogen liepen vol. 'En de rozen die hij voor me had meegebracht. Ik dacht...' Ze drukte een papieren servetje tegen haar ogen. Er stond 'Amici's' op gedrukt. 'Nou,' zei ze schor. 'Het ziet ernaar uit dat ik toch niet met hem naar *Tosca* zal gaan. Misschien kun jij met hem gaan, Phoebe. Hij zei dat hij zich erop verheugde...'

Ik zuchtte gefrustreerd. 'Luister, Em, ik zeg gewoon dat ik niet meega. Als jij je er ellendig door voelt, heb ik geen belangstelling.'

'Nee,' mompelde Emma even later en ze schudde haar hoofd. 'Ga maar, als je hem leuk vindt... en ik neem aan dat dat zo is, anders zouden we dit gesprek nu niet eens voeren. Maar goed...' Ze pakte haar tas op. 'Ik kan maar beter gaan. Ik moet nog een hoed afmaken... voor prinses Eugenie nog wel.' Ze wuifde opgewekt naar me. 'Ik spreek je gauw weer.'

Maar ze belde me zes weken lang niet terug...

'Ik wou dat je Guy eens belde,' hoorde ik mam zeggen. 'Ik denk dat je veel voor hem betekende. In feite, Phoebe, moet ik je iets vertellen...'

Ik keek haar aan. 'Wat?'

'Nou... Guy heeft me vorige week gebeld.'

Ik had het gevoel te vallen, alsof ik van een steile helling omlaag gleed.

'Hij zei dat hij je wilde zien, alleen maar om met je te praten... schud nu niet je hoofd, lieverd. Hij vindt dat je "oneerlijk" bent geweest – dat was het woord dat hij gebruikte, al wilde hij niet zeggen waarom. Maar ik vermoed dat je inderdaad oneerlijk bent geweest, lieverd. Oneerlijk, en als je het mij vraagt idioot.' Mam haalde een kam uit haar tas. 'Zo gemakkelijk is het niet om een leuke man te vinden. Volgens mij mag je van geluk spreken dat hij nog steeds de deur voor je op een kier laat staan nadat je hem op die manier aan de kant hebt gezet.'

'Ik wil niets meer met hem te maken hebben,' hield ik vol. 'Ik... voel gewoon niet meer hetzelfde voor hem.' Guy wist wel waarom.

Mam haalde de kam door haar golvende blonde haren. 'Ik hoop maar dat je er geen spijt van krijgt. En ik hoop ook dat je er geen spijt van krijgt dat je bij Sotheby's bent weggegaan. Ik vind het nog steeds zonde. Je had daar prestige, en zekerheid... de opwinding van het organiseren van veilingen.'

'De stress, bedoel je.'

'Je had het gezelschap van je collega's,' voegde ze eraan toe, me negerend.

'En nu zal ik het gezelschap hebben van mijn klanten, en van mijn parttime assistente, als ik die kan vinden.' Dat was iets waar ik achteraan moest; er was binnenkort een modeveiling bij Christie's waar ik heen wilde.

'Je had een vast inkomen,' ging mam door, en ze verruilde de kam voor een poederdoosje. 'En nu open je hier dit... winkeltje.' Ze slaagde erin het als 'bordeel' te laten klinken. 'En als het nou niets wordt? Je hebt een klein fortuin geleend, lieverd...'

'Fijn dat je me eraan herinnert.'

Ze bracht poeder op haar neus aan. 'En je zult zó hard moeten werken.'

'Hard werken vind ik prima,' zei ik op vlakke toon. Want dan had ik minder tijd om na te denken.

'Maar goed, ik heb mijn zegje gedaan,' besloot ze zalvend. Ze klapte het poederdoosje dicht en stopte het weer in haar tas.

'Hoe gaat het op je werk?'

Mam trok een grimas. 'Niet goed. Er zijn problemen met dat reusachtige huis aan Ladbroke Grove... John wordt er gek van, en dat maakt het voor mij ook moeilijk.' Mam werkt als assistente van een succesvol architect, John Cranfield, een baan die ze al tweeëntwintig jaar heeft. 'Het valt niet mee,' zei ze, 'maar in feite mag ik van geluk spreken dat ik nog werk heb op mijn leeftijd.' Ze tuurde naar zichzelf in de spiegel. 'Moet je mijn gezicht zien,' steunde ze.

'Het is een mooi gezicht, mam.'

Ze zuchtte. 'Meer rimpels dan Gordon Ramsay tijdens een woede-aanval. Geen van die nieuwe crèmes lijkt ook maar enig effect te hebben.'

Ik dacht aan mams toilettafel. Voorheen stond daar één flesje Oil of Olaz op... tegenwoordig lijkt het wel de crème-afdeling van een warenhuis met al die tubes proretinol A en vitamine C, de potjes Derma Genesis en Moisture Boost, de pseudowetenschappelijke capsules langzaam vrijkomende ceramide en hyaluronzuur met celvoedende, elastineherstellende van alles en nog wat.

'Niets dan dromen in een potje, mam.'

Ze prikte met haar vingers in haar wangen. 'Misschien zou een beetje botox helpen... daar loop ik over te denken.' Ze trok met een paar vingers van haar linkerhand de huid van haar voorhoofd strak omhoog. 'Dan zul je zien dat het misgaat en dat mijn oogleden naast mijn neusgaten terechtkomen. Maar ik heb zo'n hekel aan al die rimpeltjes.'

'Leer er dan maar van te houden. Het is normaal dat je rimpels hebt als je negenenvijftig bent.'

Mam kromp in elkaar alsof ik haar geslagen had. 'Zeg dat niet. Ik zie er vreselijk tegenop om de buspas te krijgen. Waarom kunnen ze ons niet een taxipas geven als we zestig worden? Dat zou ik lang niet zo erg vinden.'

'Bovendien maken lijntjes een mooie vrouw niet minder mooi,' vervolgde ik terwijl ik een stapel Villa Vintage-tassen achter de toonbank legde. 'Alleen interessanter.'

'Niet voor je vader.'

Daar gaf ik geen antwoord op.

'Ik dacht nog wel dat hij van oude ruïnes hield,' voegde mam er droogjes aan toe. 'Hij is immers archeoloog. Maar nu zit hij bij een meisje dat amper ouder is dan jij. Het is walgelijk,' mompelde ze verbitterd.

'Het was in elk geval verrassend.'

Mam veegde een denkbeeldig pluisje van haar rok. 'Je hebt hem toch niet uitgenodigd voor vanavond? Nee toch?' Ik zag een hartverscheurende mengeling van paniek en hoop in haar ogen.

'Nee, dat heb ik niet,' antwoordde ik zacht. Niet in het minst omdat zíj misschien mee zou zijn gekomen. Daar zag ik Ruth best voor aan.

'Zésendertig,' zei mam bijtend, alsof ze vooral problemen had met de 'zes'.

'Ze zal inmiddels wel achtendertig zijn,' merkte ik op.

'Ja, en hij is tweeënzestig! Ik wou dat hij nooit aan die verdraaide tv-serie begonnen was,' klaagde ze.

Ik haalde een woudgroene Hermès Kelly uit zijn stoffen zak en legde hem in een glazen kubus. 'Je kon niet weten wat er zou gebeuren, mam.'

'En dan te bedenken dat ik hem zelf heb overgehaald... op háár aandringen!' Ze pakte een glas champagne. Haar trouwring, die ze in weerwil van mijn vaders vertrek blijft dragen, glom in een straal zonlicht. 'Ik dacht dat het zijn carrière ten goede zou komen,' vervolgde ze ellendig. Ze nipte van haar bubbels. 'Ik dacht dat het zijn profiel zou verbeteren en dat hij meer geld zou verdienen, wat van pas zou komen na onze pensionering. En dan gaat hij op pad om *The Big Dig* te filmen. De grote opgraving... hij heeft kennelijk vooral in haar zitten graven,' zei mam met een grimas. Ze nipte weer van de champagne. 'Het was gewoon... afschuwelijk.'

Ik was het met haar eens. Dat mijn vader voor het eerst in achtendertig jaar huwelijk vreemdging was al niet niks, maar dat mijn moeder het in de *Daily Express* moest lezen ging echt te ver. Ik huiverde toen ik me het onderschrift bij de foto herinnerde waarop mijn vader – die er ongebruikelijk stiekem uitzag – samen met Ruth voor haar appartement in Notting Hill was afgebeeld:

TV-PROF DUMPT VROUW NA GERUCHTEN OVER BABY.

'Zie je hem vaak, lieverd?' hoorde ik mam gemaakt onverschillig vragen. 'Ik kan je natuurlijk niet tegenhouden,' vervolgde ze. 'En dat zou ik ook niet willen... hij is je vader; maar eerlijk gezegd is de gedachte dat je tijd doorbrengt met hem, en háár... en... en...' Mam kon zich er niet toe zetten de baby te noemen.

'Ik heb hem al een hele tijd niet gezien,' zei ik naar waarheid.

Mam sloeg haar champagne achterover en bracht het glas naar de kleine keuken. 'Ik kan maar beter niets meer drinken. Anders ga ik alleen maar huilen. Goed,' zei ze kordaat toen ze terugkwam, 'laten we het ergens anders over hebben.'

'Oké, vertel eens wat je van de winkel vindt. Je bent hier in weken niet geweest.'

Mam liep rond en haar elegante hakjes tikten op de houten vloer. 'Ik vind het mooi. Het lijkt helemaal niet op een tweedehandswinkel... het heeft meer weg van een leuke hippe zaak zoals Phase Eight.'

'Ik ben blij dat te horen.' Ik zette de fluitjes met bruisende champagne op de toonbank netjes in rijen.

'Ik vind die stijlvolle zilverkleurige etalagepoppen erg leuk, en het heeft een plezierige rustige sfeer, helemaal niet rommelig.'

'Ja, vintage zaken kunnen er heel slordig uitzien, met de rekken zo vol dat het al een hele klus is om ze alleen maar door te kijken. Hier heb je voldoende licht en ruimte tussen de kledingstukken om met plezier te kunnen rondsnuffelen. Als een stuk niet verkoopt, hang ik er gewoon iets anders voor in de plaats. Maar vind je de kleren niet prachtig?'

'Ja-a,' antwoordde mam. 'In zekere zin.' Ze maakte een hoofdknikje naar de cupcake-jurkjes. 'Die zijn grappig.'

'Ik weet het... ik vind ze geweldig.' Ik vroeg me af wie ze zou ko-

pen. 'En kijk deze kimono eens. Hij is uit 1912. Heb je dat borduur-
werk gezien?'

'Erg mooi...'

'Mooi? Het is een kunstwerk. En deze avondmantel van Balenciaga.
Kijk eens naar die snit... hij is uit maar twee delen gemaakt, inclusief
de mouwen. Het is een verbazingwekkend patroon.'

'Hmm...'

'En deze doorknoopjurk dan, die is van Jacques Fath. Kijk eens
naar dat brokaat met zijn dessin van kleine palmbomen. Waar vind je
vandaag de dag nog zoiets?'

'Dat is allemaal goed en wel, maar...'

'En dit pak van Givenchy; dat zou jou fantastisch staan, mam. Jij
kunt gemakkelijk een knielange rok dragen, want je hebt prachtige
benen.'

Ze schudde haar hoofd. 'Ik zou nooit vintage kleding dragen.'

'Waarom niet?'

Ze haalde haar schouders op. 'Ik heb altijd liever nieuwe dingen.'

'Ik begrijp niet waarom.'

'Dat heb ik je al eerder verteld, lieverd... omdat ik ben opgegroeid
in een tijd van rantsoenering. Ik had niets anders dan vreselijke afleg-
gertjes... kriebelende wollen truien, grijze kamgaren rokken en ruwe
wollen overgooiers die naar natte honden stonken als het regende.
Ik verlangde altijd naar dingen die niet al van iemand anders waren
geweest, Phoebe. Dat doe ik nog steeds. Ik kan er niets aan doen. En
daarbij heb ik helemaal geen zin om dingen te dragen die andere mensen al hebben gedragen.'

'Maar alles is gewassen en gereinigd. Dit is niet het Leger des Heils,
mam,' voegde ik eraan toe terwijl ik snel nog een keer over de toonbank veegde. 'Deze kleren zijn allemaal in uitstekende conditie.'

'Dat weet ik. En het ruikt allemaal heerlijk fris... ik kan niets muf-
figs bespeuren.' Ze snoof een keer. 'Zelfs geen zweempje mottenbal-
lengeur.'

Ik schudde de kussens op de bank op waar Dan had gezeten. 'Wat
is dan het probleem?'

'Het gaat om het idee dat je iets draagt dat aan iemand heeft toe-
behoord die waarschijnlijk... dood is. Dat vind ik vreselijk,' voegde

ze er met een lichte huivering aan toe. 'Dat is altijd al zo geweest. Daarin lijken jij en ik niet op elkaar. Jij hebt meer van je vader. Jullie houden allebei van oude dingen... puzzelstukjes in elkaar passen. Ik neem aan dat wat jij doet ook een soort archeologie is,' vervolgde ze. 'Kledingarcheologie. O, kijk, er komt iemand aan.'

Ik pakte twee glazen champagne en stapte toen met pure adrenaline in mijn aderen en een verwelkomende glimlach op mijn gezicht naar de mensen toe die net binnen waren gekomen om ze te begroeten. Villa Vintage was geopend...

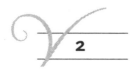

2

IK WORD ALTIJD HEEL VROEG WAKKER. IK HOEF NIET OP DE KLOK TE KIJKEN om te zien hoe laat het is... het is tien voor vier. Ik word nu al zes maanden lang elke nacht om tien voor vier wakker. Mijn huisarts zegt dat het stress-geïnduceerde slapeloosheid is, maar ik weet dat het niet wordt veroorzaakt door stress, maar door schuldgevoel.

Ik wil geen slaaptabletten gebruiken, dus soms probeer ik de tijd te verdrijven door op te staan en iets te gaan doen. De wasmachine aanzetten bijvoorbeeld... die staat altijd te draaien; kleren strijken of iets repareren. Ik weet echter dat ik beter kan proberen te slapen, dus meestal blijf ik liggen en probeer ik mezelf weer in slaap te sussen door naar BBC World Service of een nachtelijk belspelletje te kijken. Maar vannacht deed ik dat niet... vannacht lag ik aan Emma te denken. Als ik niet bezig ben speelt ze voortdurend door mijn hoofd, als in een oneindige lus.

Ik zie haar op onze kleine lagere school in haar gestreepte groene zomerjurk; ik zie haar als een zeehond het zwembad in duiken; ik zie haar voor een tenniswedstrijd haar geluks-Krugerrand kussen. Ik zie haar op het Royal College of Art, de Koninklijke Kunstacademie, met haar tekenblokken; ik zie haar op Ascot, op een foto in de *Vogue*, stralend onder een van haar fantastische hoeden.

En terwijl mijn slaapkamer zich vulde met het grauwe licht van de ochtend zag ik Emma zoals ik haar voor het allerlaatst had gezien.

'Sorry,' fluisterde ik.

Je bent een fantastische vriendin.

'Het spijt me, Em.'

Wat zou ik zonder jou moeten aanvangen?

Onder de douche dwong ik mijn gedachten terug te keren naar mijn werk en het openingsfeest. Er waren zo'n tachtig mensen gekomen, onder wie drie voormalige collega's van Sotheby's, een paar van mijn buren hier in Bennett Street en een paar lokale winkeleigenaren. Ted van het makelaarskantoor vlak bij de winkel was even binnen komen lopen en had een zijden vestje uit het rek met herenkleding gekocht; en Rupert van de bloemisterij was er; en Pippa, die het Moon Daisy Café runt, kwam samen met haar zus.

Een paar van de modeverslaggevers die ik had uitgenodigd waren er ook. Ik hoopte dat ze goede contacten zouden worden en in ruil voor publiciteit mijn kleding zouden lenen voor fotosessies.

'Het is erg elegant,' zei Mimi Long van *Woman & Home* tegen me terwijl ik rondliep met de champagne. Ze hield haar glas op zodat ik het weer kon vullen. 'Ik ben dol op vintage. Je waant je bijna in de grot van Aladdin en je krijgt zo'n heerlijk gevoel van... ontdekking. Ga je de winkel in je eentje runnen?'

'Nee, ik heb iemand nodig die me parttime helpt zodat ik eropuit kan gaan om voorraad in te kopen en spullen kan wegbrengen om te worden gereinigd en gerepareerd. Dus als je soms iemand weet... die moet wel belangstelling hebben voor vintage,' voegde ik eraan toe.

'Ik leg mijn oor te luisteren,' beloofde Mimi. 'Oo... is dat echt Fortuny wat ik daar zie hangen?'

Ik zal een advertentie moeten zetten voor een assistente, dacht ik terwijl ik me afdroogde en mijn natte haren kamde. Ik kon wel adverteren in een plaatselijke krant... misschien de krant waar Dan voor werkte, al wist ik niet meer hoe die heette.

Terwijl ik een wijde linnen broek en een nauwsluitend shirtje met korte mouwen en een Peter Pan-kraag aantrok, realiseerde ik me dat Dan mijn stijl goed had ingeschat. Ik hou inderdaad van de schuin geknipte jurken en broeken met wijde pijpen uit de jaren dertig en veertig; ik draag mijn haar graag op schouderlengte en zo dat het voor mijn ene oog valt. Ik hou van breed uitwaaierende jassen, enveloptassen, schoenen met open tenen en nylons met naad. Ik hou van stoffen die heel soepel vallen.

Ik hoorde de brievenbus kletteren en liep naar beneden, waar drie brieven op de mat lagen. Ik herkende Guys handschrift op de eerste, scheurde hem in tweeën en gooide de stukken in de prullenbak. Ik wist van zijn vorige brieven al wat er in zou staan.

In de volgende envelop zat een kaart van pap. *Veel succes met je nieuwe onderneming,* had hij geschreven. *Ik zal aan je denken, Phoebe. Maar kom alsjeblieft gauw eens langs. Het is al veel te lang geleden.*

Dat was waar. Ik had het zo druk gehad dat ik hem al vanaf begin april niet meer had gezien. We hadden elkaar toen in een eettentje in Notting Hill ontmoet voor een verzoeningslunch. Ik was er niet op voorbereid geweest dat hij de baby mee zou brengen. De aanblik van mijn tweeënzestigjarige vader met een baby van twee maanden tegen zijn borst gebonden was op zijn zachtst gezegd een schok geweest.

'Dit is... Louis,' had hij ongemakkelijk gezegd terwijl hij met de babydraagdoek worstelde. 'Hoe krijg je zo'n ding los?' mompelde hij. 'Die verdraaide gespen... ik krijg ze nooit... aha, hebbes.' Hij zuchtte van opluchting, haalde de baby uit de draagdoek en hield hem met een tedere, maar ietwat verwarde blik in zijn armen. 'Ruth is weg om te filmen, dus ik moest hem wel meenemen. O...' Pap keek bezorgd naar Louis. 'Denk je dat hij honger heeft?'

Ik keek hem ontzet aan. 'Hoe moet ík dat nou weten?'

Terwijl pap in de luiertas naar een flesje zocht, keek ik naar Louis met zijn van kwijl glimmende kin, niet wetend wat ik moest denken, laat staan zeggen. Hij was mijn kleine broertje. Hoe kon ik nou niet van hem houden? Maar toch... hoe kon ik wél van hem houden, zo vroeg ik me af, als zijn conceptie de oorzaak was van mijn moeders verdriet?

Intussen had Louis, die zich niets aantrok van de complexiteit van de situatie, mijn vinger in zijn kleine handje gepakt en hij glimlachte al zijn tandvlees bloot.

'Aangenaam kennis met je te maken,' had ik gezegd.

De derde envelop was van Emma's moeder. Ik herkende haar handschrift. Mijn duim trilde toen ik hem onder de flap stak.

Ik wil je gewoon heel veel succes wensen met je nieuwe onderneming, had ze geschreven. *Emma zou het geweldig hebben gevonden. Ik hoop dat je het goed maakt,* ging het verder. *Derek en ik doen het nog steeds stap voor stap, dag na dag. Het moeilijkste voor ons is nog steeds het feit dat we weg waren toen het gebeurde... je kunt je niet voorstellen hoezeer het ons spijt.* 'O ja, dat kan ik wel,' mompelde ik. *We hebben Emma's spullen nog steeds niet uitgezocht...* Ik voelde mijn maag samentrekken. Emma had een dagboek bijgehouden. *Maar wanneer we zover zijn, willen we je graag iets kleins van haar geven als herinnering. Ik wilde je ook laten weten dat er een kleine ceremonie voor Emma zal zijn op haar eerste sterfdag, 15 februari.* Ik hoefde niet aan de datum herinnerd te worden... die zou voor de rest van mijn leven in mijn geheugen gegrift staan. *Ik neem tegen die tijd nog wel contact met je op, maar tot dan: moge God je zegenen, Phoebe. Daphne.*

Ze zou me niet zegenen als ze de waarheid kende, dacht ik zwaarmoedig.

Ik hervond mijn zelfbeheersing, haalde een paar Franse geborduurde nachthemden uit de wasmachine en hing ze te drogen, sloot toen het huis af en liep naar de winkel.

Ik moest nog wat opruimen, en toen ik de deur opendeed, rook ik de zurige lucht van de champagne van de vorige avond. Ik stuurde de glazen per taxi terug naar Oddbins, bracht de lege flessen naar de glasbak, veegde de vloer en spoot wat textielverfrisser op het bankje. En toen de kerkklok negen sloeg, draaide ik het bordje met GESLOTEN om.

'Dit is het,' zei ik tegen mezelf. 'Dag één.'

Ik ging achter de toonbank zitten om de voering van een jasje van Jean Muir te repareren. Rond tien uur vroeg ik me somber af of mijn moeder misschien toch gelijk had. Misschien had ik inderdaad een grote vergissing begaan, dacht ik toen ik mensen zonder zelfs maar een blik naar binnen te werpen voorbij zag lopen. Misschien zou ik in een winkel zitten saai vinden na de drukte bij Sotheby's. Ik hield mezelf echter voor dat ik niet zomaar in de winkel zou zitten... ik zou naar veilingen gaan, handelaren bezoeken en bij particulieren langsgaan om hun kleding te beoordelen. Ik zou met Hollywood-stylistes praten over levering van jurken voor hun beroemde klanten en ik zou zo nu en dan naar Frankrijk reizen. Verder zou ik de website van Villa Vintage beheren, omdat ik ook kleren via internet zou verkopen. Er was meer dan genoeg te doen, hield ik mezelf voor terwijl ik een draad in de naald deed. Toen bedacht ik hoeveel spanning ik voorheen in mijn leven had ervaren.

Bij Sotheby's had ik voortdurend onder stress gestaan. Constant was er de druk van het organiseren van een succesvolle veiling, het competent leiden van die veiling en de angst dat ik niet genoeg spullen zou vinden voor de volgende veiling. En als ik er wel in slaagde genoeg artikelen bij elkaar te krijgen, was er de zorg dat de kleren niet zouden verkopen, of niet voldoende zouden opbrengen, of dat de kopers hun rekening niet zouden betalen. Er was voortdurend de vrees dat er spullen gestolen zouden worden of beschadigd raakten. Het ergste van alles was nog de knagende angst dat een belangrijke collectie naar een rivaliserend veilinghuis zou gaan... mijn bazen wilden dan altijd weten waarom.

Na 15 februari kon ik het niet meer aan. Ik wist dat ik daar weg moest.

Ik hoorde de deur en keek op in de verwachting mijn eerste klant te zien, maar het was Dan, in een zalmkleurige corduroybroek en een lavendelkleurig geruit shirt. Die man had absoluut geen gevoel voor kleur. Toch had hij wel iets aantrekkelijks; misschien was het zijn bouw. Hij had iets geruststellends, als een gemoedelijke beer, realiseerde ik me nu. Of misschien was het zijn krulhaar.

'Ik heb gisteren zeker niet toevallig mijn puntenslijper hier laten liggen, hè?'

'Eh, nee. Ik heb hem niet gezien.'

'Verdorie,' mompelde hij.

'Is het... een bijzonder exemplaar?'

'Ja, hij is van zilver. Massief,' zei hij.

'Echt waar? Nou... ik zal kijken of ik hem nog zie.'

'Als je dat zou willen doen. En hoe was de opening?'

'Goed, dank je.'

'Nou ja...' Hij hield een krant op. 'Ik wilde je ook dit even brengen.' Het was de *Black & Green* en in het impressum stond de foto die Dan van me had gemaakt. Met als onderschrift PASSIE VOOR VINTAGE.

Ik keek hem aan. 'Ik dacht dat je zei dat het artikel er vrijdag in zou komen.'

'Dat was de bedoeling, maar het hoofdartikel voor vandaag werd om diverse redenen uitgesteld, dus toen heeft Matt, mijn redacteur, dat van jou geplaatst. Gelukkig gaan we altijd pas laat ter perse.' Hij gaf me de krant. 'Ik vind het best goed geworden.'

Ik las het stuk snel door. 'Het is fantastisch,' zei ik, en ik probeerde de verbazing uit mijn stem te weren. 'Bedankt dat je de website erbij hebt vermeld en... o.' Ik voelde mijn mond openzakken. 'Waarom staat er dat ik de eerste week overal vijf procent korting op geef?'

Er kroop een blos vanuit Dans nek omhoog. 'Ik dacht gewoon dat een openingsstunt, eh... je weet wel... goed zou zijn voor de handel, gezien de krappe markt van het moment.'

'Ik begrijp het. Maar het is nogal... brutaal, zacht uitgedrukt.'

Dan trok een grimas. 'Ik weet het... maar ik was het aan het bijschaven toen ik er opeens aan dacht, en ik wist dat je openingsfeestje gaande was, dus ik wilde je niet bellen, en toen zei Matt dat hij het stuk meteen wilde plaatsen, dus... nou ja...' Hij haalde zijn schouders op. 'Het spijt me.'

'Het is al goed,' zei ik met enige tegenzin. 'Ik moet zeggen dat je me ermee hebt verrast, maar vijf procent is... oké.'

Het zou inderdaad goed zijn voor de handel, bedacht ik, al was ik niet van plan dat toe te geven. 'Maar goed,' zei ik met een zucht, 'ik was gisteren wat afgeleid toen we in gesprek waren. Wie zei je ook weer krijgen deze krant?'

'Hij ligt op dinsdag- en vrijdagochtend gratis bij alle kiosken in de omgeving en hij wordt bij bepaalde bedrijven en huishoudens ook bezorgd, dus we hebben een breed publiek.'

'Dat is geweldig.' Ik glimlachte naar Dan, deze keer met oprechte dankbaarheid. 'En werk je al lang voor de krant?'

Hij leek te aarzelen. 'Twee maanden.'

'Vanaf het begin dus?'

'Min of meer.'

'En woon je hier in de buurt?'

'Iets verderop, in Hither Green.' Er viel een vreemde korte stilte en ik verwachtte dat hij zou zeggen dat hij verder moest, maar hij zei: 'Je moet eens aankomen.'

Ik keek hem aan. 'Pardon?'

Hij glimlachte. 'Ik bedoel dat je maar eens een keer langs moet komen.'

'O.'

'Om wat te drinken. Ik zou je graag een keer iets laten zien...'

Wat, vroeg ik me af. Schetsen?

'Mijn schuur.'

'Je schuur?'

'Ja, ik heb een fantastische schuur,' zei hij mat.

'O ja?' Ik stelde me een hoop verroest tuingereedschap, fietsen vol spinnenwebben en gebarsten bloempotten voor.

'Dat wordt het tenminste zodra ik ermee klaar ben.'

'Dank je,' zei ik. 'Ik zal het onthouden.'

'Nou...' Hij stak zijn potlood achter zijn oor. 'Ik kan maar beter mijn puntenslijper gaan zoeken.'

'Succes,' zei ik glimlachend. 'En tot ziens.' Hij liep de winkel uit en zwaaide nog even door het raam. Ik zwaaide terug. 'Wat een rare kwast,' zei ik zacht.

Binnen tien minuten nadat Dan was vertrokken begonnen er mensen binnen te druppelen, van wie er minstens twee een exemplaar van de *Black & Green* vasthielden. Ik deed mijn best ze niet lastig te vallen met het aanbod ze te helpen, en niet al te opvallend naar ze te kijken. De Hermès-tassen en duurdere sieraden zaten in afsluitbare glazen kubussen, maar ik had geen beveiligingslabels aan de kleren gehangen uit angst de stof te beschadigen.

Rond twaalf uur had ik zo'n tien mensen binnen gehad en mijn eerste artikel verkocht: een seersucker zonnejurkje met viooltjes uit de jaren vijftig. Ik had zin om de kassabon in te lijsten.

Om kwart over een kwam er een tenger meisje van begin twintig de zaak binnen met een goed geklede man van halverwege tot eind dertig. Terwijl zij de kleren bekeek, zat hij op de sofa, de ene in zijden sok gestoken enkel rustend op de andere knie, met zijn BlackBerry te spelen. Het meisje keek het rek met avondkleding door en vond niets; toen ging haar blik naar de cupcake-jurkjes aan de muur. Ze wees naar de limoengroene, de kleinste van de vier.

'Hoeveel kost die?' vroeg ze me.

'Die is 275 pond.' Ze knikte peinzend. 'Hij is van zijde,' legde ik uit, 'en de kristallen zijn er met de hand opgenaaid. Wil je hem passen? Volgens mij is het de juiste maat.'

'Tja...' Ze keek verlangend naar haar vriend. 'Wat vind jij, Keith?'

Hij keek op van zijn BlackBerry en het meisje knikte in de richting van de jurk, die ik nu van de muur haalde.

'Dat is niks,' zei hij botweg.

'Waarom niet?'

'Te kleurrijk.'

'Maar ik hou van felle kleuren,' protesteerde het meisje zwakjes.

Hij richtte zijn aandacht weer op zijn BlackBerry. 'Hij is niet geschikt voor de gelegenheid.'

'Maar het is een dansfeest.'

'Het is te kleurrijk,' hield hij vol. 'En het is niet chic genoeg.' Mijn afkeer van de man veranderde in walging.

'Ik wil hem graag passen.' Ze glimlachte smekend. 'Toe nou.'

Hij keek haar aan. 'Oo-kee.' Hij zuchtte overdreven. 'Als het dan per se moet...'

Ik wees het meisje de paskamer en trok het gordijn dicht. Even later kwam ze tevoorschijn. De jurk paste haar perfect en accentueerde haar slanke taille, mooie schouders en dunne armen. Het felle groen bekroonde haar roodblonde haar en romige huid en het keurslijfje deed haar borsten mooi uitkomen. De groene tulen petticoats zwierden in laagjes om haar heen en de kristallen blonken in het zonlicht.

'Hij is... prachtig,' mompelde ik. Ik kon me niemand voorstellen wie de jurk beter zou staan. 'Wil je er een paar schoenen bij aanpassen?' zei ik. 'Gewoon om te kijken hoe het staat met hoge hakken?'

'O, dat hoeft niet,' zei ze en ze bekeek zichzelf, op haar tenen, in de zijspiegel. Ze schudde haar hoofd. 'Hij is geweldig.' Ze leek overweldigd, alsof ze zojuist een fantastisch geheim over zichzelf had ontdekt.

Achter haar was een andere klant binnengekomen – een slanke vrouw met donker haar van rond de dertig in een hemdjurk met luipaardprint, met een gouden kettingceintuur laag op haar heupen en gladiatorsandalen. Ze bleef meteen staan en keek naar het meisje. 'Je ziet er magnifiek uit,' zei ze. 'Net een jonge Julianne Moore.'

Het meisje glimlachte verrukt. 'Dank je.' Ze keek weer naar zichzelf in de spiegel. 'Deze jurk geeft me het gevoel of ik...' Ze aarzelde. 'Of ik in een sprookje zit.' Ze keek nerveus naar haar vriend. 'Wat vind jij ervan, Keith?'

Hij keek naar haar, schudde zijn hoofd en keerde terug naar zijn BlackBerry. 'Zoals ik zei... veel te fel. Bovendien zie je er zo uit alsof je in een ballet gaat staan huppelen in plaats van naar een deftig diner dansant in het Dorchester te gaan. Hier...' Hij stond op, liep naar het rek met avondkleding, trok er een cocktailjapon van Norman Hartnell in zwarte crêpe uit en hield die voor haar op. 'Probeer deze eens.'

Het gezicht van het meisje betrok, maar ze trok zich terug in het pashokje en kwam even later weer naar buiten met de jurk aan. De stijl was veel te ouwelijk voor haar en de kleur maakte haar bleek. Ze zag eruit alsof ze naar een begrafenis ging. Ik zag dat de vrouw in de luipaardprint haar recht aankeek en toen discreet haar hoofd schudde alvorens ze zich weer naar de rekken met kleding wendde.

'Dat lijkt er meer op,' zei Keith. Hij maakt een draaiend gebaar met zijn wijsvinger en met een zucht en naar boven geslagen ogen draaide het meisje langzaam in het rond. Ik zag de andere klant haar lippen op elkaar klemmen.

'Perfect,' zei Keith. Hij stak zijn hand in zijn borstzak. 'Hoeveel?' Ik keek naar het meisje. Haar lip trilde. 'Hoeveel?' herhaalde hij terwijl hij zijn portefeuille opende.

'Maar ik vind die groene mooi,' zei ze bedeesd.

'Hoevéél?' herhaalde hij.

'Hij kost 150 pond.' Ik voelde mijn gezicht rood verkleuren.

'Ik wil deze niet,' zei ze smekend. 'Ik vind de groene mooi, Keith. Die geeft me een... blij gevoel.'

'Dan moet je hem zelf maar kopen. Als je je dat kunt veroorloven,' voegde hij er op vriendelijke toon aan toe. Hij keek weer naar mij. 'Dus het is 150 pond?' Hij tikte op de krant. 'En hier staat dat er vijf procent af gaat, dus dan is het 142,50 pond volgens mij.'

'Dat klopt,' zei ik, onder de indruk van zijn snelle berekening. Ik wilde maar dat ik hem twee keer zoveel kon berekenen en het meisje de cupcake-jurk kon geven.

'Keith, alsjeblieft,' jammerde ze zacht. Er blonken tranen in haar ogen.

'Kom op, Kelly,' kreunde hij. 'Dat zwarte ding is precies goed en er komen heel belangrijke mensen, dus ik wil niet dat je er verdomme uitziet als Tinker Bell, of wel soms?' Hij keek op zijn duur uitziende horloge. 'We moeten terug. Ik heb om halftwee die telefonische vergadering over de Killburn-locatie, weet je nog? Nou... moet ik die zwarte jurk voor je kopen of niet? Want als je nee zegt, ga jij zaterdag niet mee naar het Dorchester, dat kan ik je wel vertellen.'

Ze keek naar buiten en knikte toen zwijgend.

Terwijl ik de kassabon afscheurde, stak de man zijn hand uit voor de tas en schoof toen zijn creditcard terug in zijn portefeuille. 'Bedankt,' zei hij bruusk, en met het meisje troosteloos achter zich aan liep hij de winkel uit.

Toen de deur dichtviel keek de vrouw in de luipaardprint me aan.

'Ik wou dat ze de sprookjesjurk had gekregen,' zei ze. 'Met een "prins" als hij heeft ze die wel nodig.'

Het leek me niet netjes om over mijn klanten te roddelen, dus ik glimlachte alleen maar triest instemmend en hing toen de groene jurk terug aan de muur.

'Ze is niet alleen zijn vriendinnetje... ze werkt voor hem,' vervolgde de vrouw terwijl ze een roze leren jasje uit de jaren tachtig van Thierry Mugler bekeek.

Ik keek haar aan. 'Hoe weet je dat?'

'Omdat hij veel ouder is dan zij, vanwege zijn macht over haar en haar angst om hem boos te maken... haar kennis van zijn agenda. Ik kijk graag naar mensen,' voegde ze eraan toe.

'Ben je schrijver?'

'Nee. Ik ben weliswaar dol op schrijven, maar ik ben actrice.'

'Speel je op het moment ergens in?'

Ze schudde haar hoofd. 'Ik ben zoals ze zeggen "in ruste". Eerlijk gezegd heb ik de laatste tijd meer rust gehad dan de Schone Slaapster, maar,' zei ze met een theatrale zucht, 'ik weiger het op te geven.' Ze keek weer naar de schoolbaljurken. 'Ze zijn echt prachtig. Ik heb er niet het figuur voor, helaas, zelfs al zou ik er het geld voor hebben. Ze zijn Amerikaans, nietwaar?'

Ik knikte. 'Begin jaren vijftig. Ze zijn wat te frivool voor het naoorlogse Groot-Brittannië.'

'Schitterende stof,' zei de vrouw, die er met half dichtgeknepen ogen naar keek. 'Zulke jurken worden meestal gemaakt van acetaat met nylon petticoats, maar deze zijn helemaal van zijde.' Ze had er dus kijk op.

'Koop je veel vintage?' vroeg ik terwijl ik een lavendelkleurig kasjmieren vest opvouwde en weglegde.

'Ik koop zoveel als ik me kan veroorloven. En als iets me gaat vervelen, kan ik het altijd weer verkopen. Niet dat ik dat doe, want over het algemeen doe ik goede aankopen. Ik zal nooit de verrukking over mijn eerste aanwinst vergeten,' vervolgde ze, terwijl ze de Thierry Mugler terug hing. 'Het was een leren jas van Ted Lapidus, in '92 gekocht bij Oxfam... hij ziet er nog steeds goed uit.'

Ik dacht aan mijn eerste vintage vondst. Een blouse van guipurekant van Nina Ricci, in Greenwich Market gekocht toen ik veertien was. Emma had me erop gewezen tijdens een van onze zaterdagse winkeluitjes.

'Je jurk is van Cerruti, nietwaar?' vroeg ik de vrouw. 'Maar hij is vermaakt. Hij zou tot je enkels moeten reiken.'

Ze glimlachte. 'Goed gezien. Ik heb hem tien jaar geleden gevonden op een rommelmarkt, maar de zoom was gescheurd, dus heb ik hem ingekort.' Ze veegde een denkbeeldig pluisje van de voorkant. 'Ik heb nog nooit vijftig cent zo goed besteed.' Ze liep naar het rek met dagkleding en haalde er een turquoise laagjesjurk van crêpe de Chine uit begin jaren zeventig uit. 'Dit is een Alice Pollock, nietwaar?'

Ik knikte. 'Voor Quorum.'

'Dat dacht ik al.' Ze keek naar de prijs. 'Buiten mijn bereik, maar ik kan het nooit weerstaan te kijken, en toen ik in de krant zag dat je was geopend, moest ik gewoon even komen snuffelen wat je hebt. Ach ja,' zei ze met een zucht, 'ik kan altijd dromen.' Ze schonk me een vriendelijke glimlach. 'Ik ben Annie, trouwens.'

'Ik ben Phoebe, Phoebe Swift.' Ik keek haar aan. 'Ik vraag me af... heb je op het moment werk?'

'Uitzendwerk,' antwoordde ze. 'Ik pak gewoon aan wat zich voordoet.'

'En je woont hier?'

'Ja.' Annie keek me bevreemd aan. 'Ik woon in Dartmouth Hill.'

'De reden dat ik het vraag is... Luister, heb je toevallig belangstelling om voor me te werken? Ik heb een parttime hulp nodig.' Ik legde haar uit waarom.

'Twee dagen per week?' herhaalde Annie. 'Dat zou heel goed uitkomen. Ik kan best wat regelmatig werk gebruiken... zolang ik maar wel naar audities kan. Niet dat dat zo vaak voorkomt,' voegde ze er meesmuilend aan toe.

'We kunnen de uren best flexibel invullen, en er zullen wel eens weken zijn dat ik je vaker nodig heb dan twee dagen... en zei je nou dat je kon naaien?'

'Ja, ik ben vrij goed met naald en draad.'

'Want het zou handig zijn als je op rustige tijdstippen wat kleine reparaties zou kunnen doen, of wat kon strijken. En me zou kunnen helpen de etalage in te richten... ik ben niet zo goed met etalagepoppen.'

'Dat lijkt me leuk.'

'En je hoeft je er niet druk over te maken of jij en ik met elkaar overweg kunnen, want je zou meestal hier zijn als ik er niet ben. Daar gaat het immers om. Maar hier heb je mijn nummer.' Ik gaf haar een kaartje van Villa Vintage. 'Denk er eens over na.'

'Nou... eerlijk gezegd...' Ze lachte. 'Dat hoeft niet. Het zou perfect in mijn straatje passen. Maar je moet wel referenties opvragen,' voegde ze eraan toe, 'al is het maar om je ervan te verzekeren dat ik er niet met de voorraad vandoor zal gaan, want dat zou vreselijk verleidelijk zijn.' Ze glimlachte. 'Maar afgezien daarvan, wanneer kan ik beginnen?'

Dus vanochtend, maandag, is Annie begonnen, nadat ze brieven van twee vorige werkgevers had overhandigd die haar eerlijkheid en vlijt prezen. Ik had haar gevraagd vroeg te komen zodat ik haar alles kon uitleggen voor ik naar Christie's moest vertrekken.

'Neem de tijd om met de kleding vertrouwd te raken,' adviseerde ik haar. 'Hier hangt de avondkleding. Dit is lingerie... hier vind je wat herenkleding... schoenen en tassen staan op deze stelling. Gebreide kleding op deze tafel... Ik zal de kassa openen.' Ik klungelde even met de elektronische sleutel. 'En als je wat reparaties zou kunnen doen...'

'Natuurlijk.'

Ik liep naar achteren om een rok van Murray Arbeid te pakken waaraan iets moest gebeuren. 'Dat is een Emma Kitts, nietwaar?' hoorde ik Annie zeggen. Ik kwam terug de winkel in. Ze keek omhoog naar de hoed. 'Dat was zo triest. Ik las het in de krant.' Ze draaide zich naar me om. 'Maar waarom heb je die hier, aangezien het geen vintage is en erbij staat dat hij niet te koop is?'

Heel even dacht ik erover Annie op te biechten dat naar de hoed kijken een soort boetedoening was.

'Ik heb haar gekend,' zei ik, en ik legde de rok met de naaidoos op de toonbank. 'We waren vriendinnen.'

'Wat erg,' zei Annie zacht. 'Je zult haar wel missen.'

'Ja...' Ik kuchte om de snik te verhullen die ik voelde opkomen. 'Maar goed... deze zoom... daar zit een scheurtje in.' Ik ademde diep in. 'Ik kan maar beter gaan.'

Annie opende de naaidoos en koos een klosje garen. 'Hoe laat begint de veiling?'

'Om tien uur. Ik ben gisteren naar de kijkdag geweest.' Ik pakte mijn catalogus. 'De kavels waar ik belangstelling voor heb, komen pas na elf uur aan bod, maar ik wil er vroeg zijn, zodat ik kan zien wat het goed doet.'

'Waar ga je op bieden?'

'Een avondjurk van Balenciaga.' Ik liet haar de foto van kavel 110 zien.

Annie tuurde ernaar. 'Wat elegant.'

De indigoblauwe, lange mouwloze zijden jurk was van een heel simpele snit, de lage ronde halslijn en de aan de voorzijde verhoogde zoom waren afgezet met een brede franjeband met zilverglazen kraaltjes.

'Ik wil hem kopen voor een klant,' legde ik uit. 'Ze is styliste in Beverly Hills. Ik weet precies wat haar klanten willen, dus ik weet zeker dat ze hem neemt. En er wordt een jurk van Madame Grès geveild die ik graag voor mijn eigen collectie wil hebben.' Ik sloeg om naar de foto van kavel 112, een neoklassieke rechte empirelijn-jurk van zijdejersey met tientallen fijne plooitjes, gekruiste schouderbandjes en een chiffonsleep vanaf de beide schouders. Ik slaakte een smachtende zucht.

'Magnifiek,' mompelde Annie. 'Dat zou een fantastische trouwjurk zijn,' vervolgde ze plagend.

Ik glimlachte. 'Daar wil ik hem niet voor hebben. Ik vind het gewoon prachtig zoals de jurken van Madame Grès vallen.' Ik pakte mijn tas. 'Nu moet ik echt gaan... o, nog iets...' Ik wilde Annie net vertellen wat ze moest doen als iemand kleding bracht om te verkopen, toen de telefoon ging.

Ik nam op. 'Villa Vintage...' Ik genoot ervan dat te kunnen zeggen.

'Goedemorgen,' zei een vrouwenstem. 'Mijn naam is mevrouw Bell.' Het was duidelijk een oudere vrouw en ze had een, zij het bijna onmerkbaar, Frans accent. 'Ik las in de krant dat uw winkel net geopend is.'

'Dat klopt.' Het artikel van Dan had dus nog steeds effect. Ik voelde een golf van dankbaarheid jegens hem.

'Nou, ik heb een aantal kleren die ik weg wil doen... enkele erg mooie dingen die ik niet meer draag. Er zijn ook tassen en schoenen bij, maar ik ben een oudere vrouw en ik kan ze niet komen brengen...'

'Natuurlijk niet,' onderbrak ik haar. 'Ik kom met genoegen naar u toe, als u me uw adres wilt geven.' Ik pakte mijn agenda. 'The Paragon?' herhaalde ik. 'Dat is dichtbij, dus ik kan te voet komen. Wanneer wilt u dat ik kom?'

'Zou u misschien vandaag nog kunnen? Ik wil mijn spullen liever vandaag dan morgen opruimen. Ik heb vanochtend een afspraak, maar zou drie uur u schikken?'

Dan zou ik terug zijn van de veiling en ik had Annie om op de winkel te passen. 'Drie uur is prima,' zei ik, en ik schreef het huisnummer op.

Terwijl ik de heuvel af liep naar Blackheath Station dacht ik na over de kunst van een waardebepaling van een collectie kleding bij iemand thuis. Het meest gebruikelijke scenario is dat een vrouw is overleden en je met haar familieleden te maken hebt. Ze kunnen erg emotioneel zijn, dus moet je tactvol optreden. Ze zijn vaak gepikeerd als je niet alle kledingstukken wilt hebben; en geschokt als je minder biedt dan ze hadden verwacht voor de dingen die je wel uitkiest. 'Maar 40 pond?' zeggen ze dan. 'Maar het is een Hardy Amies.' En dan merk ik welwillend op dat de voering kapot is, dat er drie knopen ontbreken en dat ik naar een gespecialiseerde stomerij zal moeten voor de vlek op de manchet.

Soms vinden familieleden het moeilijk om afstand van de kleren te doen en storen ze zich aan je aanwezigheid, vooral als het huis wordt verkocht om de belasting te kunnen betalen. In die gevallen, dacht ik terwijl ik op het perron stond te wachten, krijg je het gevoel een indringer te zijn. Het overkomt me, als ik kleding ga taxeren in een groot landhuis, geregeld dat het dienstmeisje of een knecht staat te huilen of zegt – en dat is erg vervelend – dat ik de kleren niet aan mag raken. Als ik bij een weduwnaar ben, geeft hij vaak een uitgebreid verslag van alles wat zijn vrouw droeg, hoeveel hij er in 1965 bij Dickins & Jones voor heeft betaald, en hoe geweldig ze erin uitzag op de *Queen Elizabeth II*.

Verreweg het gemakkelijkste scenario, dacht ik toen de trein arriveerde, is wanneer een vrouw gaat scheiden en alles kwijt wil wat haar man voor haar heeft gekocht. Dan kan ik heel kordaat zijn. Maar naar een oudere vrouw gaan die haar hele garderobe wil verkopen, kan emotioneel best zwaar zijn. Het zijn namelijk meer dan kledingstukken... zij vormen bijna letterlijk het weefsel van iemands leven. Maar hoe graag ik naar de verhalen luister, ik moet eraan denken dat ik niet veel tijd heb. Daarom probeer ik mijn bezoekjes altijd te beperken tot hoogstens een uur, en ik nam me voor dat bij mevrouw Bell ook te doen.

Toen ik op South Kensington uit de ondergrondse stapte, belde ik Annie. Ze klonk uitgelaten; ze had al een bustier van Vivienne Westwood en twee Franse nachtjaponnen verkocht. Ze zei ook dat Mimi Long van *Woman & Home* had gevraagd of ze wat kleren mocht lenen voor een fotosessie. Ik liep opgewekt door Brompton Road naar Christie's en stapte de foyer binnen. Het was er druk, want modeveilingen zijn populair. Ik ging in de rij staan om me in te schrijven en haalde mijn 'biedbordje' op.

De Long Gallery was voor twee derde vol. Ik ging aan het eind van een lege rij halverwege de rechterkant van de zaal zitten en bekeek de concurrentie, wat ik altijd als eerste doe als ik naar een veiling ga. Ik zag een paar handelaren die ik ken en een vrouw die een vintage kledingwinkel heeft in Islington. Ik herkende de moderedactrice van *Elle* op de vierde rij en ergens links van me zag ik Nicole Farhi. De lucht leek bezwangerd met dure luchtjes.

'Kavel 102,' kondigde de veilingmeester aan. Ik schoot overeind. Kavel 102? Het was pas halfelf. Toen ik zelf veilingen leidde was ik beslist niet langzaam, maar deze man vloog er doorheen. Met bonkend hart keek ik naar de Balenciaga-japon in de catalogus en bladerde toen door naar de Madame Grès. Die had een ophoudprijs van 1000 pond, maar zou waarschijnlijk voor meer weggaan. Ik wist dat ik niets moest kopen wat ik niet wilde verkopen, maar ik hield mezelf voor dat dit een belangrijk stuk was dat alleen maar in waarde zou stijgen. Als ik hem voor 1500 of minder kon krijgen, zou ik het doen.

'Kavel 105,' zei de veilingmeester. 'Een "shocking pink" zijden jasje uit de Circus-collectie van Elsa Schiaparelli uit 1938. Let op de originele metallic knopen in de vorm van acrobaten. Het bieden begint bij 300 pond. Dank u. En 320, en 340... 360 pond, dank u, mevrouw... Hoor ik 380?' De veilingmeester keek over zijn bril en knikte naar een blondine op de eerste rij. 'Dus voor 360 pond...' De hamer kwam met een knal neer. 'Verkocht. Aan...?' De vrouw hield haar bordje omhoog. 'Koper nummer 24. Dank u, mevrouw. Door met kavel 106...'

Ondanks mijn jaren als veilingmeester ging mijn hart tekeer nu 'mijn' eerste kavel dichterbij kwam. Ik keek gespannen om me heen en vroeg me af wie mijn rivalen zouden zijn. De meeste kopers waren vrouwen, maar aan het eind van mijn rij zat een voornaam uitziende man van halverwege de veertig. Hij bladerde door de catalogus en markeerde hier en daar iets met een gouden vulpen. Ik vroeg me af waar hij op zou bieden.

De volgende drie kavels werden elk binnen een minuut telefonisch verkocht. De Balenciaga naderde. Mijn vingers spanden zich om mijn biedbordje.

'Kavel 110,' riep de veilingmeester. 'Een elegante avondjapon van Cristóbal Balenciaga in donkerblauwe zijde, gemaakt in 1960.' Op twee grote flatscreens aan weerszijden van het podium verscheen een foto van de jurk. 'Let op de typerende eenvoudige snit en de iets verhoogde zoom die de schoenen vrijlaat. Ik open met 500 pond.' De veilingmeester keek de zaal in. 'Hoor ik 500?' Omdat er niet geboden werd, wachtte ik af. 'Wie biedt 450 pond?' Hij keek ons over zijn bril heen aan. Tot mijn verbazing stak niemand zijn hand op. 'Hoor ik dan 400?' Een vrouw op de eerste rij knikte, dus ik knikte ook. 'Ik heb 420... 440... 460. Hoor ik 480?' De veilingmeester keek me aan. 'Dank u, mevrouw... uw bod is 480 pond. Iemand meer dan 480?' Hij keek naar de andere bieder, maar die schudde haar hoofd. '480 pond dus.' Daar ging de hamer. 'Verkocht voor 480 pond aan koper nummer...' hij keek over zijn bril heen en ik stak mijn bordje op, '...220. Dank u, mevrouw.'

Mijn euforie omdat ik de Balenciaga voor zo'n goede prijs had verworven veranderde al snel in grote vrees toen de Madame Grès aan de orde kwam. Ik verschoof op mijn stoel.

'Kavel nummer 112,' hoorde ik de veilingmeester zeggen. 'Een avondjapon, circa 1936, van de geweldige Madame Grès, beroemd om haar meesterlijke plooi- en drapeerwerk.' Een in schort gestoken bode droeg een etalagepop met de jurk aan het podium op. Ik keek gespannen de zaal rond. 'Ik begin bij 1000 pond,' verkondigde de veilingmeester. 'Hoor ik 1000 pond?' Tot mijn opluchting ging er slechts één andere hand omhoog. 'En 1100. En 1150.' Ik bood weer. 'En 1200. Dank u... en 1250?' De veilingmeester keek ons beurtelings aan – de andere biedster schudde haar hoofd – en keek toen weer naar mij. 'Nog steeds 1250, u bent aan bod, mevrouw.' Ik hield mijn adem in; 1250 pond was een geweldige prijs. 'Eenmaal, andermaal,' zei de veilingmeester.

Dank u, God. Ik sloot opgelucht mijn ogen.

'Dank u, meneer.' Ik keek onthutst naar links. Tot mijn ergernis bracht de man aan het eind van mijn rij een bod uit. 'Hoor ik 1300?' vroeg de veilingmeester. Hij keek naar mij en ik knikte. 'En 1350? Dank u, meneer.' Ik voelde mijn hart tekeergaan. 'En 1400 pond? Dank u, mevrouw. Hoor ik nu 1500?' De man knikte. Verdorie. 'En 1600?' Ik stak mijn hand op. 'En geeft u me 1700, meneer? Dank u.' Ik keek weer naar mijn rivaal, die met een kalme uitdrukking de prijs opdreef. 'Hoor ik 1750?' Die vriendelijk ogende engerd zou mijn jurk niet krijgen. Ik stak mijn hand weer op. '1750 pond voor de dame daar aan het eind van de rij. Dank u, meneer... uw bod is 1800. En hoor ik 1900? Doet u nog mee, mevrouw?' Ik knikte, maar intussen ziedde ik.

'En 2000...? Wilt u nog bieden, meneer?' De man knikte weer. 'Wie geeft me 2100?' Ik stak mijn hand op. 'En 2200? Dank u, meneer. Uw laatste bod is 2200, meneer...' De man keek me zijdelings aan. Ik stak weer mijn hand op. 'Ik heb nu 2300 pond,' zei de veilingmeester tevreden. 'Dank u, mevrouw. En 2400...?' De veilingmeester keek mij strak aan terwijl hij met zijn rechterhand naar mijn rivaal wees als om onze competitiestrijd te bevestigen... een bekend foefje. '2400?' herhaalde hij. 'Het gaat tussen de heer en u, mevrouw.' Ik knikte en de adrenaline gierde door me heen. '2600 pond?' zei de veilingmeester. Ik hoorde mensen op hun stoelen heen en weer schuiven terwijl de spanning steeg. 'Dank u, meneer. Hoor ik 2800? Mevrouw... biedt u 2800?' Ik knikte, als in een droom. 'En 2900, meneer? Dank u.' Achter me werd gefluisterd. 'Hoor ik 3000... 3000 pond?' De veilingmeester keek me aan en mijn hand ging omhoog. 'Dank u zeer, mevrouw, dan is het nu 3000 pond.' Waar was ik mee bezig? Ik had geen 3000 pond, ik zou de jurk moeten laten gaan. 'Iemand meer dan 3000?' Het was triest maar waar. '3100?' hoorde ik de veilingmeester. 'Nee, meneer? U doet niet meer mee?' Ik keek naar mijn rivaal. Tot mijn afgrijzen schudde hij zijn hoofd. De veilingmeester wendde zich tot mij. 'Uw bod staat dus nog, mevrouw, voor 3000 pond...' O, mijn god. 'Eenmaal...' De veilingmeester hief zijn hamer. 'Andermaal...' Hij boog zijn pols en met een mengeling van euforie en afgrijzen zag ik de hamer omlaag gaan. 'Verkocht voor 3000 pond aan koper... wat was het nummer ook weer?' Ik stak met bevende hand mijn bordje omhoog. '220. Dank u, iedereen. Fantastisch geboden. En nu verder met kavel 113.'

Ik stond op, misselijk. Met de veilingkosten erbij kwam de jurk op 3600 pond. Hoe had ik me met mijn ervaring, om maar te zwijgen van mijn vermeende koelbloedigheid, zo kunnen laten meeslepen?

Ik voelde een irrationele haat toen ik naar de man keek die tegen me geboden had. Hij was een gladjanus in een krijtstreeppak van Savile Row en handgemaakte schoenen. Hij had de jurk ongetwijfeld voor zijn vrouw gewild... zijn veel jongere vrouw, waarschijnlijk. Ik zag haar voor me, een toonbeeld van blonde perfectie in de nieuwste Chanel.

Ik verliet de zaal, nog steeds met een bonkend hart. Ik kon de jurk onmogelijk houden. Ik kon hem aan Cindi aanbieden, de styliste uit Hollywood... het zou een volmaakte rode-loperjurk zijn voor een van haar cliënten. Even stelde ik me voor dat Cate Blanchett hem droeg tijdens de Oscar-uitreiking. Hij zou haar fantastisch staan. Maar ik wilde hem niet verkopen, dacht ik toen ik naar beneden ging om te betalen. Hij was ontzettend mooi en ik had gevochten om hem te krijgen.

Terwijl ik in de rij stond vroeg ik me nerveus af of mijn MasterCard in brand zou vliegen bij contact met de betaalautomaat. Ik berekende dat er net genoeg krediet op zat voor de transactie.

Al wachtend keek ik omhoog en ik zag meneer Krijtstreep de trap af komen met zijn telefoon tegen zijn oor.

'Nee, ik heb hem niet,' hoorde ik hem zeggen. Hij had een prettige stem, merkte ik op, een beetje hees. 'Ik heb hem gewoon niet,' herhaalde hij vermoeid. 'Het spijt me, schat.' De jonge echtgenote – of minnares misschien – was duidelijk niet blij dat hij de Madame Grès niet had bemachtigd. 'Het ging er heftig aan toe,' legde hij uit. Hij keek naar mij. 'Ik had felle concurrentie.' Tot mijn verbazing knipoogde hij daarbij naar mij. 'Ja, ik weet dat het een teleurstelling is, maar er zijn nog genoeg mooie jurken, liefje.' Hij kreeg duidelijk de wind van voren. 'Maar ik heb wel de tas van Prada die je wilde. Ja, natuurlijk, schatje. Luister, ik moet nu gaan betalen. Ik bel je straks, oké?'

Hij klapte met merkbare opluchting zijn telefoon dicht en kwam naast me staan. Ik deed alsof ik hem niet zag.

'Gefeliciteerd,' zei hij.

Ik draaide me om. 'Pardon?'

'Gefeliciteerd,' herhaalde hij. 'U hebt de kavel,' zei hij joviaal. 'De prachtige witte jurk van... wie was het ook weer?' Hij opende zijn catalogus. 'Madame Grès, wie dat ook mag zijn.'

Ik was woedend. Hij wist niet eens waarop hij had geboden. 'U zult wel blij zijn,' vervolgde hij.

'Ja.' Ik weerstond de verleiding hem te vertellen dat ik niet blij was met de prijs.

Hij stak de catalogus onder zijn arm. 'Eerlijk gezegd had ik nog wel door kunnen gaan met bieden.'

Ik keek hem aan. 'Echt waar?'

'Maar ik keek naar u en toen ik zag hoe graag u hem wilde hebben, besloot ik op te geven.'

'O.' Ik knikte beleefd. Verwachtte hij soms dat ik hem zou bedanken? Als hij eerder had opgegeven, had hij me tweeduizend pond bespaard.

'Gaat u hem bij een speciale gelegenheid dragen?' vroeg hij.

'Nee,' antwoordde ik kil. 'Ik ben gewoon dol op Madame Grès. Ik verzamel haar jurken.'

'Dan ben ik blij dat u hem toch hebt gekregen.' Hij trok de knoop van zijn zijden Hermès-stropdas los. 'Ik ben klaar voor vandaag.' Hij keek op zijn horloge, een antieke Rolex, zag ik. 'Gaat u vandaag nog ergens op bieden?'

'Lieve hemel, nee... ik zit al ver boven mijn budget.'

'O jee, dat was dus een geval van veilinghorror?'

'Nogal.'

'Tja... dat is zeker mijn schuld.' Hij glimlachte verontschuldigend en ik zag dat zijn ogen groot en donkerbruin waren met zware oogleden, die hem iets slaperigs gaven.

'Natuurlijk is het niet uw schuld.' Ik haalde mijn schouders op. 'Zo gaat dat bij veilingen.' Zoals ik maar al te goed wist.

'Ja, mevrouw?' hoorde ik de caissière zeggen.

Ik draaide me om, gaf haar mijn creditcard en vroeg haar de rekening op naam van Villa Vintage te zetten. Daarna nam ik plaats op de blauwe leren bank om op mijn aankopen te wachten.

Meneer Krijtstreep betaalde en ging naast me op de bank zitten wachten. Terwijl we daar zaten, niet pratend omdat hij met zijn BlackBerry bezig was – enigszins gespannen, zo viel me op – vroeg ik me af hoe oud hij zou zijn. Ik keek heimelijk naar zijn profiel. Hij had aardig wat rimpeltjes. Wat zijn leeftijd ook was, hij was aantrekkelijk met dat haar in de kleur van ijzervijlsel en de haviksneus. Hij was pakweg drieënveertig, besloot ik toen een bode ons onze draagtassen aanreikte. Dolblij pakte ik mijn tas aan. Ik controleerde snel de inhoud en glimlachte ten afscheid naar meneer Krijtstreep.

Hij stond op. 'Weet u...' hij keek op zijn horloge, '...ik heb honger gekregen van al dat bieden. Ik ga even naar het eethuisje aan de overkant. Hebt u misschien zin om mee te gaan? Nu ik zo fors tegen u opgeboden heb, is het minste wat ik kan doen u iets te eten geven.' Hij stak zijn hand uit. 'Ik heet trouwens Miles. Miles Archant.'

'O. Ik ben Phoebe. Swift. Hallo,' voegde ik er zwakjes aan toe terwijl ik hem de hand schudde.

'Nou?' Hij keek me vragend aan. 'Kan ik u verleiden tot een vroege lunch?'

Ik was verbaasd over zijn vrijpostigheid, want a. had hij geen idee wie ik was en b. had hij duidelijk een vrouw of vriendin – een feit waarvan ik op de hoogte was omdat ik hem in zijn mobiele telefoon had horen praten.

'Of alleen een kop koffie?'

'Nee, dank u,' zei ik kalm, veronderstellend dat hij er een gewoonte van maakte vrouwen op te pikken in veilinghuizen. 'Ik moet... meteen terug.'

'Naar uw werk?' vroeg hij vriendelijk.

'Ja.' Ik vond het niet nodig hem te vertellen waar dat was.

'Nou, veel plezier met de jurk. Hij zal u fantastisch staan,' voegde hij eraan toe toen ik me omdraaide om te vertrekken.

Niet goed wetend of ik gepikeerd of opgetogen moest zijn, glimlachte ik onzeker. 'Bedankt.'

3

BIJ MIJN TERUGKEER LIET IK ANNIE DE TWEE JURKEN ZIEN. IK VERTELDE HAAR dat ik had moeten vechten voor de Madame Grès, al trad ik niet in details over meneer Krijtstreep.

'Ik zou me niet druk maken over de kosten,' zei ze terwijl ze naar de jurk keek. 'Bij iets geweldigs als dit is zoiets volstrekt onbelangrijk.'

'Was het maar waar,' zei ik weemoedig. 'Ik kan nog niet geloven hoeveel ik heb uitgegeven.'

'Kun je het niet als een deel van je pensioen zien?' opperde Annie, die de zoom in een rok van Georges Rech vastzette. Ze verschoof op haar kruk. 'Misschien kun je de kosten van de belasting aftrekken.'

'Dat betwijfel ik, aangezien ik hem niet ga verkopen, al vind ik het idee van een draagbare pensioenvoorziening wel leuk. O,' zei ik. 'Je hebt die daar opgehangen.' Terwijl ik weg was had Annie een paar handgeborduurde handtassen aan een leeg stukje muur naast de deur gehangen.

'Ik hoop dat je het niet erg vindt,' zei ze. 'Ik dacht dat ze daar wel goed zouden uitkomen.'

'Dat is ook zo. Je kunt de details veel beter zien.' Ik ritste de jurken die ik had gekocht in nieuwe beschermhoezen. 'Ik zal deze maar in de voorraadkamer hangen.'

'Mag ik iets vragen?' zei Annie toen ik naar boven wilde lopen.

'Ik keek haar aan. 'Ja?'

'Je verzamelt Madame Grès?'

'Dat klopt.'

'Maar hier hangt een prachtige jurk van haar.' Ze liep naar de avond-kleding en pakte de jurk die Guy me gegeven had. 'Iemand heeft hem vanmorgen gepast en ik zag het label. Die vrouw was er te klein voor, maar hij zou jou fantastisch staan. Wil je hem niet voor je eigen collectie?'

Ik schudde mijn hoofd. 'Ik... ben niet zo weg van die jurk.'

'O.' Annie keek ernaar. 'Oké, maar...'

Tot mijn opluchting rinkelde de bel boven de deur. Er kwam een stel van eind twintig binnen. Ik vroeg Annie hen te helpen en ik ging de trap op naar de voorraadkamer. Daarna ging ik in het kantoortje even op de website van Villa Vintage kijken.

'Ik zoek een avondjurk,' zei het meisje terwijl ik mijn e-mail opende. 'Het is voor ons verlovingsfeest,' voegde ze er giechelend aan toe.

'Carla dacht dat ze in een winkel als deze iets originelers zou vinden,' legde haar vriend uit.

'Zeker weten,' hoorde ik Annie zeggen. 'Daar is het rek met avondkleding... u hebt maat 40, zeker?'

'Jeetje, nee.' Het meisje proestte. 'Ik heb 42. Ik moet eigenlijk op dieet.'

'Niet doen,' zei haar vriend. 'Je bent fantastisch zoals je nu bent.'

'U bent een geluksvogel,' hoorde ik Annie zeggen. 'U hebt de volmaakte aanstaande echtgenoot.'

'Dat weet ik,' zei het meisje teder. 'Waar kijk je naar, Pete? O, wat een mooie manchetknopen.'

Jaloers op het geluk van het paar bekeek ik de gemailde bestellingen. Iemand wilde vijf van mijn Franse nachthemden kopen. Een andere klant was geïnteresseerd in een jurk met lange mouwen in een bamboedessin van Dior en informeerde naar de maat.

Wanneer ik zeg dat een kledingstuk maat 40 is, mailde ik terug, *betekent dat eigenlijk 38, omdat de vrouwen tegenwoordig groter zijn dan vijftig jaar geleden. Dit zijn de gevraagde afmetingen, inclusief de polsomtrek. Laat me alstublieft weten of ik hem voor u moet vasthouden.*

'Wanneer is het feest?' hoorde ik Annie vragen.

'Zaterdag,' antwoordde het meisje. 'Ik heb dus niet veel tijd meer om iets te vinden. Dit is niet precies wat ik zoek,' voegde ze er even later aan toe.

'U kunt altijd een jurk die u al hebt aanvullen met een vintage kledingstuk,' opperde Annie. 'Met een zijden jasje bijvoorbeeld – we hebben hier een paar heel mooie – of een leuke stola. Als u iets mee-brengt, kan ik u wel helpen het ergens mee te combineren.'

'Die zijn mooi,' zei het meisje plotseling. 'Ze zijn zo... vrolijk.' Ik wist dat ze het alleen maar over de cupcake-jurkjes kon hebben.

'Welke kleur vind je het mooist?' vroeg haar vriend.

'De turquoise, geloof ik.'

'Die past bij je ogen,' hoorde ik hem zeggen.

'Wilt u dat ik hem voor u pak?' vroeg Annie.

Ik keek op mijn horloge. Tijd om naar mevrouw Bell te gaan.

'Wat kost-ie?' vroeg het meisje. Annie vertelde het haar. 'O, ik be-grijp het. Nou, in dat geval...'

'Pas hem eens,' zei haar vriend.

'O... oké,' antwoordde ze. 'Maar hij is veel te duur.'

Ik trok mijn jas aan en maakte me klaar om te vertrekken.

Toen ik even later de winkel binnen kwam, stapte het meisje in het turquoise jurkje uit het pashokje. Ze was helemaal niet te dik, maar mooi gevuld. Haar verloofde had gelijk gehad; het blauwgroen paste inderdaad mooi bij haar ogen.

'Hij staat u fantastisch,' zei Annie. 'Je hebt voor deze jurken een zandloperfiguur nodig en dat hebt u.'

'Dank u.' Ze duwde een lok glanzend bruin haar achter haar oor. 'Ik moet zeggen, ik vind hem...' Ze zuchtte met een mengeling van blijd-schap en frustratie. '...adembenemend. Ik vind de tutu en de lovertjes prachtig. Ik voel me er... gelukkig in,' zei ze verbaasd. 'Niet dat ik dat niet al ben,' voegde ze er met een warme glimlach naar haar verloofde aan toe. Ze keek Annie aan. 'En hij kost 275 pond?'

'Dat klopt. Hij is helemaal van zijde,' zei Annie, 'ook de strook kant rond het lijfje.'

'Daar gaat op het moment vijf procent vanaf,' zei ik terwijl ik mijn tas pakte. Ik had besloten de actie te verlengen. 'En we kunnen het een week voor u achterhouden.'

Het meisje zuchtte weer. 'Laat maar. Bedankt.' Ze draaide zich naar haar spiegelbeeld en de tulen petticoats fluisterden. 'Hij is prachtig,' zei ze, 'maar... ik weet het niet... Misschien... is het niet echt... iets voor mij.' Ze trok zich in het pashokje terug en sloot het gordijn. 'Ik zoek wel verder,' hoorde ik haar zeggen toen ik naar The Paragon vertrok.

Ik kende The Paragon goed... ik kreeg er vroeger pianoles. Mijn leraar heette meneer Long. Mijn moeder moest daar altijd om lachen, want meneer Long was erg klein. Hij was ook blind, en zijn bruine ogen, sterk vergroot achter de dikke glazen van zijn ziekenfondsbril, draaiden steeds van links naar rechts. Wanneer ik speelde liep hij achter me heen en weer op zijn versleten Hush Puppies. Als ik het niet goed deed, tikte hij met een liniaal op mijn vingers. Ik was niet zozeer beledigd als wel onder de indruk dat hij raak sloeg.

Ik ging vijf jaar lang elke dinsdag na school naar meneer Long, tot zijn vrouw op een dag in juni mijn moeder belde om te zeggen dat meneer Long tijdens een wandeling in het Lake District in elkaar was gezakt en overleden. Ondanks de tikken op mijn vingers was ik erg van streek.

Sindsdien ben ik niet meer in The Paragon geweest, hoewel ik er vaak langskom. Het imposante halvemaanvormige blok van zeven grote huizen uit de tijd van koning George, met elkaar verbonden door een lange zuilenrij, heeft iets wat me nog steeds de adem beneemt. In de hoogtijdagen van The Paragon had elk huis zijn eigen stal, koetshuis, visvijver en melkschuur, maar tijdens de oorlog is het huizenblok gebombardeerd. Toen het eind jaren vijftig werd gerestaureerd, zijn er flats van gemaakt.

Nu liep ik door Morden Road langs het Clarendon Hotel, langs de Heath waaromheen het verkeer voortraasde; toen kwam ik langs de Princess of Wales-pub en de vijver daarbij in de buurt, met zijn in de wind rimpelende wateroppervlak. Daarna draaide ik The Paragon in. Terwijl ik langs het huizenblok liep, bewonderde ik de wilde kastanjes op het reusachtige gazon ervoor. Ik liep de stenen trap van nummer 8 op en drukte op de bel voor flat nummer 6. Ik keek op mijn horloge. Het was vijf voor drie. Ik wilde om vier uur weer weg zijn.

Ik hoorde de intercom kraken en toen de stem van mevrouw Bell. 'Ik kom naar beneden. Een ogenblik geduld alstublieft.'

Het duurde vijf minuten voor ze er was.

'Neem me niet kwalijk.' Met haar hand tegen haar borst gedrukt stond ze op adem te komen. 'Het duurt altijd even...'

'Maak u geen zorgen,' zei ik, de zware zwarte deur voor haar openhoudend. 'Maar had u niet vanboven af open kunnen doen?'

'De automatische grendel is kapot... tot mijn lichte spijt, voegde ze er met een elegant understatement aan toe. 'Hoe dan ook, heel hartelijk dank voor uw komst, juffrouw Swift...'

'Zeg alstublieft Phoebe.'

Toen ik over de drempel stapte, stak mevrouw Bell me een magere hand toe. De huid was doorschijnend van ouderdom, de aders lagen er als blauwe kabels bovenop. Toen ze naar me glimlachte verschenen er op haar nog steeds aantrekkelijke gezicht talloze rimpeltjes, en in sommige zaten deeltjes roze poeder gevangen. Ze had maagdenpalmblauwe ogen met lichtgrijze vlekjes erin.

'U zou vast wel willen dat er een lift was,' zei ik toen we de brede stenen trap naar de derde verdieping beklommen. Mijn stem weergalmde in het trappenhuis.

'Een lift zou heel fijn zijn,' zei mevrouw Bell, die de ijzeren leuning vastpakte. Ze bleef even staan om de tailleband van haar karamelkleurige wollen rok op te hijsen. 'Maar ik heb pas de laatste tijd moeite met de trap.' We stopten even op de eerste verdieping, zodat ze uit kon rusten. 'Maar ik ga misschien binnenkort ergens anders heen, en dan hoef ik deze berg niet meer te beklimmen... wat een groot voordeel zou zijn,' voegde ze eraan toe toen we onze weg naar boven vervolgden.

'Gaat u ver weg?' Mevrouw Bell leek me niet te horen, dus ik besloot dat ze bij haar algehele broosheid ook hardhorend moest zijn.

Ze duwde haar deur open. *Et voilà...*'

Het interieur van haar flat was net als de eigenares aantrekkelijk maar verbleekt. Er hingen mooie schilderijen aan de muur, waaronder een fel olieverfschilderij van een veld lavendel; er lagen kleden van Aubusson op het parket en er hingen zijden lampenkappen met franjes aan het plafond in de gang waardoorheen ik mevrouw Bell nu volgde. Halverwege de gang stapte ze de keuken in. Die was klein, vierkant en gedateerd, met een rode formica tafel en een gasstel met wasemkap, waarop een aluminium ketel en een witte emaillen steelpan stonden. Op het gelamineerde keukenblad stond een dienblad klaar met een blauwe porseleinen theepot, twee bijpassende kop-en-schotels en een wit melkkannetje waar ze een wit mousseline doekje met blauwe kraaltjes overheen had gehangen.

'Kan ik je een kop thee aanbieden, Phoebe?'

'Nee, dank u... echt niet.'

'Maar ik heb alles al klaar, en ik mag dan Frans zijn, ik weet hoe ik een goede kop Engelse darjeelingthee moet maken,' voegde mevrouw Bell er laconiek aan toe.

'Nou, vooruit dan...' Ik glimlachte. 'Als het niet te veel moeite is.'

'Helemaal niet. Ik moet alleen het water weer laten koken.' Ze pakte een doosje lucifers van een plank, schrapte er eentje aan en hield die met bevende hand bij de gaspit. Daarbij zag ik dat haar tailleband met een grote veiligheidsspeld vastzat. 'Neem alsjeblieft plaats in de woonkamer,' zei ze. 'Die is daar links.'

De kamer was groot, met een royaal erkerraam en lichtgroen ruw zijdebehang dat hier en daar omkrulde op de naden. Ondanks het warme weer brandde er een kleine gashaard. Op de schoorsteenmantel erboven werd een zilveren tafelklok geflankeerd door een paar exclusief uitziende Staffordshire-spaniëls.

Terwijl de ketel begon te fluiten liep ik naar het raam en keek ik uit over de gemeenschappelijke tuin. Als kind had ik niet beseft hoe groot die was. Het gazon bestreek de hele lengte van de halve maan, als een rivier van gras, en werd omzoomd door een scherm van reusachtige bomen. De takken van een grote ceder reikten in lagen tot op de grond, als een groene crinoline. Er stonden drie rode beuken en een tamme kastanje die aan een halfslachtige tweede bloei bezig was. Rechts renden twee jonge meisjes gillend en lachend door de twijgen van een treurwilg heen. Ik bleef even naar hen staan kijken.

'Daar ben ik weer...' hoorde ik mevrouw Bell zeggen. Ik wilde haar met het dienblad helpen.

'Nee, dank je,' zei ze bijna fel toen ik het van haar over probeerde te nemen. 'Ik mag dan een beetje *antique* zijn, maar ik kan me nog prima redden. Zo, hoe drink je je thee?' Ik vertelde het haar. 'Zwart zonder suiker?' Ze pakte het zilveren theezeefje. 'Dat is dan gemakkelijk.'

Ze gaf me mijn thee en liet zich op een kleine stoel met reliëfbekleding zakken. Ik ging op de bank tegenover haar zitten.

'Woont u hier al lang, mevrouw Bell?'

'Lang genoeg.' Ze zuchtte. 'Achttien jaar.'

'Hoopt u naar een plekje op de begane grond te verhuizen?' Ik bedacht dat ze misschien naar een van de aanleunwoningen verderop in de straat zou gaan.

❧ 'Ik weet niet zeker waar ik heen ga,' antwoordde ze even later. 'Volgende week weet ik meer. Maar wat er ook gebeurt, ik zal in elk geval... hoe zeg je dat?'

'Inkrimpen?' opperde ik.

'Inkrimpen?' Ze glimlachte weemoedig. 'Ja.' Er viel een vreemde korte stilte, die ik vulde door mevrouw Bell over mijn pianolessen te vertellen, al besloot ik de liniaal weg te laten.

'En was je een goede pianiste?'

Ik schudde mijn hoofd. 'Ik ben maar tot niveau 3 gekomen. Ik oefende niet genoeg, en toen meneer Long overleed, wilde ik niet doorgaan. Mijn moeder had het wel gewild, maar ik had er niet genoeg belangstelling voor...' Buiten klaterde de zilveren lach van de meisjes. 'Anders dan mijn beste vriendin Emma,' hoorde ik mezelf zeggen. 'Ze was briljant op de piano.' Ik pakte mijn theelepeltje. 'Ze haalde niveau 8 op haar veertiende... met lof. Het werd bekendgemaakt tijdens het grote schoolfeest.'

'Echt waar?'

Ik roerde in mijn thee. 'Het hoofd vroeg Emma op het podium te komen en iets te spelen, dus speelde ze een heel mooi stuk uit Schumanns *Kinderszenen*. Het heette "Träumerei"...'

'Een begaafd meisje,' zei mevrouw Bell met een enigszins verbaasde uitdrukking. 'En ben je nog steeds bevriend met dat... grote voorbeeld?' voegde ze er droogjes aan toe.

'Nee.' Ik zag een theeblaadje op de bodem van mijn kopje liggen. 'Ze is dood. Ze is eerder dit jaar gestorven, de vijftiende februari om ongeveer tien voor vier 's ochtends. Ze denken tenminste dat het zo laat is gebeurd, al weten ze het niet helemaal zeker, maar ze moeten natuurlijk iets noteren, nietwaar...'

'Wat vreselijk,' mompelde mevrouw Bell even later. 'Hoe oud was ze?'

'Drieëndertig.' Ik bleef in mijn thee roeren en tuurde in de topaaskleurige diepte. 'Ze zou vandaag vierendertig zijn geworden.' De lepel tikte zacht tegen het kopje. Ik keek mevrouw Bell aan. 'Emma was ook in andere dingen heel talentvol. Ze was een fantastische tennisspeelster... hoewel...' Ik merkte dat ik glimlachte. 'Ze had een heel aparte opslag. Het zag eruit alsof ze pannenkoeken omgooide. Maar het werkte wel, dat zeker... haar services waren niet te stoppen.'

'O?'

'Ze was ook een uitstekend zwemster... en een briljant kunstenares.'

'Wat een succesvolle jongedame.'

'O ja. Maar ze was helemaal niet verwaand... integendeel. Ze twijfelde erg aan zichzelf.'

Ik besefte plotseling dat ik niet in mijn thee hoefde te roeren, die immers zonder melk en suiker was. Ik legde mijn lepeltje op het schoteltje.

'En ze was je beste vriendin?'

Ik knikte. 'Jazeker. Maar ik was niet echt een beste vriendin of zelfs maar een goede vriendin voor haar, eigenlijk.' Het kopje was wazig geworden. 'Toen het erop aankwam was ik zelfs een heel slechte vriendin.' Ik was me niet bewust van het constante geluid van de gashaard, als een voortdurende uitademing. 'Het spijt me,' zei ik zacht en ik zette mijn kopje neer. 'Ik ben gekomen om uw kleren te bekijken. Ik denk dat ik daar nu maar mee begin, als u het niet erg vindt. Maar bedankt voor de thee... het was precies wat ik nodig had.'

Mevrouw Bell aarzelde een moment en stond toen op. Ik volgde haar door de gang naar haar slaapkamer. Zoals in de rest van de flat leek daar al jaren niets veranderd. De kamer was ingericht in geel en wit, met een glanzend geel dekbed op het kleine tweepersoonsbed, gele Provençaalse gordijnen en bijpassende panelen in de deuren van de witte ingebouwde kasten tegen de achterste wand. Er stond een crèmekleurige albasten lamp op het nachtkastje en daarnaast een zwart-witfoto van een knappe, donkerharige man van in de veertig. Op de toilettafel stond een studioportret van mevrouw Bell als jonge vrouw. Ze was eerder opvallend dan knap geweest, met haar hoge voorhoofd, Romeinse neus en brede mond.

Tegen de dichtstbijzijnde muur stonden vier kartonnen dozen vol handschoenen, tassen en sjaals. Mevrouw Bell ging op het bed zitten en ik knielde op de vloer om ze snel door te nemen.

'Deze zijn allemaal mooi,' zei ik. 'Vooral de zijden sjaals... ik vind deze Liberty met het fuchsiadessin prachtig. Deze is leuk...' Ik pakte een kleine, doosvormige handtas van Gucci met bamboehengsels. 'En die twee hoeden vind ik mooi. Wat een fraaie hoedendoos,' zei ik met een blik naar de zeshoekige doos waarin de hoeden zaten, met zijn patroon van lentebloemen op een zwarte achtergrond. 'Wat ik vandaag zal doen,' vervolgde ik terwijl mevrouw Bell met duidelijke inspanning naar de kleerkast liep, 'is u een prijs bieden voor de kleren die ik graag wil kopen. Als u daar tevreden mee bent, schrijf ik een cheque aan u uit, maar ik neem niets mee voordat het bedrag aan u is overgemaakt. Wat vindt u daarvan?'

'Dat lijkt me prima,' antwoordde mevrouw Bell. 'Dus...' Ze opende de kleerkast en ik ving de geur van Ma Griffe op. 'Ga je gang. De kleren waar het om gaat hangen allemaal hier aan de linkerkant, maar laat alles voorbij deze gele avondjurk alsjeblieft hangen.'

Ik knikte en haalde de kleren op hun mooie zijden hangers uit de kast en legde ze in 'ja-' en 'nee'-stapels op het bed. De spullen verkeerden voor het merendeel in erg goede staat. Er waren ingenomen pakjes uit de jaren vijftig bij, geometrische mantels en hemdjurken uit de jaren zestig – waaronder een oranje fluwelen tuniek van Thea Porter en een prachtige zuurstokroze 'cocoon'-jas met ellebooglange mouwen van Guy Laroche. Er hingen romantische smokjurken uit de jaren zeventig en een paar pakjes met schoudervullingen uit de jaren tachtig. Er waren designerstukken bij – Norman Hartnell, Jean Muir, Pierre Cardin, Missoni en Hardy Amies 'Boutique'.

'U hebt mooie avondkleding,' merkte ik op toen ik een saffierblauwe Chanel-avondmantel van zijden faille uit midden jaren zestig bekeek. 'Deze is schitterend.'

'Die had ik aan tijdens de première van *You Only Live Twice*,' zei mevrouw Bell. 'Alastairs bureau had een deel van de reclame voor de film verzorgd.'

'Dus u hebt Sean Connery ontmoet?'

Mevrouw Bells gezicht fleurde op. 'Ik heb hem niet alleen ontmoet... ik heb tijdens de afterparty zelfs met hem gedanst.'

'Wow... En deze is prachtig.' Ik haalde een maxi-jurk van Ossie Clark, gemaakt van chiffon met een dessin van crèmekleurige en roze bloemen uit de kast.

'Ik ben dol op die jurk,' zei mevrouw Bell dromerig. 'Er kleven veel fijne herinneringen aan.'

Ik voelde in de zoom aan de linkerkant. 'En hier zit het kleine zakje dat het handelsmerk van Ossie Clark is. Net groot genoeg voor een briefje van vijf pond...'

'...en een sleutel,' maakte mevrouw Bell het af. 'Een leuk idee.'

Ze had ook veel van Jaeger, maar ik vertelde haar dat ik dat niet zou meenemen.

'Ik heb het nauwelijks gedragen.'

'Dat is het niet... het is alleen niet oud genoeg om het als vintage te kunnen verkopen. Ik heb niets in de winkel van na begin jaren tachtig.'

Mevrouw Bell voelde aan de mouw van een zeegroen wollen pakje. 'Dan weet ik niet wat ik ermee zal doen.'

'Het zijn mooie spullen... u kunt ze toch vast nog wel dragen?'

Ze haalde haar schouders op. 'Dat betwijfel ik.'

Ik keek naar de labels – maat 42 – en realiseerde me dat mevrouw Bell minstens twee maten minder had dan toen ze die kleren kocht, maar oude mensen worden vaak magerder.

'Als u ze vermaakt wilt hebben, kan ik ze voor u naar mijn naaister brengen,' opperde ik. 'Ze is erg goed en haar prijzen zijn redelijk. Ik moet morgen toch naar haar toe, dus...'

'Dank je,' onderbrak mevrouw Bell me hoofdschuddend, 'maar ik heb genoeg om aan te trekken. Ik heb niet veel meer nodig. Ze kunnen wel naar het Leger des Heils of zo.'

Nu haalde ik een chocoladebruine avondjurk van crêpe de Chine met dunne schouderbandjes en koperkleurige lovertjes langs de randen uit de kast. 'Deze is van Ted Lapidus, nietwaar?'

'Dat klopt. Mijn man heeft hem in Parijs voor me gekocht.'

Ik keek haar aan. 'Komt u daar vandaan?'

Ze schudde haar hoofd. 'Ik ben opgegroeid in Avignon.' Dat verklaarde het schilderij van het lavendelveld en de Provençaalse gordijnen. 'In dat krantenartikel stond dat je af en toe naar Avignon gaat.'

'Ja. Ik koop spullen op weekendmarkten in die omgeving.'

'Ik denk dat ik daarom heb besloten je te bellen,' zei mevrouw Bell. 'Die connectie sprak me aan. Wat voor dingen koop je?'

'Oud Frans textiel, katoenen jurken en nachthemden, hemdjes van broderie anglaise... die zijn hier populair bij jonge vrouwen. Ik ga graag naar Avignon... ik moet er trouwens binnenkort weer heen.' Ik pakte een zwart-met-gouden moirézijden avondjurk van Janice Wainwright. 'En hoelang woont u al in Londen?'

'Bijna eenenzestig jaar.'

Ik keek mevrouw Bell aan. 'U moet erg jong geweest zijn toen u hierheen kwam.'

Ze knikte weemoedig. 'Ik was negentien. En nu ben ik negenenzeventig. Hoe is dat toch gebeurd?' Ze keek me aan alsof ze echt dacht dat ik dat zou weten, schudde toen haar hoofd en zuchtte.

'En wat bracht u naar Engeland?' vroeg ik terwijl ik een doos met haar schoenen bekeek. Ze had kleine voeten en de schoenen, meest van Rayne en Gina Fratini, waren in uitstekende staat.

'Wat bracht mij naar Engeland?' Mevrouw Bell glimlachte. 'Een man... of meer specifiek, een Engelsman.'

'En hoe hebt u hem ontmoet?'

'In Avignon... niet precies *sur le pont*, maar wel dicht erbij. Ik kwam net van school en werkte als serveerster in een leuk café aan het Place Crillon. Een aantrekkelijke man, een paar jaar ouder dan ik, riep me naar zijn tafeltje en zei in afschuwelijk Frans dat hij snakte naar een fatsoenlijke kop Engelse thee en of ik die alsjeblieft voor hem kon maken. Dus dat deed ik, en kennelijk tot zijn tevredenheid, want drie maanden later waren we verloofd.' Ze knikte naar de foto op het nachtkastje. 'Dat is Alastair. Hij was een fijne man.'

'Hij was erg knap.'

'Dank je.' Ze glimlachte. 'Hij was *un bel homme*.'

'Vond u het niet erg uw thuis te verlaten?'

Het bleef even stil. 'Niet echt,' antwoordde mevrouw Bell toen. 'Niets leek meer hetzelfde na de oorlog. Avignon was bezet geweest en was gebombardeerd. Ik had...' ze speelde met haar gouden horloge, 'vrienden verloren. Ik verlangde naar een nieuw begin, en toen ontmoette ik Alastair.' Ze streek over de rok van een pruimenpaars tweedelig pakje van gabardine. 'Ik ben dol op dat pakje,' mompelde ze. 'Het herinnert me aan mijn beginjaren met hem.'

'Hoelang bent u getrouwd geweest?'

'Tweeënveertig jaar. Maar daarna ben ik naar deze flat verhuisd. We hadden een heel leuk huis aan de andere kant van de Heath, maar ik kon het niet verdragen daar te blijven nadat hij...' Mevrouw Bell zuchtte zwijgend.

'En wat deed hij?'

'Alastair begon zijn eigen reclamebureau... een van de eerste. Het was een opwindende tijd; hij ontving vaak klanten, dus ik moest er presentabel uitzien.'

'U zag er vast fantastisch uit.' Ze glimlachte. 'En had u – hebt u – een gezin?'

'Kinderen?' Mevrouw Bell speelde met haar trouwring, die losjes om haar vinger zat. 'We hadden geen geluk wat dat betreft.'

Omdat het duidelijk een pijnlijk onderwerp was, bracht ik het gesprek terug op de kleding. Ik gaf aan welke stukken ik wilde kopen. 'Maar u moet ze alleen verkopen als u daar echt achter staat,' voegde ik eraan toe. 'Ik wil niet dat u er spijt van krijgt.'

'Spijt?' zei mevrouw Bell. Ze legde haar handen op haar knieën. 'Er is genoeg waar ik spijt van heb, maar hier zal ik geen spijt van krijgen. Ik wil graag dat ze – hoe beschreef je dat in de krant – een nieuw leven krijgen...'

Ik begon de prijzen te noemen die ik voor de gekozen kledingstukken in gedachten had.

'Neem me niet kwalijk,' zei mevrouw Bell plotseling en ik maakte uit haar aarzeling op dat ze haar twijfels wilde uiten over een van mijn waardebepalingen. 'Vergeef me dat ik het vraag,' zei ze, en ze keek me onderzoekend aan, 'maar je vriendin... Emma. Ik hoop dat je het niet erg vindt...'

'Nee,' mompelde ik, me ervan bewust dat ik het om de een of andere reden inderdaad niet erg vond.

'Wat is er met haar gebeurd?' vroeg mevrouw Bell. 'Waarom is ze...?' Haar stem stierf weg.

Ik liet de jurk in mijn handen zakken. Mijn hart ging tekeer, zoals altijd wanneer ik aan de gebeurtenissen van die nacht denk. 'Ze was ziek geworden,' antwoordde ik behoedzaam. 'Niemand besefte hoe ziek ze was en tegen de tijd dat iemand van ons het zich wel realiseerde, was het te laat.' Ik keek uit het raam. 'Dus wens ik elke dag weer dat ik de klok terug kon draaien.' Mevrouw Bell schudde haar hoofd met een uitdrukking van intense sympathie op haar gezicht, alsof ze bij mijn verdriet betrokken was. 'Omdat ik dat niet kan,' vervolgde ik, 'moet ik leren leven met wat er is gebeurd. Maar dat is moeilijk.' Ik stond op. 'Ik heb alle kleren nu gezien, mevrouw Bell... behalve die ene jurk hier.'

Van de andere kant van de gang hoorde ik de telefoon. 'Neem me niet kwalijk,' zei ze.

Terwijl zij wegliep, ging ik naar de kleerkast en pakte er het laatste kledingstuk uit – de gele avondjurk. Het mouwloze lijfje was van citroengele ruwe zijde, de rok van chiffon met platte plooien. Toen ik hem uit de kast haalde, werd mijn aandacht echter getrokken door het kledingstuk dat ernaast hing – een blauwe wollen jas. Ik bekeek hem door de beschermhoes heen en zag dat het een kindermaat was. Hij zou een kind van een jaar of twaalf passen.

'Bedankt dat u het me laat weten,' hoorde ik mevrouw Bell aan het eind van het telefoongesprek zeggen. 'Ik verwachtte pas volgende week iets van u te horen... ik heb meneer Tate vanochtend gezien... Ja, dat blijft mijn beslissing... Ik begrijp het helemaal... Bedankt voor het bellen...'

Ik vroeg me ondertussen af waarom ze een meisjesjas in haar kleerkast had hangen. Hij werd duidelijk gekoesterd. Er schoot een tragische verklaring door mijn hoofd. Mevrouw Bell had wel een kind gehad – een meisje, en deze jas was van haar geweest; er was iets vreselijks gebeurd en mevrouw Bell kon er geen afstand van doen. Ze had niet gezegd dat ze geen kinderen had gekregen; alleen dat haar man en zij "geen geluk hadden gehad", wat waarschijnlijk een understatement was. Ik voelde een golf van sympathie voor mevrouw Bell. Toen ik echter voorzichtig de beschermhoes openritste om de jas beter te bekijken, realiseerde ik me dat hij veel te oud was voor dat scenario. Ik haalde hem eruit en zag dat hij uit de jaren veertig stamde en was gemaakt van wollen kamgaren met een hergebruikte zijden voering. Hij was handgemaakt, en met aanzienlijke vaardigheid.

Ik hoorde mevrouw Bell terugkomen en ritste snel de hoes weer dicht, maar te laat: ze zag dat ik de jas vasthield en ze verstrakte.

'Dat kledingstuk doe ik niet weg. Hang het alsjeblieft terug.'

74

Geschrokken van haar toon deed ik wat ze zei. 'Ik had je gevraagd niet verder te kijken dan de gele avondjurk,' voegde ze er vanuit de deuropening aan toe.

'Het spijt me.' Mijn gezicht kleurde rood van schaamte. 'Was het uw jas?' vroeg ik zacht.

Mevrouw Bell aarzelde even en kwam toen de kamer in. Ze zuchtte. 'Mijn moeder heeft hem voor me gemaakt in februari 1943. Ik was dertien. Ze had vijf uur in de rij gestaan om de stof te kopen en er twee weken over gedaan om hem te maken. Ze was er erg trots op.' Mevrouw Bell ging weer op haar bed zitten.

'Dat verbaast me niets. Hij is erg mooi gemaakt. Maar u hebt hem dus... vijfenzestig jaar bewaard?' Ik vroeg me af waarom. Pure sentimentaliteit, omdat hij door haar moeder was gemaakt?

'Ik heb hem vijfenzestig jaar bewaard,' herhaalde mevrouw Bell zacht. 'En ik blijf hem bewaren tot aan mijn dood.'

Ik keek er weer naar. 'Hij ziet er nog verbazingwekkend goed uit... alsof hij bijna niet gedragen is.'

'Hij ís ook bijna niet gedragen. Ik had mijn moeder verteld dat ik hem kwijtgeraakt was. Maar dat was niet zo... ik had hem verstopt.'

Ik keek haar aan. 'U had uw winterjas verstopt? Tijdens de oorlog? Maar waarom?'

Mevrouw Bell keek uit het raam. 'Omdat er iemand was die hem harder nodig had dan ik. Ik bewaarde hem voor die persoon en dat heb ik al die tijd gedaan.' Ze slaakte weer een diepe zucht, die helemaal uit haar buik leek te komen. 'Het is een verhaal dat ik nog nooit aan iemand heb verteld... zelfs mijn man niet.' Ze keek me aan. 'Maar de laatste tijd voel ik wel het verlangen het te vertellen... aan één persoon maar. Als slechts één persoon op deze wereld mijn verhaal kon aanhoren en me zou vertellen dat die het begreep... dan zou ik het gevoel hebben... Maar nu...' Mevrouw Bell bracht haar hand naar haar slaap, drukte ertegen en sloot haar ogen. 'Ik ben moe.'

'Natuurlijk.' Ik stond op. 'Ik zal nu vertrekken.' Ik hoorde de tafelklok halfzes slaan. 'Ik was niet van plan zo lang te blijven. Ik vond het leuk met u te praten. Ik zal alles even terug in de kast hangen.'

De kleren die ik wilde kopen hing ik aan de linkerkant, en daarna schreef ik een cheque voor 800 pond uit op naam van mevrouw Bell.

Toen ik haar die gaf, haalde ze haar schouders op alsof het haar niet interesseerde.

'Bedankt dat u me uw spullen wilde laten zien, mevrouw Bell.' Ik pakte mijn tas. 'Ze zijn prachtig. Ik bel u aanstaande maandag om af te spreken wanneer ik alles kan komen halen.'

Ze knikte.

'En kan ik nog iets voor u doen voordat ik wegga?'

'Nee, dank je, meisje. Maar het zou fijn zijn als je zelf naar beneden zou kunnen lopen.'

'Natuurlijk. Nou...' Ik stak haar mijn hand toe. 'Tot volgende week dan, mevrouw Bell.'

'Volgende week,' herhaalde ze. Ze keek me aan en pakte met beide handen de mijne vast. 'Ik kijk er nu al naar uit... heel erg zelfs.'

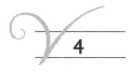

4

TOEN IK 'S OCHTENDS DOOR ONVERWACHTE MOTREGEN NAAR MIJN NAAI-
ster Val reed, dacht ik telkens weer aan de blauwe jas. Hij was hemels-
blauw − de kleur van de vrijheid − en toch had mevrouw Bell hem
verstopt. Terwijl het verkeer op Shooter's Hill Road langzaam bumper aan bumper voortkroop, probeerde ik me de reden daarvan voor
te stellen. Soms − en nu herinnerde ik me mijn moeders opmerking
over kledingarcheologie weer − kan ik de geschiedenis van een kledingstuk opmaken uit de manier waarop het gedragen is. Toen ik bij
Sotheby's werkte bracht iemand me bijvoorbeeld eens drie jurken van
Mary Quant. Ze verkeerden alle drie in goede staat, afgezien van een
kale plek op de rechtermouw. De vrouw die ze had gebracht, vertelde
me dat ze van haar tante waren geweest, een schrijfster die al haar
boeken met de hand schreef. Een linnen broek van Margaret Howell
met een versleten linkerheup was eigendom geweest van een fotomo-
del dat in een periode van vier jaar drie baby's had gekregen. Maar nu
ik de ruitenwissers aanzette, kon ik geen theorie bedenken over de jas
van mevrouw Bell.

Wie had de jas in 1943 harder nodig gehad dan zij? En waarom had
mevrouw Bell nooit iemand het verhaal verteld − zelfs haar beminde
echtgenoot niet?

Ik had het niet tegen Annie gezegd toen ze die ochtend voor haar
werk arriveerde. Ik had alleen gezegd dat ik aardig wat spullen van
mevrouw Bell zou kopen.

'Ga je daarom naar je naaister?' vroeg ze terwijl ze het gebreide
goed opnieuw opvouwde. 'Om er iets van te laten vermaken?'

'Nee, ik moet wat reparaties ophalen. Val belde me gisteravond.'

Ik pakte mijn autosleutels. 'Ze houdt er niet van dat spullen bij haar blijven hangen als ze eenmaal klaar zijn.'

Val, die me was aanbevolen door Pippa van het Moon Daisy Café, is buitengewoon snel en heel redelijk van prijs. Ze is ook een genie als het om jurken gaat en ze kan zelfs een vernield kledingstuk weer in zijn vroegere glorie herstellen.

Tegen de tijd dat ik voor haar huis in Granby Road in het mooiere deel van Kidbrooke stopte, was de motregen overgegaan in een kletterende regenbui. Ik keek door de beslagen voorruit naar de regendruppels die van de motorkap opspatten. Ik zou mijn paraplu nodig hebben om bij Vals deur te komen.

Ze deed de deur open met een meetlint om haar hals en er verscheen een glimlach op haar spitse gezicht. Toen zag ze mijn paraplu en ze keek er argwanend naar. 'Je steekt die hier binnen toch zeker niet op?'

'Natuurlijk niet,' antwoordde ik, en ik liet hem zakken en schudde hem eens flink uit. 'Ik weet dat je gelooft dat dat...'

'Ongeluk brengt.' Val schudde haar hoofd. 'Het is waar... vooral omdat hij zwart is.'

'Is dat dan erger?' Ik stapte naar binnen.

'Veel erger. En je laat hem ook niet op de grond vallen, hè?' voegde ze er bezorgd aan toe.

'Nee... maar waarom niet?'

'Omdat als je een plu laat vallen, het betekent dat er in de nabije toekomst iemand vermoord zal worden in het betreffende huis, en dat wil ik liever vermijden, vooral omdat mijn man me de laatste tijd soms razend maakt. Ik wil geen...'

'Risico's nemen?' opperde ik terwijl ik de paraplu in haar paraplubak zette.

'Precies.' Val is klein, scherp en dun... als een speld. Ze is ook bijgelovig, tot op het dwangmatige af. Het is niet alleen zo dat ze – zoals ze zelf zegt – een eenzame ekster links, rechts en in het midden groet, een buiging maakt voor de volle maan en zwarte katten uit alle macht ontwijkt. Ze beschikt ook over een encyclopedische kennis van bijgeloof en folklore. In de vier maanden dat ik haar nu ken, heb ik ontdekt dat het ongeluk brengt als je een vis van de staart naar de kop opeet, de sterren probeert te tellen of parels draagt op je trouwdag. Het brengt ongeluk als je de kam laat vallen terwijl je je haren aan het kammen bent – dat is een voorteken van teleurstelling – of als je breinaalden door een bol garen steekt.

Anderzijds brengt het geluk als je een spijker vindt, een appel eet op kerstavond of per ongeluk een kledingstuk binnenstebuiten aantrekt.

'Oké dan,' zei Val toen we haar naaikamer in liepen, waar alles vol stond met stapels schoenendozen vol klosjes garen en ritssluitingen, naaipatronen, kaartjes met lint, stofstalen en rollen biaisband. Ze haalde een grote draagtas onder de tafel vandaan. 'Ik vind dat deze heel aardig gelukt zijn,' zei ze toen ze de tas aan mij gaf.

Ik keek erin. Ze had gelijk. Een Halston-jas van maxi-lengte met een gescheurde zoom was ingekort tot halverwege de kuit; een cocktailjurk uit de jaren vijftig die transpiratievlekken onder de oksels had gehad, was nu elegant mouwloos; en een zijden jasje van Yves Saint Laurent waar champagne op was gespoten was hier en daar bezet met lovertjes om de vlekken te verbergen. Ik zou potentiële kopers op de aanpassingen moeten wijzen, maar de kleren waren in elk geval gered. Ze waren nog veel te mooi en te goed om te worden weggegooid.

'Je hebt fantastisch werk geleverd, Val,' zei ik terwijl ik mijn tas pakte om haar te betalen. 'Je bent echt geweldig.'

'Tja, mijn oma heeft me leren naaien en ze zei altijd dat als er iets aan een kledingstuk mankeerde, je dat niet alleen moest herstellen, maar er iets móóis van moest maken. Ik hoor het haar nóg zeggen: "Maak er iets móóis van, Valerie." O.' Ze had haar schaar laten vallen en keek daar nu naar met een blik van uitzinnige vreugde. 'Dat is geweldig.'

'Wat is geweldig?'

'Hij is met beide punten in de vloer geland.' Ze bukte om hem op te rapen. 'Dat brengt echt geluk,' legde ze uit terwijl ze met de schaar zwaaide. 'Het betekent gewoonlijk dat er nog meer werk naar je toe komt.'

'Dat klopt dan in dit geval.' Ik vertelde haar dat ik een collectie kleding zou kopen en dat aan ongeveer acht van de kledingstukken kleine reparaties nodig waren.

'Breng ze maar,' zei Val toen ik haar betaalde wat ik haar schuldig was. 'Dank je. O, wacht...' Ze keek naar de jas. 'Die onderste knoop zit een beetje los. Ik zal hem nog even vastzetten voor je gaat.'

Er werd drie keer achter elkaar gebeld.

'Val?' riep een rauwe stem. 'Ben je daar?'

'Dat is mijn buurvrouw, Maggie,' legde Val uit terwijl ze de draad in de naald stak. 'Ze belt altijd drie keer zodat ik weet dat zij het is. Ik laat de deur van het slot, omdat we constant bij elkaar in en uit lopen. We zijn in de naaikamer, Mag!'

'Dat dacht ik al! Hoi!' Maggie vulde bijna de hele deuropening. Ze was de lichamelijke tegenpool van Val: blond, groot en breed. Ze droeg een strakke zwarte leren broek, goudkleurige naaldhakken, die haar plompe voeten met moeite binnen wisten te houden, en een laag uitgesneden rood topje dat een massief, zij het wat rimpelig, decolleté liet zien. Ze droeg ook bruine foundation, helblauwe eyeliner en valse wimpers. Haar leeftijd lag waarschijnlijk ergens tussen de achtendertig en de vijftig. Ze scheidde een geur af van Magie Noire vermengd met sigaretten.

'Hoi Mag,' zei Val. 'Dit is Phoebe,' voegde ze tussen opeengeklemde tanden toe terwijl ze een stuk garen afbeet. 'Phoebe heeft net een vintage kledingwinkel geopend in Blackheath... nietwaar, Phoebe? Trouwens,' zei ze tegen mij, 'ik hoop wel dat je zout op de drempel hebt gestrooid, zoals ik gezegd had. Dat beschermt tegen ongeluk.'

Ik had al zo veel ongeluk gehad dat het geen verschil zou hebben gemaakt, bedacht ik. 'Nee, ik kan niet zeggen dat ik dat gedaan heb.'

Val haalde haar schouders op en zette een rubberen vingerhoedje op haar middelvinger. 'Zeg niet dat ik je niet gewaarschuwd heb.' Ze begon de knoop vast te naaien. 'Hoe gaat het met je, Mag?'

Maggie liet zich duidelijk uitgeput in een stoel zakken. 'Ik heb net een vreselijk moeilijke klant gehad. Het duurde eeuwen voor hij wilde beginnen – hij wilde alleen maar praten, zei hij – en vervolgens deed hij er vreselijk lang over en naderhand deed hij moeilijk over het betalen. Hij wilde met een cheque betalen, maar ik zei contant of niet, zoals ik heel duidelijk van tevoren had gezegd.' Ze herschikte verontwaardigd haar borsten. 'Toen ik zei dat ik de politie zou bellen, kwam hij snel genoeg met zijn geld op de proppen.

Maar ik snak naar een kop thee, Val. Ik ben doodop en het is pas halftwaalf.'

'Zet het water dan maar op,' zei Val.

Mag verdween in de keuken, maar haar door nicotine rauwe stem klonk door de gang. 'Daarna had ik een klant die vreemd geobsedeerd was door zijn moeder… hij had zelfs een van haar jurken meegebracht. Héél veeleisend was die. Ik heb voor hem gedaan wat ik kon, maar toen had hij het lef te zeggen dat hij "ontevreden" was over mijn "diensten". Stel je voor!'

Ik wist nu vrijwel zeker wat de aard van Maggies werkzaamheden was.

'Arme schat,' zei Val hartelijk toen Mag weer binnenkwam met een pak koekjes. 'Die klanten van je vergen wel het uiterste van je.'

Mag slaakte een lange, gekwelde zucht. 'Zeg dat wel.' Ze pakte een koekje en beet erin. 'En om het nog erger te maken kwam die vrouw van nummer 29… Sheila Hoe-heet-ze-ook-weer.' Mijn ogen vielen bijna uit mijn hoofd. 'Ze was echt lastig. Ze wilde met haar ex-man praten, die vorige maand dood is neergevallen op de golfbaan. Ze zei dat ze zo'n spijt had van hoe ze hem had behandeld toen ze nog getrouwd waren, dat ze er niet van kon slapen. Dus ik leg contact met hem, ja…' Mag liet zich weer in de stoel zakken. 'En ik geef haar zijn berichten door, maar binnen een paar minuten wordt ze woedend om het een of ander en begint ze tegen hem te gillen en te krijsen als een stel vechtende katten…'

'Volgens mij heb ik haar gehoord,' zei Val op gelijkmatige toon terwijl ze de draad strak trok. 'Leek me nogal een opgewonden standje.'

'Dat kun je wel zeggen,' zei Mag, en ze veegde wat kruimels van haar schoot. 'Dus ik zei: "Luister, schat, zo moet je echt niet tegen dode mensen praten. Dat is respectloos."'

'Dus… u bent een medium?' vroeg ik schuchter.

'Een medium?' Maggie keek me zo ernstig aan dat ik dacht dat ik haar had beledigd. 'Nee… ik ben geen *medium*,' zei ze. 'Ik ben een *large*!' En Val en zij schaterden het uit. 'Sorry,' hikte Maggie nog na. 'Ik kan het nooit laten.' Ze veegde een traan weg met een scharlakenrode nagel. 'Maar om je vraag te beantwoorden…' Ze duwde tegen

81

haar bananengele haar. 'Ik ben inderdaad een medium, of helderzien-de, ja.'

Mijn hart ging tekeer. 'Ik heb nog nooit een medium ontmoet.'

'Nooit?'

'Nee. Maar...'

'Zo, Phoebe... klaar!' Val knipte het garen af, draaide het kundig een keer of vijf rond de knoop, vouwde de jas op en stopte hem snel terug in de tas. 'Wanneer kom je de andere spullen brengen?'

'Nou... waarschijnlijk vandaag over een week, want ik heb op maandag en dinsdag hulp in de winkel. Ben je hier als ik om dezelfde tijd kom?'

'Ik ben er altijd,' antwoordde Val vermoeid. 'Geen rust voor de zon-daars.'

Ik keek Maggie aan. 'Ik... eh... vraag me af...' Ik voelde plotseling een stoot adrenaline. 'Iemand die me na stond is onlangs overleden. Ik was erg op die... persoon gesteld en het is een groot gemis...' Maggie knikte welwillend. 'En... ik heb dit nog nooit gedaan en ik heb er eerlijk gezegd altijd sceptisch tegenover gestaan... maar als ik maar even met diegene kon praten, al was het maar een paar seconden, of er iets van zou horen,' vervolgde ik nerveus. 'Ik heb zelfs een paar paranormaal begaafden opgezocht in de *Gouden Gids* – er is iets wat "Dial-a-Medium" heet; en ik heb er zelfs een uitgekozen en opgebeld, maar toen durfde ik uit schaamte niets te zeggen, maar nu ik u heb ontmoet, heb ik het gevoel...'

'Wil je een sessie bij me?' onderbrak Maggie me geduldig. 'Is dat wat je me probeert te vertellen, schat?'

Ik zuchtte opgelucht. 'Ja.'

Ze stak haar hand in haar decolleté en haalde er eerst een pakje Silk Cut-sigaretten, en daarna een kleine zwarte agenda uit. Ze schoof het pennetje uit de spiraalrug, likte aan haar wijsvinger en bladerde door de agenda. 'Wanneer zal ik je erin zetten?'

'Eh... nadat ik de spullen bij Val heb afgegeven?'

'Volgende week om deze tijd dus?' Ik knikte. 'Mijn betalingsvoor-waarden zijn vijftig pond contant, geen terugbetaling voor een slech-te verbinding... en geen gezeik tegen de overledene,' voegde Mag er tijdens het schrijven aan toe. 'Dat is een nieuwe regel.' Ze stopte de agenda weer tussen haar borsten en opende toen het pakje sigaretten. 'Dat is dan een privésessie volgende week dinsdag om elf uur. Tot dan, lieverd,' zei ze toen ik vertrok.

Op weg terug naar Blackheath probeerde ik mijn motieven voor het bezoek aan een medium te analyseren. Ik had dergelijke activiteiten altijd met afkeer bekeken. Mijn grootouders waren allemaal overleden, maar ik had nooit zelfs maar de minste aandrang gevoeld contact te zoeken met een van die familieleden 'aan gene zijde'. Sinds Emma's dood was ik me echter steeds meer bewust geworden van het verlangen haar op de een of andere manier te bereiken. De ontmoeting met Maggie had me het gevoel gegeven dat ik het op z'n minst kon proberen.

Maar wat hoopte ik met het experiment te bereiken, vroeg ik me af toen ik Montpelier Vale naderde. Een boodschap van Emma waarschijnlijk. Wat verwachtte ik dat ze zou zeggen? Dat het... goed met haar ging? Hoe kon dat nou, dacht ik toen ik voor de winkel stopte. Ze zweefde waarschijnlijk ergens in de ether rond, verbitterd over het feit dat ze dankzij haar zogenaamde 'beste vriendin' nooit zou trouwen, kinderen zou krijgen, veertig zou worden, naar Peru zou gaan zoals ze altijd had gewild, laat staan dat ze officier in de Orde van het Britse Rijk zou worden vanwege haar verdiensten voor de mode-industrie, zoals we zo vaak in een dronken bui hadden voorspeld. Ze zou nooit de bloei van haar leven meemaken, of het rustige stille leven dat daarop hoorde te volgen, omringd door haar kinderen en kleinkinderen. Dat alles was Emma ontnomen, bedacht ik somber, dankzij mij... en Guy. Had Emma Guy nou maar nooit ontmoet, dacht ik terwijl ik de auto inparkeerde...

'Het was een bijzondere ochtend,' zei Annie toen ik de deur openduwde.

'O ja?'

'De avondjapon van Pierre Balmain is verkocht... als de cheque tenminste gedekt is, maar daar verwacht ik geen problemen mee.'

'Geweldig,' zei ik zacht. Dat bracht weer wat geld in 't laatje.

'En ik heb twee van die klokrokken uit de jaren vijftig verkocht. Plus, weet je, de lichtroze Madame Grès... die jij niet wilt?'

'Ja.'

'Nou, de vrouw die hem laatst heeft gepast kwam terug...'

'En?'

'Ze heeft hem gekocht.'

'Geweldig.' Ik sloeg van opluchting mijn handen tegen mijn borst. Annie keek me verbaasd aan. 'Nou ja, het betekent dat je al 2000 pond hebt omgezet en het is nog maar net lunchtijd.' Ik kon Annie niet vertellen dat mijn reactie op de verkoop van de jurk niets met het geld te maken had. 'Die vrouw heeft er helemaal niet het juiste postuur voor,' vervolgde Annie toen ik doorliep naar het kantoor, 'maar ze zei dat ze hem gewoon móést hebben. Ze heeft met pin betaald en ze heeft hem meegenomen.'

Heel even worstelde ik met mijn geweten. De 500 pond van de jurk zou goed van pas komen, maar ik had plechtig beloofd het geld aan een goed doel te geven, dus dat zou ik doen ook.

De bel boven de deur rinkelde en het meisje dat de turquoise cupcake-jurk had gepast kwam binnen.

'Daar ben ik weer,' verkondigde ze opgewekt.

Annies gezicht straalde. 'Daar ben ik blij om,' zei ze glimlachend. 'De jurk stond je fantastisch.' Ze wilde hem omlaag halen.

'O, daar kom ik niet voor,' legde het meisje uit, hoewel ze een enigszins spijtige blik op de jurk wierp. 'Ik ben hier om iets voor mijn verloofde te kopen.' Ze liep naar de sieradenvitrine en wees naar de 18-karaats gouden, achthoekige art-decomanchetknopen met ingelegd parelmoer. 'Ik zag Pete daarnaar kijken toen we gisteren hier waren en het lijkt me een perfect huwelijkscadeau voor hem.' Ze opende haar tas. 'Wat kosten ze?'

'Ze kosten 100 pond,' antwoordde ik, 'maar met de vijf procent korting wordt dat 95, en ik geef je vijf procent extra korting omdat ik een goede dag heb vandaag, dus dan wordt het 90 pond.'

'Dank je.' Het meisje glimlachte. 'Verkocht.'

Omdat Annie haar twee dagen erop had zitten, bemande ik de winkel de rest van de week zelf. Tussen het helpen van klanten door beoordeelde ik kleren die mensen binnenbrachten en ik fotografeerde de voorraad voor de website, handelde online bestellingen af, voerde kleine reparaties uit, praatte met handelaren en probeerde mijn saldo aan te vullen. Ik stuurde een cheque voor het bedrag van Guys jurk naar Unicef en ik was opgelucht dat niets me nu nog aan onze paar maanden samen herinnerde. De foto's, brieven en e-mails waren weg – allemaal gewist – evenals de boeken en het meest gehate aandenken van allemaal: de verlovingsring. En nu ook de jurk was verkocht, slaakte ik een zucht van verlichting. Guy was eindelijk uit mijn leven.

Op vrijdagochtend belde mijn vader me op en hij smeekte me bij hem op bezoek te komen.

'Het is zo lang geleden, Phoebe,' zei hij triest.

'Het spijt me, pap. Ik heb het vreselijk druk gehad de afgelopen maanden.'

'Dat weet ik, lieverd, maar ik zou je heel graag weer eens zien; en ik zou het ook leuk vinden als je Louis weer zag. Hij is zo lief, Phoebe. Hij is gewoon...' Ik hoorde dat zijn stem stokte. Hij wordt soms wat emotioneel, maar hij heeft de laatste tijd ook heel wat meegemaakt, ook al heeft hij dat aan zichzelf te danken. 'Wat zeg je van zondag?' probeerde hij weer. 'Na de lunch.'

Ik keek uit het raam. 'Dat zou ik kunnen doen, pap, maar vergeef me mijn eerlijkheid... ik wil Ruth liever niet zien.'

'Ik begrijp het,' antwoordde hij zacht. 'Ik weet dat de situatie moeilijk voor je is geweest, Phoebe. Het is voor mij ook moeilijk.'

'Ik hoop niet dat je een beroep doet op mijn medeleven, pap.'

Ik hoorde hem zuchten. 'Dat verdien ik niet echt, is het wel?' Ik antwoordde niet. 'Hoe dan ook,' vervolgde hij, 'Ruth vliegt zondagochtend naar Libië om een week te filmen, dus ik dacht dat dat misschien een goed moment voor je was om hierheen te komen.'

'In dat geval graag.'

Op vrijdagmiddag kwam de moderedacteur van Mimi Long binnen om kleren uit te kiezen voor hun fotosessie voor een spread in de stijl van de jaren zeventig in hun januarinummer, getiteld HET VERLEDEN HERLEEFT. Ik had haar net de kassabon gegeven voor wat ze had uitgekozen, toen ik opkeek en buiten Pete-de-verloofde met zijn stropdas over zijn schouder fladderend naar Villa Vintage zag komen rennen.

Hij duwde de deur open. 'Ik ben hierheen gerend van mijn werk,' hijgde hij. Hij knikte naar de turquoise cupcake-jurk. 'Ik neem hem.' Hij pakte zijn portefeuille. 'Carla heeft nog steeds niets gevonden voor het feest van morgenavond en ze is in paniek en ik weet gewoon dat ze nog steeds niets heeft kunnen vinden omdat ze déze jurk zo mooi vond, en oké, hij is dan wel wat aan de prijzige kant maar ik wil dat ze hem krijgt en wat kan mij dat geld schelen.' Hij legde zes briefjes van 50 pond op de toonbank.

'Mijn assistente had gelijk,' zei ik toen ik de jurk in een grote draagtas stopte. 'U bent inderdaad de volmaakte aanstaande echtgenoot.'

Terwijl Pete op zijn wisselgeld wachtte, zag ik hem naar het blad met manchetknopen kijken. 'Die gouden manchetknopen met parelmoer,' zei hij, 'die u begin deze week had... die zijn zeker niet...'

'Ach, wat jammer,' zei ik. 'Ze zijn al verkocht.'

Toen Pete weg was vroeg ik me af wie de andere cupcake-jurken zou kopen. Ik dacht aan het verdrietige meisje dat de limoengroene zo mooi had gestaan. Ik had haar een paar keer aan de overkant van de straat gezien, in gedachten verzonken, maar ze was niet binnengekomen. Ik had ook een foto van haar vriend in de *South London Times* zien staan. Hij was de gastspreker geweest tijdens een ondernemersnetwerkdiner in de golfclub van Blackheath. Hij scheen de eigenaar te zijn van een succesvol bedrijf in onroerend goed, Phoenix Land.

Zaterdag begon slecht en werd nog erger. Ten eerste was het heel druk in de winkel en hoewel ik daar blij mee was, had ik de grootste moeite alles in de gaten te houden. Toen kwam er iemand binnen die een boterham liep te eten, dus die moest ik vragen naar buiten te gaan, wat ik niet prettig vond, vooral niet met de andere klanten erbij. Toen belde mam op, die opgepept moest worden, omdat ze in het weekend vaak neerslachtig is.

'Ik heb besloten geen botox te nemen,' zei ze.

'Dat is geweldig, mam, want dat heb je niet nodig.'

'Daar gaat het niet om... de kliniek waar ik heen ben gegaan zei dat ik te lang heb gewacht en dat botox nu geen verschil meer zou maken.'

'Nou... laat zitten dan.'

'Dus nu laat ik gouddraadjes in mijn gezicht implanteren.'

'Wát ga je doen?'

'Het komt erop neer dat ze dunne gouddraadjes onder je huid in-brengen, met aan de uiteinden kleine haakjes, waarmee ze de draad-jes aantrekken... en je gezicht dus ook! Het probleem is dat het 4000 pond kost. Maar het is wel 24-karaats,' mijmerde ze.

'Haal het niet in je hoofd,' zei ik. 'Je bent nog steeds heel aantrek-kelijk, mama.'

'Is dat zo?' zei ze somber. 'Sinds je vader is weggegaan voel ik me net een gargouille.'

'Niets is minder waar.' In feite had mam er zoals veel gedumpte echtgenotes nog nooit zo goed uitgezien. Ze was afgevallen, had wat nieuwe kleren gekocht en zag er veel verzorgder uit dan toen ze nog met mijn vader samen was.

Vervolgens kwam tijdens lunchtijd de vrouw die Guys jurk had gekocht ermee terug.

Ik wist eerst niet eens wie ze was.

'Het spijt me verschrikkelijk,' zei de vrouw terwijl ze de draagtas van Villa Vintage op de toonbank zette. Ik keek erin en voelde me moedeloos worden. 'Ik denk toch niet dat de jurk iets voor mij is.' Hoe had ze dat ook ooit kunnen denken? Zoals Annie al had gezegd, had ze er helemaal het verkeerde figuur voor. Ze was klein en breed. 'Het spijt me verschrikkelijk,' herhaalde ze toen ik de jurk uit de tas haalde.

'Maak u geen zorgen, het is geen probleem,' loog ik. Ik gaf haar het geld terug en wou maar dat ik de 500 pond niet zo snel naar Unicef had gestuurd. Nu was het een donatie die ik me niet kon veroorlo-ven.

'Ik denk dat ik me heb laten meeslepen door de romantiek van de jurk,' legde de vrouw uit terwijl ik wachtte tot het bonnetje uit de kassa kwam. 'Maar vanochtend trok ik hem aan, keek naar mezelf in de spiegel en realiseerde me dat ik, nou ja...' Ze bracht haar handpal-men omhoog alsof ze wilde zeggen: *Ik ben niet bepaald Keira Knightley, wel dan?* 'Ik ben er niet lang genoeg voor,' vervolgde ze. 'Maar weet u wat?' Ze hield haar hoofd een beetje schuin. 'Volgens mij zou hij u fantastisch staan.'

Toen de vrouw weg was kwam er een reeks klanten binnen, onder wie een man van in de vijftig die een ongezonde interesse in de korsetten toonde; hij wilde er zelfs eentje aanpassen, maar dat stond ik niet toe. Daarna belde er een vrouw die me enkele bontjassen aanbood die van haar tante waren geweest, waaronder – en dat was als doorslaggevend argument bedoeld – een muts gemaakt van de vacht van een luipaardenjong. Ik legde haar uit dat ik geen bont verkocht, maar de vrouw hield vol dat het geen probleem zou moeten zijn omdat dit allemaal vintage was. Dus vertelde ik haar dat ik mezelf er niet toe kon brengen om stukjes dode babyluipaard aan te raken, laat staan te verkopen, hoe lang het ook geleden was dat het arme diertje was vermoord. Even later werd mijn geduld weer op de proef gesteld door een vrouw die binnenkwam met een jas van Dior die ze me wilde verkopen. Ik zag meteen dat het imitatie was.

'Hij is wel van Dior,' protesteerde ze nadat ik haar daarop had gewezen. 'En ik vind 100 pond een heel redelijke prijs voor een echte Christian Dior van deze kwaliteit.'

'Het spijt me,' zei ik, 'maar ik werk al twaalf jaar met vintage mode en ik kan u verzekeren dat deze jas niet door Dior is gemaakt.'

'Maar het label...'

'Het label is origineel, ja. Maar het is in een kledingstuk genaaid dat niet van Dior is. De binnenkant van de jas klopt helemaal niet, de naden zijn niet op de juiste manier afgewerkt, en als u wat beter kijkt zult u zien dat de voering van Burberry komt.' Ik wees haar op het logo.

De vrouw kreeg een dieprode kleur. 'Ik weet wel wat u probeert te doen,' snoof ze. 'U probeert hem voor een belachelijk bedrag te verwerven, zodat u hem voor 500 pond kunt verkopen, zoals die daar.' Ze knikte naar de etalagepop die ik een duifgrijze grosgrain jas uit Diors New Look-wintercollectie van 1955 had aangetrokken, die in uitstekende conditie verkeerde.

'Ik probeer hem helemaal niet te verwerven,' legde ik vriendelijk uit. 'Ik wil hem niet hebben.'

De vrouw stopte de jas weer in de draagtas, briesend van voorgewende verontwaardiging. 'Dan zal ik er ergens anders mee naartoe moeten.'

'Dat is een goed idee,' antwoordde ik kalm en ik weerstond de verleiding om Oxfam-Novib voor te stellen.

De vrouw draaide zich om en terwijl ze naar buiten stampte hield een andere klant, die op weg was naar binnen, beleefd de deur voor haar open. Hij was elegant gekleed in een lichte katoenen broek en een marineblauwe blazer en hij was halverwege de veertig. Mijn hart maakte een sprongetje.

'Lieve hemel!' Het gezicht van meneer Krijtstreep klaarde op. 'Als dat mijn rivaal van de veiling niet is... Phoebe!' Hij herinnerde zich mijn naam dus nog. 'Je wilt toch niet zeggen dat dit jouw winkel is?'

'Ja.' De euforie die ik had gevoeld over het weerzien, verdampte meteen toen de deur weer openging en mevrouw Krijtstreep in een wolk van parfum binnenkwam. Zoals ik had gedacht was ze lang en blond... maar ook zó jong dat ik in de verleiding kwam de politie te bellen. Ze kon onmogelijk zijn vrouw zijn, besloot ik toen ze haar zonnebril boven op haar hoofd duwde. Ze was zijn vijfentwintigjarige minnares en hij was haar mainteneur. Haar geur – J'adore – maakte me misselijk.

'Ik ben Miles,' zei hij. 'Miles Archant.'

'Dat weet ik nog,' zei ik vriendelijk. 'En wat brengt u hier?' voegde ik eraan toe, mijn best doend niet steels naar zijn metgezel te kijken, die nu de avondkleding bekeek. Hij knikte naar het meisje. 'Roxy...' Natuurlijk, een toepasselijke, sexy naam voor een minnares. Sexy Roxy. 'Mijn dochter.'

'Aha.' De golf van opluchting die ik voelde verbaasde me.

'Roxanne zoekt een bijzondere jurk voor een liefdadigheids-tiener-bal in het Natural History Museum, nietwaar, Rox?' Ze knikte. 'Dit is Phoebe,' zei hij. Toen het meisje halfslachtig naar me glimlachte, zag ik hoe jong ze echt was. 'We hebben elkaar bij Christie's ontmoet,' legde haar vader uit. 'Phoebe heeft die witte jurk gekocht die jij zo graag wilde hebben.'

'O,' zei ze ontstemd.

Ik keek naar Miles. 'U bood op een Madame Grès voor...?' Ik wees naar Roxy.

'Ja. Ze zag hem op de website van Christie's en werd er verliefd op... nietwaar, schatje? Ze kon niet mee naar de veiling omdat ze naar school moest.'

'Wat jammer.'

'Ja,' zei Roxy. 'Het viel samen met een blokuur Engels.'

Dus Roxy was degene die het Miles zo moeilijk had gemaakt tijdens de veiling. En nu verwonderde ik me erover waarom iemand bereid zou zijn bijna 4000 pond uit te geven aan een jurk voor een tiener.

'Roxanne wil iets met mode gaan doen,' zei hij. 'Ze is erg geïnteresseerd in vintage kleding... nietwaar, schat?'

Roxanne knikte weer. Terwijl zij tussen de rekken bleef kijken vroeg ik me af waar haar moeder was en hoe die eruitzag. Hetzelfde, vermoedde ik, maar dan ergens in de veertig.

'Hoe dan ook, we zijn nog steeds op zoek,' zei Miles. 'Daarom zijn we hier. Het bal is pas in november, maar we waren toevallig in Blackheath en zagen dat deze winkel net geopend was...' Ik zag dat Roxy haar vader smalend aankeek. 'Dus we wilden even een kijkje gaan nemen en vonden... jou! Een onverwachte bonus,' voegde hij eraan toe.

'Dank u,' zei ik, maar ik vroeg me af wat zijn vrouw ervan zou vinden als ze kon zien dat hij zo vriendschappelijk met mij omging.

'Een verbazingwekkend toeval,' besloot hij.

Ik wendde me tot Roxanne. 'Wat vind je mooi?' vroeg ik haar, trachtend het professioneel te houden.

'Tja...' Ze schoof haar Ray-Ban nog wat hoger op haar hoofd. 'Ik dacht misschien iets *Atonement*-achtigs of – hoe heet die andere film? – *Gosford Park*-achtigs.'

'Ik begrijp het... dat is dus half tot eind jaren dertig. Schuin geknipt. In de stijl van Madeleine Vionnet...' mijmerde ik terwijl ik naar het rek met avondkleding liep.

Roxy haalde haar smalle schouders op. 'Zal wel...' Even kwam het bij me op dat dit misschien een kans was om van Guys jurk af te komen, maar toen realiseerde ik me dat Roxy er te slank voor was... hij zou haar te wijd zitten.

'Zie je iets wat je aanstaat, lieverd?' vroeg haar vader.

Ze schudde haar hoofd, en haar zijdezachte blonde haar ruiste over haar smalle schouders. Toen ging haar mobiele telefoon... wat was dat voor beltoon? O ja. Het was 'The most beautiful girl in the world'.

'Hoi,' zei Roxy lijzig. 'Nee. Met mijn pa. In een of andere vintage kledingwinkel... Gisteravond? Ja... Mahiki. Het was cool. Ja. Cool...

en toen werd het heet... echt heet. Ja. Cool...' Ik kreeg de neiging de thermostaat te controleren.

'Ga even buiten staan bellen, lieverd,' zei haar vader. Roxy hees haar Prada-tas over haar schouder, opende de deur en ging buiten tegen het raam geleund staan bellen, haar ene lange been over haar andere geslagen. Het zou duidelijk geen kort 'gesprek' worden.

Miles rolde in gespeelde wanhoop met zijn ogen. 'Tieners...' Hij glimlachte toegeeflijk en keek toen zelf de winkel rond. 'Je hebt erg mooie dingen hier.'

'Dank u.' Het viel me weer op hoe plezierig zijn stem klonk. Er zat een lichte barst in, die me om de een of andere reden raakte. 'Weet je wat, misschien koop ik wel een paar van die bretels.'

Ik opende de toonbank en haalde het blad eruit. 'Ze zijn uit de jaren vijftig,' legde ik uit. 'Het is onverkochte voorraad, dus ze zijn niet eerder gedragen. Ze zijn van Albert Thurston, die bretels van top-kwaliteit maakte.' Ik wees hem op de lussen. 'U kunt zien dat het leer handgestikt is.'

Miles keek me aan. 'Ik neem deze,' zei hij, en hij pakte een paar groen-wit gestreepte. 'Wat kosten ze?'

'Vijftien pond.'

Hij keek me aan. 'Ik geef je twintig.'

'Pardon?'

'Vijfentwintig dan.'

Ik lachte. 'Wat doet u?'

'Oké, ik ben bereid tot dertig pond te gaan als je zo onvermurwbaar bent, maar verder ook echt niet.'

Ik glimlachte. 'Het is geen veiling... ik vrees dat u gewoon de vraag-prijs zult moeten betalen.'

'Je onderhandelt wel keihard,' mompelde Miles. 'In dat geval neem ik die blauwe ook nog.' Ik merkte dat Miles me opnam toen ik de bre-tels in een tasje deed en ik voelde dat mijn gezicht warm werd. Tot mijn verbazing wenste ik dat hij niet getrouwd was. 'Ik heb ervan genoten laatst tegen je te bieden,' hoorde ik hem zeggen terwijl ik de kassa opende. 'Ik neem aan dat voor jou niet hetzelfde geldt.'

'Nee, ik genoot er niet bepaald van,' antwoordde ik vriendelijk. 'Eerlijk gezegd was ik behoorlijk kwaad. Maar aangezien u bereid was zo veel voor de jurk te betalen ging ik ervan uit dat u hem voor uw vrouw probeerde te bemachtigen.'

Miles schudde zijn hoofd. 'Ik heb geen vrouw.' Aha, dus hij woonde met iemand samen... of misschien was hij een ongehuwde, of gescheiden vader. 'Mijn vrouw is dood.'

'O.' Mijn euforie keerde terug, tot mijn schaamte. 'Wat erg.'

Miles haalde zijn schouders op. 'Het is wel goed... in die zin dat het tien jaar geleden is gebeurd,' voegde hij er snel aan toe. 'Ik heb dus tijd genoeg gehad om eraan te wennen.'

'Tien jaar?' herhaalde ik verbaasd. Een man die in tien jaar tijd niet opnieuw was getrouwd? Laat staan de week na de begrafenis van zijn vrouw, zoals veel weduwnaars deden. Ik merkte dat ik begon te ontdooien.

'Roxy en ik zijn de enigen thuis. Ze is net begonnen op het Bellingham College aan Portland Place.'

Ik had ervan gehoord... een school voor de hogere klasse.

'Mag ik je iets vragen?' zei Miles.

Ik gaf hem zijn bonnetje. 'Natuurlijk.'

'Ik vroeg me af...' Hij wierp een bezorgde blik op Roxanne, maar die stond nog steeds te kletsen en draaide daarbij een witblonde haarlok om haar vinger. 'Ik vroeg me af of je misschien... een keer met me zou willen gaan eten...'

'O...'

'Ik weet zeker dat je me te oud vindt,' vervolgde hij snel. 'Maar ik zou je graag weer willen zien, Phoebe. Mag ik je iets opbiechten?'

'Wat?' zei ik geïntrigeerd.

'Het is niet helemáál toeval dat ik hier ben. In feite heeft het, als ik helemaal eerlijk ben, niets met toeval te maken.'

Ik keek hem aan. 'Maar... hoe wist u me dan te vinden?'

'Omdat ik je "Villa Vintage" hoorde zeggen toen je bij Christie's de jurk afrekende. Dus dat heb ik ter plekke gegoogeld en toen kwam ik bij je website uit.'

Dus daar was hij zo verwoed mee bezig geweest op zijn BlackBerry toen hij naast me zat!

'Omdat ik niet ver hiervandaan woon – in Camberwell – dacht ik dat ik maar even langs moest komen om hallo te zeggen.'

Dus zijn eerlijkheid had het gewonnen van zijn doortraptheid. Ik glimlachte heimelijk.

'Nou...' Hij haalde blijmoedig zijn schouders op. 'Je wilde laatst niet met me gaan lunchen... en zelfs geen koffie met me drinken. Je dacht waarschijnlijk dat ik getrouwd was.'

'Dat dacht ik inderdaad, ja.'

'Maar nu je weet dat het niet zo is, vraag ik me af of je een keer met me zou willen gaan eten.'

'Ik... weet het niet.' Ik voelde dat ik bloosde.

Miles keek naar zijn dochter die nog steeds in haar mobieltje stond te praten. 'Je hoeft nu geen antwoord te geven. Hier...' Hij opende zijn portefeuille en haalde er een visitekaartje uit. Ik keek erop. *Mr Miles Archant, rechts- en wetskennis, senior partner advocatenkantoor Archant, Brewer & Clark*. 'Laat het me maar weten als je het verleidelijk vindt.'

Ik realiseerde me plotseling dat ik het inderdaad verleidelijk vond. Miles was heel aantrekkelijk, hij had die mooie hese stem... en hij was echt volwassen, bedacht ik, anders dan veel mannen van mijn eigen leeftijd. Zoals Dan, dacht ik plotseling, met zijn ruige haar, zijn slecht bij elkaar passende kleren, het potlood achter zijn oor en zijn... schuur. Waarom zou ik zijn schuur willen zien? Ik keek naar Miles. Hij was echt een man, geen uit de kluiten gewassen jongen. Maar anderzijds, dacht ik nu de werkelijkheid tot me doordrong, was hij zo goed als een vreemde en, ja, hij was veel ouder dan ik... zeker drie- of vierenveertig.

'Ik ben achtenveertig,' zei hij. 'Kijk niet zo geschokt!'

'O, sorry, dat ben ik niet, het is alleen dat... je ziet er helemaal niet zo...'

'Oud uit?' maakte hij mijn zin laconiek af.

'Dat bedoelde ik niet. Het is aardig dat je het me vraagt, maar eerlijk gezegd heb ik het op het moment erg druk.' Ik begon sjaals opnieuw te rangschikken. 'En ik moet me op mijn zaak concentreren,' hakkelde ik verder. Bijna vijftig... 'En het punt is... o.' De telefoon ging. 'Neem me niet kwalijk.' Ik nam de hoorn op, dankbaar voor de onderbreking. 'Villa Vintage.'

'Phoebe?' Mijn hart bonkte plotseling tegen mijn borstkas. 'Praat alsjeblieft met me, Phoebe,' zei Guy. 'Ik moet je spreken,' hoorde ik hem aandringen. 'Je hebt al mijn brieven genegeerd en...'

'Dat... klopt,' zei ik zacht, mijn best doend mijn emoties onder controle te houden in het bijzijn van Miles, die nu op de bank naar de lucht boven Blackheath zat te kijken. Ik sloot mijn ogen en ademde diep in.

'Ik moet echt met je praten,' zei Guy. 'Ik weiger de dingen te laten zoals ze nu zijn en ik zal niet opgeven voor ik je zover heb dat...'

'Het spijt me, ik kan u niet helpen,' zei ik met een kalmte die ik niet voelde. 'Maar bedankt voor het bellen.' Ik legde zonder een greintje schuldgevoel de hoorn op de haak. Guy wist wat hij had gedaan.

Je weet hoezeer Emma altijd overdrijft, Phoebe.

Ik zette de telefoon over op de voicemail. 'Neem me niet kwalijk,' zei ik tegen Miles. 'Wat zei je ook weer?'

'Tja...' Hij stond op. 'Ik vertelde je net dat ik achtenveertig ben, en dat, als je die handicap door de vingers zou kunnen zien, ik het heerlijk zou vinden om een keer iets met je te gaan eten. Maar het klinkt niet alsof je daar zin in hebt.' Hij schonk me een wat bezorgde glimlach.

'Eerlijk gezegd, Miles... heb ik dat wel.'

5

DIE ZONDAGMIDDAG GING IK OP WEG NAAR PAPS HUIS... OF BETER GEZEGD, dat van Ruth. Hoewel ik haar al wel had gezien – één keer, gedurende ongeveer tien seconden – zou het de eerste keer zijn dat ik haar woning betrad. Ik had pap gevraagd of we elkaar op neutraal terrein konden ontmoeten, maar hij zei dat het in verband met Louis handiger zou zijn als ik bij hem 'thuis' kon komen.

Thuis... dacht ik verbijsterd terwijl ik door Portobello Road liep. Mijn hele leven lang was 'thuis' de villa uit de tijd van koning Edward geweest waarin ik was opgegroeid en waarin mijn moeder op dit moment nog steeds woonde. Het idee dat 'thuis' voor mijn vader nu een leuke tweekapper in Notting Hill was, samen met Ruth met haar scherpe gelaatstrekken en hun jonge zoontje, was voor mij nog steeds nauwelijks te bevatten. Dat ik erheen ging, zou het allemaal deprimerend echt maken.

Pap was gewoon niet het type man dat in Notting Hill hoorde, dacht ik terwijl ik de stijlvolle boetiekjes aan Westbourne Grove passeerde. Wat had mijn vader met L.K. Bennett of Ralph Lauren? Hij hoorde in het gemoedelijke, ouderwetse Blackheath thuis.

Sinds de scheiding heeft pap bijna voortdurend zo'n lichtelijk verbaasde uitdrukking op zijn gezicht, alsof hij net een klap heeft gekregen van een vreemde. Zo zag hij er ook uit toen hij de deur opende van Lancaster Road 88.

'Phoebe!' Mijn vader boog voorover om me te omhelzen, maar dat viel niet mee met Louis in zijn armen. De baby kwam tussen ons in te zitten en begon te piepen. 'Het is heerlijk om je te zien.' Pap nam me mee naar binnen. 'O, vind je het erg om je schoenen uit te doen... dat is de regel hier.' Ongetwijfeld een van de vele, dacht ik terwijl ik mijn pumps met open hiel uittrok en onder een stoel zette. 'Ik heb je gemist, Phoebe,' zei mijn vader terwijl ik hem door de met natuursteen betegelde gang volgde naar de keuken.

'Ik heb jou ook gemist, pap.' Ik streelde over het blonde hoofd van Louis, die in paps armen aan de geborstelde roestvrijstalen tafel zat. 'Jij bent veranderd, schatje.'

Louis was van een gerimpeld, leverkleurig stukje vlees veranderd in het mooie kindje dat als een baby-octopus met zijn beweeglijke armpjes en beentjes naar me zwaaide.

Ik keek naar al de glimmende metalen oppervlakken. Ruths keuken leek me een veel te hygiënische omgeving voor een man die bijna zijn hele professionele leven in de aarde had zitten wroeten. Het zag er niet eens uit als een keuken... het leek wel een lijkenhuis. Ik dacht aan de oude geschuurde grenen tafel in mijn échte thuis, en de stapels serviesgoed uit de Botanical Garden-serie van Portmeirion. Wat deed mijn vader in hemelsnaam hier?

Ik glimlachte naar hem. 'Louis lijkt op jou.'

'Vind je?' vroeg mijn vader blij.

Dat vond ik niet, maar ik wilde niet dat Louis op Ruth leek. Ik maakte de tas van Hamley's open die ik bij me had en gaf pap een grote witte beer met een blauw lint om zijn nek.

'Dank je!' Hij wiebelde met de teddybeer voor Louis' gezicht. 'Is die niet prachtig, baby? O, kijk, Phoebe, hij lacht ernaar.'

Ik aaide over de mollige beentjes van de baby. 'Denk je niet dat Louis iets meer aan moet dan alleen een luier, pap?'

'O ja,' zei hij onzeker. 'Ik was hem aan het verschonen toen jij kwam. Waar heb ik zijn kleertjes ook alweer gelaten? Aha, hier zijn ze.' Ik keek ontsteld toe terwijl pap een verbaasd kijkende Louis met zijn linkerarm tegen zijn borst drukte en zijn ledematen in een gestreept blauw slaappakje stak. Toen dat gebeurd was, worstelde hij hem in zijn roestvrijstalen kinderstoel, waarbij hij beide beentjes in één opening duwde zodat Louis zo klem zat als een bobsleeër. Daarna liep mijn vader naar de glimmende Amerikaanse koelkast en haalde er een paar kleine potjes uit.

'Eens kijken...' zei hij, en hij draaide het eerste potje open. 'Hij is aan het overstappen op vast voedsel,' legde hij over zijn schouder uit. 'We zullen deze eens proberen, hè, Louis?' Louis deed zijn mond wijd open, als een jong vogeltje, en pap begon de inhoud van het potje erin te scheppen. 'Wat een brave jongen. Goed gedaan, knulletje. O...' Louis had mijn vader vol gespetterd met beige drab.

'Ik geloof niet dat hij het lekker vindt,' zei ik terwijl mijn vader het spul van zijn brillenglazen poetste waarvan ik nu wist dat het stoofpot van biologische kip met linzen was.

'Soms wel.' Pap pakte een keukendoekje en veegde Louis' kin schoon. 'Hij is in een rare bui vandaag... waarschijnlijk omdat zijn moeder weer weg is. Laten we deze nieuwe eens proberen, oké, Louis?'

'Moet je het eerst niet opwarmen, pap?'

'O, hij vindt het niet erg om het zo uit de koelkast te eten.' Pap opende het tweede potje. 'Marokkaans lamsvlees met abrikozen en couscous... jammie.' Louis deed zijn mondje weer open en pap schepte er een paar theelepels in. 'O, dit vindt hij wel lekker,' zei mijn vader triomfantelijk. 'Zeker weten.'

Maar toen stak Louis zijn tong uit en duwde hij het Marokkaanse lamsvlees uit zijn mond... een oranje blubber die als lava over zijn kin en borst droop.

'Je had hem een slabbetje voor moeten doen,' merkte ik op terwijl pap de lava van Louis' borst schraapte. 'Nee, pap. Je kunt het er niet in terug stoppen.' Op tafel lag een foldertje met de titel SUCCESVOL SPENEN.

'Ik ben hier niet zo goed in,' zei mijn vader ellendig. Hij gooide het afgekeurde potje in de glanzende chromen vuilnisbak. 'Het was veel gemakkelijker toen ik hem gewoon de fles kon geven.'

'Ik zou je wel willen helpen, pap, maar ik heb zelf ook geen idee... om voor de hand liggende redenen. Maar waarom moet jij zo vaak voor het kind zorgen?'

'Nou... omdat Ruth weer weg is,' zei hij vermoeid. 'Ze heeft het erg druk de laatste tijd en bovendien wíl ik het graag doen. Ten eerste heeft het geen zin een kindermeisje aan te nemen nu ik' – pap kromp in elkaar – 'geen werk heb. En verder was ik toen jij klein was zo vaak weg dat ik toen geen vader voor je kon zijn.'

'Je was inderdaad vaak weg,' stemde ik met hem in. 'Al dat veld-werk en die opgravingen. Ik leek je altijd alleen maar uit te zwaaien,' voegde ik er quasizielig aan toe.

'Ik weet het, lieverd. En dat spijt me heel erg. Dus heb ik nu, met deze kleine jongen,' zei hij terwijl hij Louis over zijn hoofd aaide, 'het gevoel een tweede kans te hebben gekregen om een actievere vader te zijn.' Louis zag eruit alsof hij dat liever niet had gehad.

De telefoon ging. 'Sorry, lieverd,' zei pap. 'Dat zal Radio Lincoln wel zijn. Ik doe een telefonisch interview met ze.'

'Radio Lincoln?'

Pap haalde zijn schouders op. 'Het is beter dan Radio Stilte.'

Terwijl pap het interview deed, de telefoon met zijn rechterhand tegen zijn oor gedrukt terwijl hij met zijn linkerhand meer drab in Louis' mond schepte, dacht ik over zijn rampzalige professionele on-dergang na. Amper een jaar geleden was mijn vader nog de alom geres-pecteerde professor in de vergelijkende archeologie aan het Londense Queen Mary's College. Toen kwam *The Big Dig* en na de vernederende media-aandacht daarna – de *Daily Mail* noemde hem 'The Big Pig' – werd pap gevraagd met onmiddellijke ingang met vervroegd pensioen te gaan. Zijn carrière was met vijf jaar ingekort, wat een grote hap uit zijn pensioen had genomen, en hoewel hij zes weken lang op prime-time zondagsavonds op televisie was geweest, was zijn opbloeiende tv-carrière daarna tot stilstand gekomen.

'Nou, als we vragen wat archeologie is,' zei pap terwijl hij Louis pu-ree van mango en lychees voerde, 'kunnen we zeggen dat het de stu-die naar artefacten en bewoning is... de ontdekking van "verloren" beschavingen zelfs, waarbij gebruik wordt gemaakt van de steeds verfijnder wordende middelen die we nu ter beschikking hebben om vroegere leefgemeenschappen te interpreteren, waarvan koolstofdate-ring natuurlijk de belangrijkste is. Maar... als we "beschaving" zeg-gen, moeten we ons er natuurlijk van bewust zijn dat dit een moderne definitie is die het verleden vanuit een westers intellectueel perspec-tief opgeplakt heeft gekregen...' Hij pakte een groezelig doekje. 'Sorry, moet ik dat even overdoen? U zei toch dat het van tevoren werd opge-nomen, of niet? O, het spijt me verschrikkelijk...'

Op tv had mijn vader het heel goed gedaan, grotendeels omdat hij een scriptschrijver had die zijn erudiete uitspraken begrijpelijker maakte voor de massa. Als de media niet zo'n drukte hadden gemaakt over de zwangerschap van Ruth had hij misschien wel meer presenteerwerk gekregen, maar het enige waarvoor hij na de serie nog was gevraagd, was *Ready, Steady, Cook!* Met Ruths carrière ging het daarentegen heel goed. Ze was gepromoveerd tot hoofdproducent en ze was bezig met een uitgebreid profiel van kolonel Gaddafi, waarvoor ze nu op weg was naar Tripoli.

Opeens hoorden we de voordeur openzwaaien.

'Het is toch niet te geloven!' hoorde ik Ruth roepen. 'Die verrekte terroristen leggen Heathrow alweer plat! Alleen waren het geen terroristen, wel dan? Nee! Natuurlijk niet...' Ze klonk bijna teleurgesteld. 'Gewoon de een of andere idioot die midden op de startbaan een lift probeerde te krijgen naar Tenerife. Terminal 3 werd afgesloten. Het heeft mij en de crew twee uur gekost om eruit te komen. Ik ga proberen voor morgen een vlucht voor ons allemaal te regelen... Jezus, lieverd, wat heb je er een zootje van gemaakt. En zet alsjeblieft geen draagtassen op de tafel' – ze zette de tas van Hamley's op de grond – 'ze zitten vol bacteriën. En alsjeblieft geen speelgoed hier, het is een keuken, geen speelkamer... en doe in godsnaam die kastjes dicht, je weet dat ik het niet kan uitstaan als die open blijven staan... o,' zei ze toen ze mij achter de deur ontdekte.

'Hallo, Ruth,' zei ik kalm. 'Ik kwam mijn vader opzoeken.' Ik keek naar pap. Hij was gehaast aan het opruimen. 'Ik hoop dat je het niet erg vindt.'

'Helemaal niet,' antwoordde ze uit de hoogte. 'Doe alsof je thuis bent.'

Ik kwam in de verleiding om te zeggen dat dat hier niet mee zou vallen.

'Phoebe heeft die prachtige teddybeer voor Louis meegebracht,' zei pap.

'Dank je,' zei Ruth. 'Dat is erg aardig.' Ze kuste Louis op zijn hoofd, maar negeerde zijn uitgestoken armen en liep naar boven. Louis gooide zijn hoofd achterover en begon te dreinen.

'Sorry, Phoebe.' Pap schonk me een mismoedige blik. 'Kunnen we gauw een keer opnieuw afspreken?'

Toen ik de volgende morgen naar Villa Vintage liep, dacht ik aan pap, en hoe hij in een verhouding terechtgekomen leek te zijn zonder enig idee te hebben van de beroering die dat zou veroorzaken. Mam geloofde stellig dat hij nooit eerder was vreemdgegaan, ondanks de kansen die hij daartoe door de jaren heen gehad moest hebben, met aantrekkelijke archeologiestudentes die aan zijn lippen hingen terwijl ze samen in de aarde zaten te wroeten en verrukt de resten opgroeven van de Feniciërs, de Mesopotamiërs, de Maya's of wie dan ook. De onbeholpenheid waarmee pap zijn relatie met Ruth had aangepakt, deed vermoeden dat hij nauwelijks een ervaren echtbreker was.

Pap had me geschreven nadat hij mijn moeder had verlaten. In zijn brief stond dat hij nog steeds van mijn moeder hield, maar toen Ruth eenmaal zwanger was vond hij dat hij bij haar moest blijven. Hij had daaraan toegevoegd dat hij echt op Ruth was gesteld en dat hij hoopte dat ik het begreep. Ik begreep het niet. Nog steeds niet.

Ik snapte wel waarom Ruth zich tot mijn vader aangetrokken voelde, ondanks de vierentwintig jaar leeftijdsverschil. Pap was een lange, knappe man met een verweerd uiterlijk, dat hem alleen maar aantrekkelijker maakte. En daarbij was hij intelligent, gemakkelijk in de omgang en aardig. Maar wat zag hij in Ruth? Ze was niet zacht of bevallig zoals mijn moeder. Ze was spijkerhard... en ongeveer net zo gevoelloos. Het trauma van te moeten aanzien hoe pap zijn spullen uit mijn ouderlijk huis weghaalde, werd nog eens versterkt door het feit dat een hoogzwangere Ruth buiten in de auto op hem zat te wachten.

Mam en ik zaten daar die avond en deden ons best niet naar de lege plekken op de planken te kijken waar paps boeken en vondsten hadden gestaan. Zijn meest gekoesterde artefact, een klein bronzen beeld van een Azteekse vrouw die een kind krijgt – hem geschonken door de Mexicaanse regering – stond niet meer op de schoorsteenmantel in de keuken. Mam zei dat ze het gezien de omstandigheden niet zou missen.

'Als die baby er nou maar niet was,' had ze gehuild. 'Ik wil niet gemeen doen over een arme kleine baby die nog niet eens geboren is, maar ik kan er niets aan doen dat ik zou willen dat deze baby nooit verwekt was, want als dat niet was gebeurd had ik alles nog kunnen vergeten en vergeven. In plaats daarvan zal ik nu de rest van mijn leven alleen zijn!'

Moedeloos realiseerde ik me dat ik de rest van haar leven bezig zou zijn haar op te peppen.

Ik had pap proberen over te halen niet bij mam weg te gaan. Ik had opgemerkt dat dat op haar leeftijd niet eerlijk was.

'Ik vind het afschuwelijk,' had hij aan de telefoon gezegd. 'Maar ik heb mezelf deze... toestand op de hals gehaald, Phoebe, en ik vind dat ik het moet doen zoals het hoort.'

'Is de vrouw in de steek laten met wie je achtendertig jaar getrouwd bent geweest dan zoals het hoort?'

'Is er niet zijn voor mijn kind dan wel zoals het hoort?'

'Je was er ook niet voor mij, pap.'

'Dat weet ik... en dat speelt nu een rol bij mijn beslissing.' Ik hoorde hem zuchten. 'Misschien is het omdat ik mijn hele leven heb besteed aan het verre verleden en ik nu, met deze baby, een stukje van de toekomst krijg aangeboden. Op mijn leeftijd vrolijkt dat me op. En ik wil echt bij Ruth zijn. Ik weet dat het moeilijk voor je is om dat te horen, Phoebe, maar het is waar. Je moeder krijgt het huis en de helft van mijn pensioen. Ze heeft haar baan, haar bridgeclub en haar vriendinnen. Ik zou zelf graag vrienden met haar willen blijven,' voegde hij eraan toe. 'Hoe kunnen we géén vrienden blijven na zo'n lang huwelijk?'

'Hoe kunnen we dat wél, als hij me in de steek gelaten heeft?' had mam gejammerd toen ik haar dat vertelde. Ik begreep heel goed dat ze er zo over dacht.

Ik liep door Tranquil Vale en wenste dat ik me wat rustiger voelde. Annie zou pas halverwege de ochtend komen, omdat ze naar een auditie was. Ik voelde me er een beetje schuldig over dat ik, terwijl ik de deur opende, hoopte dat ze de baan niet zou krijgen, omdat het om een regionale tournee van twee maanden ging. Ik had Annie graag om me heen. Ze kwam altijd op tijd én met een glimlach, ze was geweldig met de klanten en ze nam het initiatief om de voorraad te wisselen, zodat de winkel er fris en interessant uit bleef zien. Ze was echt een aanwinst voor Villa Vintage.

Ik was de dag begonnen met een verkoop, zag ik tot mijn blijdschap toen ik mijn e-mail doornam. Cindi had me vanuit Beverly Hills een bericht gestuurd dat ze de Balenciaga-japon beslist wilde hebben voor een van haar topactrices, die hem zou dragen tijdens de Emmy-uitreiking, en dat ze me tegen het eind van de dag zou bellen over de betaling.

Om negen uur draaide ik het bordje met OPEN om en daarna belde ik mevrouw Bell om haar te vragen wanneer ze wilde dat ik de kleren kwam ophalen.

'Zou je vanochtend kunnen?' vroeg ze. 'Rond elf uur?'

'Mag het ook om halftwaalf? Dan is mijn assistente namelijk hier. Ik kom wel met de auto.'

'Prima, dan verwacht ik je straks.'

De deurbel rinkelde en er kwam een slanke blonde vrouw van in de dertig binnen. Ze keek een poosje ingespannen en toch wat afwezig de rekken door.

'Bent u op zoek naar iets speciaals?' vroeg ik na een poosje.

'Ja,' antwoordde ze. 'Ik zoek iets... vrolijks. Een vrolijke jurk.'

'Juist... en is het voor overdag of 's avonds?'

Ze haalde haar schouders op. 'Maakt niet uit. Als hij maar fleurig en vrolijk is.'

Ik liet haar een Horrocks-jurk van glanskatoen met korenbloemen zien uit de jaren vijftig. Ze voelde aan de rok. 'Hij is erg mooi.'

'Horrocks maakte heel mooie katoenen jurken... ze kostten destijds een compleet weekloon. En hebt u deze al gezien?' Ik wees naar de cupcakes.

'O.' De ogen van de vrouw gingen verder open. 'Die zijn geweldig! Mag ik de roze aanpassen?' vroeg ze bijna kinderlijk. 'Ik wil de roze passen!'

'Natuurlijk.' Ik haalde hem omlaag. 'Het is maat 40.'

'Hij is prachtig,' zei ze enthousiast toen ik hem in het pashokje hing. Ze stapte het hokje in en sloot het linnen gordijn. Ik hoorde dat ze haar rok uittrok en daarna hoorde ik het ruisen van de petticoats toen ze in de jurk stapte. 'Hij ziet er zo... vreugdevol uit,' hoorde ik haar zeggen. 'Ik vind de tutu's fantastisch... ik voel me net een bloemenfeetje.' Ze stak haar hoofd om het gordijn heen. 'Zou u me even willen helpen met de rits? Ik kan er net niet bij... Dank u.'

'U ziet er fantastisch uit,' zei ik. 'Hij past precies.'

'Ja, inderdaad.' Ze bekeek zichzelf in de spiegel. 'Dit is precies wat ik in gedachten had... een mooie, blije jurk.'

'Hebt u iets te vieren?' vroeg ik.

'Nou...' Ze schudde de millefeuille van gesteven tule op. 'Ik probeerde zwanger te worden.' Ik knikte beleefd en wist niet goed wat ik moest zeggen. 'En het lukte niet via de natuurlijke weg, dus zijn we na tweeënhalf jaar met ivf begonnen... een vreselijk gedoe,' voegde ze er over haar schouder aan toe.

'U hoeft me dit niet te vertellen, hoor,' zei ik. 'Echt niet...'

De vrouw deed een stap achteruit en bewonderde haar spiegelbeeld. 'Hoe dan ook, ik nam tien keer per dag mijn temperatuur op, nam al die chemische troep in en injecteerde mezelf tot mijn heup wel een speldenkussen leek. Ik ben maar liefst vijf keer door die hel gegaan en ik ben er zelfs bijna failliet door gegaan. Veertien dagen geleden was de zesde cyclus en dat zou de allerlaatste poging zijn, omdat mijn man zegt dat hij het niet nog een keer wil doormaken.' Ze zweeg even om adem te halen. 'Dus dat was de laatste worp met de dobbelstenen...' Ze stapte uit het pashokje en bekeek zichzelf in de zijspiegel. 'En ik heb vanmorgen de uitslag gekregen. Mijn gynaecoloog belde me om te zeggen...' zei ze met een klopje op haar buik, 'dat het niet gelukt is.'

'O,' zei ik zacht. 'Wat erg.' Natuurlijk. Waarom zou ze een dergelijke jurk kopen als ze zwanger was?

'Dus heb ik me vandaag ziek gemeld en nu zoek ik iets om mezelf op te vrolijken.' Ze glimlachte naar haar spiegelbeeld. 'En deze jurk is een prima begin. Hij is prachtig,' zei ze enthousiast terwijl ze zich naar me omdraaide. 'Ik bedoel, hoe kun je je nou verdrietig voelen in zo'n jurk? Dat is toch onmogelijk, of niet?' Haar ogen glommen. 'Echt onmogelijk...' De vrouw zakte op de stoel in het pashokje neer, haar gezicht vertrokken van verdriet.

Ik liep snel naar de deur en draaide het bordje om.

'Het spijt me...' zei de vrouw huilend. 'Ik had niet moeten komen. Ik voel me vreselijk kwetsbaar.'

'Dat is volstrekt begrijpelijk,' zei ik zacht, en ik gaf haar een paar tissues.

Ze keek naar me op. 'Ik ben zevenendertig.' Er rolde een dikke traan over haar wang. 'Vrouwen die veel ouder zijn dan ik krijgen ook kinderen, nietwaar. Dus waarom ik dan niet? Eentje maar,' snikte ze. 'Ben ik nou hebzuchtig?'

Ik trok het gordijn voor haar dicht, zodat ze zich weer kon omkleden.

Een paar minuten later kwam de vrouw met de jurk naar de toonbank. Ze was weer kalm, al waren haar ogen rooddoorlopen.

'U hoeft hem niet te kopen,' zei ik.

'Dat wil ik wel,' protesteerde ze rustig. 'En telkens als ik me dan terneergeslagen voel, kan ik hem aantrekken. Of ik hang hem gewoon aan de muur zoals u hier hebt gedaan. Als ik hem alleen maar zie, zal dat me weer positiever stemmen.'

'Nou, ik hoop dat hij het beoogde effect heeft, maar als u van gedachten verandert, brengt u hem maar terug. U moet het zeker weten.'

'Ik weet het zeker,' wierp ze tegen. 'Maar toch bedankt.'

'Wel...' zei ik met een machteloze glimlach, 'dan wens ik u het allerbeste.' En ik gaf haar de tas met de 'blije' jurk.

Annie kwam om elf uur terug van haar auditie. 'De regisseur was walgelijk,' barstte ze uit. 'Hij vroeg me zelfs me om te draaien... alsof ik een stuk vlees ben!'

Ik herinnerde me dat de afschuwelijke Keith had gewild dat zijn vriendin zich voor hem omdraaide. 'Dat heb je hopelijk niet gedaan.'

'Natuurlijk niet... ik ben naar buiten gelopen! Ik zou hem moeten aangeven bij de bond,' mompelde ze terwijl ze haar jasje uittrok. 'Hoe dan ook, na die ervaring is het heel prettig om weer hier in de winkel te zijn.'

Blij en me schuldig voelend tegelijk omdat Annie niet door de auditie was gekomen, vertelde ik haar over de vrouw die de roze cupcakejurk had gekocht.

'Arme meid,' zei ze zacht, weer kalm. 'Wil jij kinderen?' vroeg ze daarna terwijl ze wat gloss op haar lippen aanbracht.

'Nee,' antwoordde ik. 'Er zitten geen baby's op mijn radar.' Afgezien van de baby van mijn vader, dacht ik laconiek.

'Heb je een vriend?' vroeg Annie toen ze haar tas dichtdeed. 'Niet dat mij dat iets aangaat, natuurlijk.'

'Nee, ik ben single... al heb ik af en toe een afspraakje.' Ik dacht aan het geplande etentje met Miles. 'Mijn werk is nu mijn eerste prioriteit. En jij?'

'Ik ga al een paar maanden met iemand die Tim heet,' antwoordde Annie. 'Hij is schilder en woont in Brighton. Maar ik ben nog te veel bezig met mijn carrière om me al te willen settelen, en bovendien ben ik pas tweeëndertig. Ik heb nog tijd.' Ze haalde haar schouders op. 'En jij ook.'

Ik keek op mijn horloge. 'Nee, ik heb geen tijd meer... ik kom te laat. Ik ga de kleren ophalen die ik van mevrouw Bell heb gekocht.' Ik liet de winkel aan Annie over, liep naar huis, pakte twee koffers en reed naar The Paragon.

In de week sinds ik er was geweest, was de automatische grendel van de voordeur van nummer 8 gerepareerd, dus mevrouw Bell hoefde niet naar beneden te komen. Dat was maar goed ook, dacht ik toen ze haar eigen deur voor me opendeed, want ze leek nog brozer dan de vorige keer.

Ze begroette me hartelijk en legde haar dunne, gevlekte hand op mijn arm. 'Ga de kleren maar inpakken... en dan hoop ik dat je nog een kopje koffie met me wilt drinken?'

'Dank u, heel graag.'

Ik liep met de koffers naar de slaapkamer en stopte de tassen, schoenen en handschoenen in de ene. Daarna opende ik de kleerkast om er de kleren uit te halen. Daarbij viel mijn blik weer op het blauwe jasje en ik was benieuwd naar het verhaal erachter.

Ik hoorde de voetstappen van mevrouw Bell achter me. 'Ben je al klaar, Phoebe?' Ze trok aan de tailleband van haar groen-met-rood geruite rok, die wat afzakte.

'Bijna,' antwoordde ik. Ik legde de twee hoeden in de prachtige oude hoedendoos die ik erbij kreeg van mevrouw Bell en vouwde daarna de maxi-jurk van Ossie Clark op in de tweede koffer.

'De Jaeger...' zei mevrouw Bell toen ik de koffer sloot. 'Ik zou alles graag aan een winkel voor het goede doel geven omdat ik zo veel mogelijk wil opruimen nu ik daarvoor in de stemming ben. Ik zou het mijn hulp, Paola, wel kunnen vragen, maar die is er niet. Zou jij het misschien voor me willen doen, Phoebe?'

'Natuurlijk.' Ik stopte de kleren in een grote draagtas. 'Zal ik ze naar de winkel van Oxfam-Novib brengen?'

'Graag,' zei mevrouw Bell. 'Dank je. Ga dan nu maar even rustig zitten terwijl ik koffie zet.'

In de woonkamer siste de gashaard zacht. De zon scheen door de kleine vierkante ruiten van de erker en wierp een schaduwraster als de tralies van een kooi de kamer in.

Mevrouw Bell kwam binnen met het dienblad en schonk met bevende hand twee kopjes koffie uit de zilveren pot. Terwijl we die opdronken vroeg ze me naar de winkel en hoe ik begonnen was. Ik vertelde haar wat meer over mezelf en mijn achtergrond. Toen hoorde ik dat ze een aangetrouwde neef had in Dorset, die soms op bezoek kwam, en een nicht in Lyon, die nooit kwam.

'Het is ook moeilijk voor haar, omdat ze op haar twee jonge kleinkinderen moet passen, maar ze belt me zo nu en dan. Ze is mijn naaste bloedverwant – de dochter van wijlen mijn broer Marcel.'

We babbelden nog even en toen sloeg de tafelklok halfeen.

Ik zette mijn kopje neer. 'Ik moest maar eens gaan. Maar bedankt voor de koffie, mevrouw Bell. Ik vond het heel leuk u weer te zien.'

Er verscheen een spijtige blik in haar ogen. 'Ik heb er erg van genoten om jou weer te zien, Phoebe. Ik hoop eigenlijk dat je contact met me zult houden,' voegde ze eraan toe. 'Maar je bent een drukbezette jonge vrouw. Waarom zou je de moeite willen nemen...'

'Ik hou graag contact met u,' onderbrak ik haar. 'Maar nu moet ik terug naar de winkel. Bovendien wil ik u niet te veel vermoeien.'

'Ik ben niet moe,' zei mevrouw Bell. 'Voor deze éne keer voel ik een vreemd soort energie.'

'Nou... kan ik nog iets voor u doen voor ik wegga?'

'Nee,' antwoordde ze. 'Maar dankjewel.'

Mevrouw Bell staarde me aan alsof ze ergens over nadacht. 'Blijf nog heel even,' zei ze plotseling. 'Alsjeblieft.' Mijn hart liep vol van medelijden. De arme vrouw was eenzaam en had behoefte aan gezelschap. Ik wilde net zeggen dat ik nog ongeveer twintig minuten kon blijven, toen mevrouw Bell door de gang naar de slaapkamer liep, waar ik haar de kleerkast hoorde openen. Toen ze terugkwam had ze de blauwe jas bij zich.

Ze keek me aan met een vreemd intense gloed in haar ogen. 'Je wilde weten hoe het hiermee zat...'

'Nee.' Ik schudde mijn hoofd. 'Het gaat me niets aan.'

'Maar je was wel nieuwsgierig.'

Ik keek haar ontsteld aan. 'Een beetje wel,' bekende ik. 'Maar het zijn mijn zaken niet, mevrouw Bell. Ik had er niet aan mogen komen.'

'Maar ik wíl je erover vertellen,' zei ze. 'Ik wíl je vertellen over deze jas en waarom ik hem heb verborgen. Meer dan wat ook, Phoebe, wil ik je vertellen waarom ik hem zo lang hem bewaard.'

'U hoeft me helemaal niets te vertellen,' protesteerde ik zwakjes. 'U kent me nauwelijks.'

Mevrouw Bell zuchtte. 'Dat is waar. Maar de laatste tijd voel ik de behoefte om iemand het verhaal te vertellen – het verhaal dat ik al die jaren voor me heb gehouden... hier.' Ze duwde met de vingers van haar linkerhand tegen haar borstbeen. 'En om de een of andere reden heb ik het gevoel dat jij diegene moet zijn.'

Ik keek haar aan. 'Waarom?'

'Ik weet het niet zeker,' antwoordde ze met zorg. 'Ik weet alleen dat ik een zekere... affiniteit met je voel, Phoebe... een connectie die ik niet kan verklaren.'

'O, maar... Oké, waarom wilt u er dan nú over praten?' vroeg ik. 'Na al die jaren?'

'Omdat...' Mevrouw Bell liet zich op de bank zakken, de bezorgdheid was op haar gezicht geëtst. 'Vorige week toen je hier was, kreeg ik de resultaten van enkele medische onderzoeken. Ze voorspellen niet veel goeds voor mijn toekomst,' vervolgde ze kalm. 'Ik had al zo'n vermoeden dat het geen goed nieuws zou zijn, omdat ik de laatste tijd zo ben afgevallen.'

Nu begreep ik de vreemde reactie van mevrouw Bell toen ik had gevraagd of ze moest inkrimpen.

'Er is me behandeling aangeboden, maar die heb ik geweigerd. Dat zou erg onplezierig zijn en het zou me alleen een beetje extra tijd geven, en op mijn leeftijd...' Ze stak als in overgave haar handen op. 'Ik ben bijna tachtig, Phoebe. Dat is een langer leven dan de meeste mensen vergund is... zoals je maar al te goed weet.' Ik dacht aan Emma. 'Maar nu, met dit acute besef dat er een eind aan mijn leven gaat komen, is het leed dat ik al die tijd heb gevoeld alleen maar erger geworden.' Ze keek me smekend aan. 'Ik moet één iemand over de jas vertellen nu ik nog helder van geest ben. Ik heb één persoon nodig die naar me wil luisteren en die misschien zal begrijpen wat ik heb gedaan, en waarom.' Ze keek naar de tuin; de schaduwen van de raamlijsten doorsneden haar gezicht. 'Ik neem aan dat ik het gewoon moet opbiechten. Als ik in God geloofde, zou ik naar een priester gaan.' Ze vestigde haar blik weer op mij. 'Mag ik het jou vertellen, Phoebe? Alsjeblieft? Het zal niet lang duren, dat beloof ik je... niet meer dan een paar minuten.'

Ik knikte verbijsterd en ging zitten. Mevrouw Bell boog zich voorover en voelde aan de jas die op haar schoot lag. Ze ademde diep in en keek langs me heen door het raam, alsof dat een deur naar het verleden was.

'Ik kom uit Avignon,' begon ze. 'Dat weet je al.'

Ik knikte.

'Ik ben opgegroeid in een groot dorp zo'n vijf kilometer van het centrum van de stad. Het was een slaperige plaats, met smalle straten die naar een groot plein leidden dat werd overschaduwd door platanen. Met een paar winkels en een leuke bar. Aan de noordkant van het plein stond de kerk, en boven de deur stond in grote letters LIBERTÉ, ÉGALITÉ ET FRATERNITÉ.' Er verscheen even een grijnslach op haar gezicht. 'Het dorp grensde aan open velden,' vervolgde ze, 'en er liep een spoorweg langs. Mijn vader werkte in het centrum van Avignon, waar hij een ijzerwarenhandel had. Hij had ook een kleine wijngaard niet ver van ons huis. Mijn moeder was *maîtresse de maison* en zorgde voor mijn vader, mij en mijn jongere broer Marcel. Om wat bij te verdienen deed ze naaiwerk voor anderen.'

Mevrouw Bell duwde een losgelaten spriet wit haar achter haar oor. 'Marcel en ik gingen naar de plaatselijke school. Daar zaten niet meer dan honderd kinderen op, van wie er veel afstamden van families die al generaties lang in het dorp woonden. Dezelfde namen kwamen telkens weer terug: Caron, Paget, Marigny... en Aumage.' Het was duidelijk dat die laatste naam een bijzondere betekenis had. Mevrouw Bell ging iets verzitten. 'In september 1940, toen ik elf was, kwam er een nieuw meisje in mijn klas. Ik had haar die zomer een paar keer gezien, maar toen wist ik niet wie ze was. Mijn moeder zei dat ze had gehoord dat het meisje en haar familie uit Parijs naar ons dorp waren verhuisd. Mijn moeder had hij gezegd dat veel van zulke gezinnen na de bezetting naar het zuiden waren gevlucht.' Mevrouw Bell keek me aan. 'Ik besefte het op dat moment natuurlijk niet, maar dat woordje "zulke" zou immens belangrijk blijken te zijn. Maar goed, dat meisje heette...' Haar stem stokte. '...Monique,' fluisterde ze even later. 'Haar naam was Monique... Richelieu, en ik werd gevraagd een beetje op haar te passen.' Daarbij begon mevrouw Bell de jas te strelen, een bijna troostend gebaar, en toen keek ze weer uit het raam.

'Monique was een lief, vriendelijk meisje. Ze was pienter en ze werkte hard. Ze was ook erg knap, ze had mooie jukbeenderen, een scherpe blik in haar donkere ogen en haar zo zwart dat het bij een bepaalde lichtval blauw leek. En hoe ze ook haar best deed het te verbergen, ze had een vreemde stembuiging die des te meer opviel tussen het Provençaalse accent waarmee wij allemaal spraken.' Mevrouw Bell keek me aan. 'Wanneer Monique er op school mee werd geplaagd, zei ze altijd dat haar accent Parijs was, maar mijn ouders zeiden dat het niet Parijs was... maar Duits.'

Mevrouw Bell sloeg haar handen in elkaar en het emaillen armbandje dat ze droeg tinkelde zacht tegen haar gouden horlogebandje. 'Monique kwam geregeld bij mij thuis spelen en we zwierven vaak door de velden en heuvels, we plukten wilde bloemen en praatten over meisjesdingen. Soms vroeg ik haar naar Parijs, omdat ik dat alleen van foto's kende. Monique vertelde me dan over haar leven in de stad, maar ze bleef altijd vaag over waar ze precies had gewoond. Ze praatte wel vaak over haar beste vriendin, Miriam. Miriam...' – haar gezicht klaarde plotseling op – 'Lipietzka. De naam schiet me net weer te binnen, na al die jaren.' Ze keek me aan en schudde verwonderd haar hoofd. 'Dat gebeurt er als je oud wordt, Phoebe. Dingen die allang begraven zijn komen plotseling verbazingwekkend helder weer naar boven. Lipietzka,' mompelde ze. 'Natuurlijk... ik geloof dat ze zei dat ze oorspronkelijk uit de Oekraïne kwamen. Maar Monique vertelde me dat ze Miriam erg miste en dat ze vreselijk trots op haar was, niet in het minst omdat Miriam een uitmuntend violiste was. Ik herinner me dat ik een beetje jaloers was als Monique het over Miriam had en ik hoopte in stilte dat ik ooit zelf Moniques beste vriendin zou worden... ook al had ik helemaal geen muzikale vaardigheden. Ik weet nog dat ik het leuk vond om naar Moniques huis te gaan, dat aan de andere kant van het dorp bij de spoorweg stond. Het had een mooie voortuin met veel bloemen en een vijver, en boven de voordeur hing een plaat met een leeuwenkop erin gekerfd.'

Mevrouw Bell zette haar kopje neer. 'Moniques vader was een dromerige, nogal onpraktische man. Elke dag fietste hij naar Avignon, waar hij als boekhouder voor een accountantsfirma werkte. Haar moeder bleef thuis om voor Moniques tweelingbroertjes Olivier en Christophe te zorgen, die toen drie waren. Ik herinner me dat ik een keer daar was en dat Monique toen het hele avondeten klaarmaakte, ook al was ze pas tien. Ze vertelde me dat ze had moeten leren koken omdat haar moeder na de geboorte van de tweeling twee maanden bedlegerig was geweest. Monique kon erg goed koken, al herinner ik me dat ik het brood niet zo lekker vond.

Maar goed, de oorlog duurde voort. Wij kinderen waren ons er wel van bewust, maar we wisten er weinig van omdat er natuurlijk nog geen televisies en maar weinig radio's waren en de volwassenen ons er zo goed mogelijk van afschermden. Ze spraken er zelfs nauwelijks over wanneer wij erbij waren, behalve om over de rantsoenering te klagen... mijn vaders belangrijkste klacht was dat er zo moeilijk aan bier te komen viel.' Mevrouw Bell zweeg weer even, haar lippen licht getuit. 'Op een dag in de zomer van 1941, toen we inmiddels hechte vriendinnen waren geworden, gingen Monique en ik wandelen. Na een kilometer of drie over een van de landweggetjes die het gebied doorkruisen kwamen we bij een bouwvallige oude stal. Terwijl we naar binnen gingen om hem te verkennen, hadden we het toevallig over namen. Ik zei dat ik mijn naam, Thérèse, niet zo mooi vond. Ik vond hem te gewoontjes en ik wilde dat mijn ouders me Chantal hadden genoemd. Toen vroeg ik Monique wat ze van haar naam vond. Tot mijn verbazing werd ze erg rood en flapte ze er plotseling uit dat Monique niet haar echte naam was. Haar echte naam was Monika... Monika Richter. Ik was...' Mevrouw Bell schudde verwonderd haar hoofd. 'Ik was verrast. Toen zei Monique dat haar familie vijf jaar daarvoor van Mannheim naar Parijs was verhuisd en dat haar vader hun naam had veranderd zodat ze er meer bij zouden horen. Hij had voor Richelieu gekozen, vertelde ze me, vanwege de beroemde kardinaal.'

Mevrouw Bell keek weer naar buiten. 'Toen ik Monique vroeg waarom ze uit Duitsland waren vertrokken, antwoordde ze dat het was omdat ze zich niet veilig hadden gevoeld. Ze wilde eerst niet zeggen waarom, maar toen ik aandrong vertelde ze dat haar familie Joods was. Ze zei dat ze daar met niemand over praatten en dat ze alle uiterlijke tekenen ervan verborgen hielden. Toen liet ze me zweren dat ik aan geen levende ziel zou verklappen wat ze me had onthuld, omdat we anders geen vriendinnen meer konden zijn. Ik stemde natuurlijk toe, al begreep ik niet waarom het geheim moest blijven dat ze Joods waren. Ik wist dat er al eeuwen Joden in Avignon woonden en er was een oude synagoge in het centrum van de stad. Maar als Monique het zo wilde, zou ik dat respecteren.'

Mevrouw Bell streelde nu over de mouwen van de jas. 'Toen meende ik dat ik Monique ook een geheim moest verklappen. Dus vertrouwde ik haar toe dat ik verliefd was geworden op een jongen bij ons op school... Jean-Luc Aumage.' Mevrouw Bell kneep haar lippen strak op elkaar. 'Ik herinner me dat Monique, toen ik haar over Jean-Luc vertelde, niet helemaal op haar gemak leek. Toen zei ze dat hij een aardige jongen leek en dat hij er beslist goed uitzag.'

Mevrouw Bells ogen dwaalden weer naar het raam. 'De tijd verstreek en we deden ons best om de oorlog te negeren, dankbaar dat wij in de zuidelijke "vrije" zone woonden. Maar op een ochtend – eind juni 1942 – kon ik zien dat Monique van streek was. Ze vertelde me dat ze een brief had ontvangen van Miriam, waarin die haar vertelde dat ze nu, net als alle Joden in het bezette gebied, verplicht was een gele ster te dragen. In het midden van deze zespuntige ster, die op de linkerborst van haar jasje genaaid moest worden, stond één woord: Jood.'

Mevrouw Bell herschikte de jas op haar schoot en bleef over de blauwe stof strelen. 'Vanaf dat moment hield ik mijn oren goed open voor de oorlog. 's Avonds zat ik op de overloop voor de slaapkamer van mijn ouders ingespannen mee te luisteren naar de uitzendingen van BBC London, waar ze heimelijk naar luisterden. Zoals veel mensen had mijn vader onze eerste radio zuiver voor dat doel gekocht. Ik weet nog dat ik mijn vader vaak zijn walging of wanhoop hoorde spuien wanneer ze naar die uitzendingen luisterden. Door een van die programma's kwam ik te weten dat er nu speciale wetten golden voor Joodse mensen in beide zones. Ze mochten niet in het leger, ze mochten geen belangrijke posities meer bekleden in de regering en geen huizen meer kopen. Ze moesten zich aan een avondklok houden en in Parijs waren ze verplicht in de achterste wagon van de metro te reizen.

'De volgende dag vroeg ik mijn moeder waarom die dingen gebeurden, maar ze zei alleen maar dat we in moeilijke tijden leefden en dat ik maar het beste niet te veel kon nadenken over die afschuwelijke oorlog, die snel voorbij zou zijn – *grace à Dieu*.

'Dus probeerden we verder te leven alsof alles "normaal" was. In november 1942 kwam er echter een abrupt einde aan die schijn van normaliteit. Op 12 november kwam mijn vader vroeg thuis, buiten adem, om te zeggen dat hij twee Duitse soldaten had gezien met machinegeweren aan de zijspan van hun motor. Ze stonden op de hoofdweg die van ons dorp naar het centrum van de stad leidde.

'De volgende morgen liepen mijn ouders, mijn broer en ik samen met vele anderen Avignon binnen en zagen we tot onze afschuw Duitse soldaten naast hun officiële, glimmend zwarte Citroëns staan, die in rijen voor het Palais des Papes geparkeerd waren. We zagen andere Duitse troepen voor het stadhuis staan of in pantservoertuigen door onze historische straten rijden met helmen en motorbrillen op. Voor ons, kinderen, zagen ze er grappig uit – als buitenaardse wezens – en ik herinner me dat mijn ouders boos werden op Marcel en mij omdat we naar hen wezen en lachten. Ze zeiden dat we door ze heen moesten kijken alsof ze er niet waren. Ze zeiden dat als alle mensen in Avignon dat deden, de aanwezigheid van de Duitsers geen invloed op ons zou hebben. Maar Marcel en ik wisten dat dit slechts vertoon van moed was... we begrepen maar al te goed dat de "vrije zone" niet meer bestond en dat we nu allemaal *sous la botte* waren!'

Mevrouw Bell pauzeerde even en duwde weer een plukje haar achter haar oor.

'Vanaf die tijd werd Monique afstandelijk en waakzaam. Aan het eind van elke schooldag ging ze meteen naar huis. Ze mocht op zondag niet meer spelen en ik werd niet meer bij haar thuis uitgenodigd. Ik voelde me daardoor gekwetst, maar toen ik er met haar over probeerde te praten, zei ze dat ze nu minder tijd had omdat haar moeder vaker haar hulp nodig had.

Toen ik een maand later in de rij stond om meel te kopen, hoorde ik een man voor me klagen dat alle Joodse mensen in onze streek nu het woord "Jood" op hun identiteitskaart en rantsoenkaarten moesten laten stempelen. De man, van wie ik me realiseerde dat hij zelf ook Jood moest zijn, zei dat het een vreselijke belediging was. Zijn familie woonde al drie generaties in Frankrijk... had hij tijdens de Eerste Wereldoorlog niet voor Frankrijk gevochten?' Mevrouw Bell kneep haar lichtblauwe ogen tot spleetjes. 'Ik herinner me dat hij zijn vuist opstak naar de kerk en vroeg wat er gebeurd was met het idee van *Liberté, Égalité et Fraternité*. Ik dacht heel naïef dat hij in elk geval niet zoals Miriam een ster hoefde te dragen... dat zou pas echt vreselijk zijn.' Ze keek me aan en schudde toen haar hoofd. 'Ik had er geen idee van dat het dragen van de gele ster oneindig veel beter was dan het moeten laten stempelen van officiële papieren.'

Mevrouw Bell sloot haar ogen, alsof de herinneringen haar hadden uitgeput. Toen opende ze ze weer en keek ze strak voor zich uit. 'Begin 1943, zo rond half februari, zag ik Monique bij de schoolpoort staan, in gesprek verwikkeld met Jean-Luc, die inmiddels een knappe jongeman van vijftien was. Ik kon zien aan de manier waarop hij haar das strakker om haar nek trok – het was bitter koud – dat hij zich erg tot Monique aangetrokken voelde. Ik kon ook zien dat zij op hem gesteld was, aan de manier waarop ze naar hem glimlachte, niet direct aanmoedigend, maar lief en misschien een beetje... gespannen, vermoed ik.' Mevrouw Bell zuchtte en schudde haar hoofd. 'Ik had nog steeds een oogje op Jean-Luc, ook al keurde hij me nooit een blik waardig. Wat was ik toch een dwaas,' voegde ze er zwakjes aan toe. 'Wat een dwaas!' Ze porde weer in haar borst, alsof ze zichzelf wilde straffen. Toen vervolgde ze met bevende stem: 'De volgende dag vroeg ik Monique of ze Jean-Luc aardig vond. Ze keek me alleen maar indringend, bijna bedroefd aan en zei: "Thérèse, je begrijpt het niet", wat alleen maar leek te bevestigen dat ze hem inderdaad aardig vond. Toen herinnerde ik me hoe ze had gereageerd toen ik haar voor het eerst over mijn verliefdheid had verteld. Ze had slecht op haar gemak geleken en nu begreep ik waarom.' Mevrouw Bell sloeg weer tegen haar borst. 'Maar Monique had gelijk... ik begreep het inderdaad niet. Had ik het maar wel begrepen,' sprak ze schor en ze schudde haar hoofd. 'Had ik dat maar wél...'

Mevrouw Bell zweeg even om zich te herstellen en vertelde toen verder. 'Na school rende ik in tranen naar huis. Mijn moeder vroeg waarom ik huilde, maar ik schaamde me te zeer om het haar te vertellen. Toen sloeg ze haar armen om me heen en zei ze dat ik mijn ogen moest drogen omdat ze een verrassing voor me had. Ze liep naar haar naaihoek en kwam terug met een tas. Daar zat een prachtige jas in van wol zo blauw als de hemel op een heldere dag in juni. Toen ik hem aanpaste vertelde ze me dat ze vijf uur in de rij had gestaan om het materiaal te kopen en dat ze hem 's avonds voor me had zitten naaien, wanneer ik sliep. Ik omhelsde mijn moeder en zei dat ik zo blij was met de jas dat ik hem voor altijd zou bewaren. Ze lachte en zei: "Nee, mallerd, dat zul je niet." Maar dat heb ik wel gedaan,' zei mevrouw Bell met een zwakke glimlach.

Ze streek over de revers. De rimpels in haar voorhoofd waren nu iets dieper. 'Toen, op een dag in april, kwam Monique niet naar school. Ze kwam de dag daarna en de dag dáárna ook niet. Toen ik onze lerares vroeg waar Monique was, zei ze dat ze het niet wist, maar dat ze ervan overtuigd was dat ze gauw weer terug zou komen. Toen begon de paasvakantie en nog steeds zag ik Monique niet. Ik bleef mijn ouders vragen waar ze zou kunnen zijn, maar ze zeiden dat ik haar beter kon vergeten... dat ik wel nieuwe vriendinnen zou vinden. Ik zei dat ik geen nieuwe vriendinnen wilde... dat ik alleen Monique wilde. Dus de volgende morgen rende ik naar haar huis. Ik klopte aan, maar er deed niemand open. Ik tuurde door een kier in de luiken en zag de restanten van een maaltijd op tafel staan. Er lag een kapot bord op de grond. Toen ik zag dat ze in vreselijke haast vertrokken waren, besloot ik Monique meteen te schrijven. Ik ging naast de vijver zitten en begon in gedachten al een brief aan haar op te stellen, toen ik me realiseerde dat ik haar natuurlijk helemaal niet kón schrijven, omdat ik geen flauw idee had waar ze was. Ik voelde me verschrikkelijk...'

Ik hoorde mevrouw Bell slikken.

'In die periode,' vervolgde ze, 'was het nog steeds koud.' Ze huiverde onwillekeurig. 'Hoewel het laat in het voorjaar was, droeg ik mijn blauwe jas nog steeds. En al die tijd vroeg ik me af waar Monique heen gegaan kon zijn, en waarom zij en haar familie zo plotseling waren vertrokken. Maar mijn ouders wilden er niet met me over praten. Toen realiseerde ik me, als het zelfzuchtige kind dat ik was, dat de hele situatie ook iets positiefs had. Monique zou ongetwijfeld terugkomen, zo niet nu dan toch als de oorlog voorbij was... maar tijdens haar afwezigheid zou Jean-Luc mij misschien opmerken. Ik weet nog dat ik van alles probeerde om dat te bewerkstelligen. Ik was net veertien geworden en stiekem begon ik mijn moeders lippenstift te gebruiken; ik deed 's avonds papillotten in mijn haar, net als zij; maakte mijn lichte wimpers donkerder met een beetje schoenpoets – soms met komische resultaten – en kneep in mijn wangen om ze roze te maken. Marcel, die twee jaar jonger was dan ik, merkte die dingen op en plaagde me er genadeloos mee.

'Toen had ik op een warme zaterdagochtend ruzie met Marcel – hij zat me zo te treiteren dat ik er niet meer tegen kon. Ik rende het huis uit en gooide de deur achter me dicht. Ik had misschien een uur gelopen toen ik bij de vervallen stal kwam. Ik liep naar binnen, ging in de zon op de vloer zitten met mijn rug tegen een hooibaal en luisterde naar de zwaluwen die onder de dakrand boven me zaten te kwetteren en naar het gerommel van de trein in de verte. Plotseling werd ik overweldigd door verdriet. Ik begon te huilen en kon niet meer stoppen. En terwijl ik daar zat, mijn gezicht nat van de tranen, hoorde ik achter me een zacht geritsel. Ik dacht dat het misschien een rat was en ik was bang. Maar toen werd ik vreselijk nieuwsgierig. Ik stond op en liep naar de achterste wand van de stal en daar, achter een stapel hooibalen, op de grond onder een dunne grijze deken, lag Monique!' Mevrouw Bell keek me verbaasd aan. 'Ik was verbijsterd. Ik kon niet bevatten waarom zij hier was. Ik riep zacht haar naam, maar ze reageerde niet. Ik raakte in paniek. Ik klapte vlak bij haar oor in mijn handen en knielde toen neer om haar zachtjes door elkaar te schudden...'

'Werd ze wakker?' vroeg ik. Mijn hart bonkte. 'Werd ze wakker?'

Mevrouw Bell keek me bevreemd aan. 'Ja, ze werd wakker... god-zijdank. Maar ik zal nooit vergeten hoe ze daarbij keek. Want zelfs terwijl ze me herkende, dwaalden haar ogen over mijn schouder heen; daarna veranderde haar blik van afgrijzen in een van opluchting ver-mengd met verbazing. Toen vertelde ze met een iele fluisterstem dat ze me niet had gehoord omdat ze had liggen slapen; omdat ze uitgeput was doordat ze 's nachts zo moeilijk kon slapen. Daarna kwam ze over-eind, heel stijf, en stond daar maar naar me te kijken. Ze sloeg haar ar-men om me heen en klampte zich aan me vast. Ze hield me heel stevig beet en ik probeerde haar te troosten...' Mevrouw Bell pauzeerde even en er blonken tranen in haar ogen. 'We gingen samen op een baal hooi zitten. Monique vertelde me dat ze al acht dagen in de stal zat. In feite waren het tien dagen. Dat wist ik omdat ze vertelde dat op 19 april de Gestapo naar hun huis was gekomen terwijl zij weg was om brood te halen, en dat ze haar ouders en haar broertjes mee hadden genomen, maar dat hun buren, de Antignacs, haar hadden zien terugkeren en haar hadden onderschept. Ze hadden haar op hun zolder verborgen en haar in het donker naar deze ongebruikte stal gebracht – bij toeval de stal waar Monique me voor het eerst haar ware identiteit had onthuld. Ze zei dat meneer Antignac had gezegd dat ze hier moest blijven tot het veilig was. Hij had gezegd dat hij geen idee had hoelang het zou duren en dat ze geduldig en dapper moest zijn. Hij had gezegd dat ze geen geluid mocht maken en nooit de stal mocht verlaten, behalve om 's avonds in het donker de paar meter naar het stroompje te sluipen om water te halen in de kan die hij haar had gegeven.'

De mond van mevrouw Bell trilde. 'Mijn hart brak voor Monique, die helemaal alleen was, gescheiden van haar familie, zonder enig idee te hebben waar ze waren, en elk moment van de dag werd gekweld door de gedachte aan hun ontvoering. Ik probeerde me voor te stel-len hoe ik me in zo'n vreselijke situatie zou redden. Nu begreep ik pas echt hoe verschrikkelijk de oorlog was.' Mevrouw Bell keek me aan; haar ogen schitterden. 'Hoe was het mogelijk dat mensen die niets hadden misdaan, mannen, vrouwen... en kinderen,' voegde ze er hartstochtelijk aan toe. 'Kinderen...' zei ze weer, met tranen in haar ogen. 'Hoe was het mogelijk dat ze zomaar uit hun huizen konden worden weggehaald, alsof het niets was, en op de trein gezet op weg naar... "nieuwe horizonten",' zei ze minachtend. 'Dat was het eufemisme dat we later leerden, en "werkkampen in het oosten". Of naar "onbekende bestemmingen",' zei ze schor. 'Dat was er ook een...' Ze sloeg haar handen voor haar gezicht.

Ik hoorde het tikken van de klok. 'Weet u zeker dat u door wilt gaan?' vroeg ik haar vriendelijk.

Mevrouw Bell knikte. 'Ja, ik wil doorgaan.' Ze stak haar hand in de mouw van haar blouse en haalde er een zakdoek uit. 'Ik moet...' Ze drukte de zakdoek tegen haar ogen, knipperde een paar keer en ging toen verder, met een stem die telkens brak van emotie en vermoeidheid. 'Monique zag er uitgemergeld uit. Haar haar zat in de war en haar kleren en gezicht waren vies. Maar om haar hals droeg ze de prachtige ketting van Venetiaans glas die ze voor haar dertiende verjaardag van haar moeder had gekregen. De kralen waren groot en langwerpig, met een wervelend patroon van roze en brons. Monique raakte hem voortdurend aan terwijl ze sprak, alsof dat haar troost schonk. Ze vertelde me dat ze vreselijk graag haar familie wilde gaan zoeken, maar dat ze begreep dat ze voorlopig moest blijven waar ze was. Ze zei dat de Antignacs erg aardig waren, maar dat ze haar niet elke dag eten konden brengen.

'Dus toen zei ik dat ik dat wel zou doen. Monique zei dat ik dat niet moest doen, omdat ik mezelf daarmee in gevaar zou brengen. "Niemand ziet me," wierp ik tegen. "Ik doe net alsof ik wilde aardbeien ga plukken... Wie kan het nou iets schelen wat ík doe?" Voor de tweede keer op die plek liet Monique me zweren iets geheim te houden. Ze zei dat ik niemand – zelfs mijn ouders en mijn broer niet – mocht vertellen dat ik haar had gezien. Ik zwoer haar dat ik niets zou zeggen en ik rende met een tollend hoofd naar huis. Ik liep de keuken in en pakte wat van het brood van mijn eigen rantsoen. Ik smeerde er een beetje boter op en sneed toen een stuk kaas van mijn eigen schamele portie. Ik vond ook nog een appel en ik stopte alles in een mandje. Toen zei ik tegen mijn moeder dat ik weer naar buiten ging om irissen te plukken die in die tijd van het jaar in het wild groeien. Ze maakte er een opmerking over dat ik zoveel energie had en zei dat ik niet te ver uit de buurt moest gaan. Toen rende ik naar de stal, glipte heel stilletjes naar binnen en gaf Monique het voedsel. Ze at er uitgehongerd de helft van op en zei dat ze met de andere helft twee dagen zou moeten doen. Ze vertelde me dat ze zich zorgen maakte over de ratten, dus legde ze de rest van het eten onder een oude pot. Ik zei tegen haar dat ik gauw terug zou komen met meer proviand en ik vroeg haar of ze nog iets anders nodig had. Ze antwoordde dat het overdag weliswaar warm genoeg was, maar dat ze het 's nachts erg koud had – zo koud dat ze er niet van kon slapen. Ze had alleen maar de katoenen jurk en het vest dat ze aanhad, en die dunne grijze deken. "Je hebt een jas nodig," zei ik. "Een echt warme jas... je hebt..." en toen wist ik het. "Ik zal je de mijne brengen," beloofde ik. "Morgen, aan het eind van de middag. Maar nu kan ik beter gaan voor mijn ouders me missen." Ik kuste haar op haar wang en vertrok.

'Die nacht kon ik nauwelijks slapen, gekweld door de gedachte aan Monique, helemaal alleen in die stal, telkens opschrikkend van het geluid van ratten en muizen en het geroep van uilen, terwijl ze een kou moest verduren die zo bijtend was dat ze 's ochtend wakker werd met pijn door de fysieke inspanning van het bibberen. Toen dacht ik aan de jas en dat ze het daarin lekker warm zou hebben, en ik voelde me opgetogen bij de gedachte dat ik haar die zou geven. Monique was mijn vriendin... en ik zou voor haar zorgen.' Mevrouw Bells lippen trilden.

Ik wendde mijn blik af, omdat ik het bijna niet kon verdragen dit verhaal met zijn pijnlijke echo's van het mijne, aan te horen.

Mevrouw Bell streek weer over de jas, alsof ze die wilde troosten. 'Ik dacht aan alle dingen die ik nog naar Monique zou brengen: deze jas; wat potloden en papier om de tijd te verdrijven; een paar boeken; een stuk zeep en tandpasta. En natuurlijk eten... veel eten.'

Ik meende ergens in de verte een bel te horen.

'Ik viel in slaap en droomde van het feestmaal dat ik Monique zou brengen.' Mevrouw Bell sloeg weer tegen haar borst. 'Maar dat heb ik niet gedaan. In plaats daarvan heb ik haar in de steek gelaten... vreselijk. Catastrofaal zelfs.'

Drrrrrrrring.

Mevrouw Bell keek verrast op toen het geluid van de deurbel tot haar doordrong. Ze stond op, hing de jas zorgvuldig over de rugleuning van haar stoel en liep de kamer uit, ondertussen haar haren gladstrijkend. Ik hoorde haar voetstappen in de gang, en even later een vrouwenstem.

'Mevrouw Bell?... wijkverpleegkundige... gewoon een babbeltje... sorry, heeft uw arts u dat niet verteld?... ongeveer een halfuur... het komt toch wel gelegen?'

'Nee, het komt niet gelegen,' fluisterde ik. Toen mevrouw Bell weer de woonkamer binnen kwam, gevolgd door de wijkverpleegster, een blonde vrouw van in de vijftig, pakte ze snel de jas op en bracht die naar haar slaapkamer.

De verpleegkundige glimlachte naar me. 'Ik hoop dat ik niet stoor.' Ik weerstond de aandrang haar te vertellen dat ze dat wel deed. 'Bent u een vriendin van mevrouw Bell?'

'Ja. We zaten gewoon even te... praten.' Ik stond op en keek mevrouw Bell aan, die weer terug in de kamer was. De emotie van het verhaal stond nog op haar gezicht gegrift. 'Ik ga nu, mevrouw Bell, maar ik zal u snel bellen.'

Ze legde haar hand op mijn arm en keek me indringend aan. 'Ja, Phoebe,' zei ze zacht. 'Doe dat, alsjeblieft.'

Ik had het gevoel of ik ergens onder gebukt ging toen ik de trap af liep, al was dat niet het gewicht van de twee koffers, dat ik nauwelijks merkte. Tijdens de korte rit terug naar huis overdacht ik het verhaal van mevrouw Bell. Ik had medelijden met haar, omdat ze nog steeds zo van streek was over gebeurtenissen die zo lang geleden hadden plaatsgevonden.

Thuis legde ik de kleren apart die ik naar Val wilde brengen – ik dacht huiverend aan mijn privésessie bij Mag – en legde de andere klaar om te worden gewassen of chemisch gereinigd.

Onderweg terug naar de winkel ging ik bij de zaak van Oxfam-Novib langs. Ik gaf de tas met mevrouw Bells spullen aan de vrijwilligster, een vrouw van voor in de zeventig die ik er al vaker had gezien. Ze was soms een beetje nors. 'Dit is allemaal Jaeger, en in uitstekende staat,' legde ik uit. Vanuit mijn ooghoek zag ik het bonte katoenen gordijn van het pashokje bewegen. Ik haalde het aquamarijnkleurige pakje uit de tas. 'Dit heeft nieuw ongeveer 250 pond gekost en het is pas twee jaar oud.'

'Het is een heel mooie kleur,' zei de vrouw.

'Ja, subtiel, vindt u niet?'

Het gordijntje werd opzijgeschoven en daar stond Dan, in een fel turquoise corduroy jasje en een karmozijnrode broek. Ik wilde bijna mijn zonnebril opzetten.

'Hoi, Phoebe. Ik dacht al dat jij het was.' Hij bekeek zichzelf in de spiegel. 'Wat vind je van dit jasje?'

'Wat vind ik van het jasje?' Wat kon ik zeggen? 'De pasvorm is in orde, maar de kleur is... afgrijselijk.' Zijn gezicht betrok. 'Sorry, maar je vroeg er zelf om.'

'Ik vind deze kleur mooi,' protesteerde Dan. 'Hij is... tja... hoe zou jij hem beschrijven?'

'Pauwblauw,' opperde ik. 'Nee... cyaan.'

'O.' Hij keek met half dichtgeknepen ogen in de spiegel. 'Zoals in cyaankali?'

'Precies. En het ziet er een beetje... giftig uit.' Ik trok een grimas naar de vrijwilligster. 'Sorry.'

Ze haalde haar schouders op. 'Maak u geen zorgen... ik vind het ook walgelijk. Maar hij kan het wel hebben.' Ze knikte naar hem. 'Hij heeft een mooi gezicht onder al dat haar.' Ik keek naar Dan, die de vrouw een dankbare glimlach schonk. Ik realiseerde me dat hij inderdaad een mooi gezicht had: een rechte neus, mooie lippen met kleine kuiltjes bij de mondhoeken, grijze ogen met een heldere blik. Aan wie deed hij me toch denken? 'Maar waar past dat jasje bij?' vroeg de vrijwilligster. 'Daar moet u ook aan denken. En ik vind dat ik u als gewaardeerde klant dat advies moet meegeven.'

'O, het past bij van alles,' antwoordde Dan gemoedelijk. 'Bij deze broek bijvoorbeeld.'

'Ik weet niet of dat wel zo is,' zei ik. Hij leek het leuk te vinden dingen met elkaar te combineren die niet bij elkaar pasten.

Hij trok het jasje uit. 'Ik neem het,' zei hij opgewekt. 'En die boeken.' Hij knikte naar de stapel gebonden boeken op de toonbank. Het bovenste was een biografie van Greta Garbo; Dan gaf daar een klopje op en keek mij aan. 'Wist je dat Louis B. Mayer wilde dat Garbo een andere achternaam zou gebruiken, omdat hij vond dat het te veel als "garbage" ofwel vuilnis klonk?'

'Eh... nee, dat wist ik niet.' Ik keek naar het prachtige gezicht op het omslag. 'Ik ben dol op Garbo's films. Hoewel ik er al heel lang geen meer heb gezien,' zei ik nog terwijl Dan de vrijwilligster het geld gaf.

Hij keek me aan. 'Dan heb je geluk. Het Greenwich Picturehouse heeft later deze maand een Rusland-special en ze vertonen ook *Anna Karenina.*' Hij nam zijn wisselgeld aan. 'Daar kunnen we wel samen heen gaan.'

Ik staarde hem aan. 'Ik... dat weet ik niet zeker.'

'Waarom niet?' Hij gooide zijn muntgeld in de collectebus naast de kassa. 'Zeg nou niet dat... jai alleen vílt zain.'

'Nee, dat is het niet alleen... Ik wil er alleen graag over nadenken.'

'Ik zou niet weten waarom,' zei de vrijwilligster terwijl ze zijn kassabonnetje afscheurde. 'Het lijkt mij geweldig om naar een film van Greta Garbo te gaan met zo'n aardige jongeman.'

'Ja, maar...' Ik wilde niet zeggen dat ik, nog afgezien van mijn bezwaar tegen de aanmatigende manier waarop ik was uitgenodigd, Dan pas twee keer eerder had gezien. 'Ik weet niet of ik dan wel... kan.'

'Maak je geen zorgen.' Hij had zijn tas opengedaan. 'Ik heb de folder van het filmhuis hier bij me.' Hij haalde de folder uit zijn tas en bekeek hem. 'De film draait op... woensdag de vierentwintigste om halfacht. Komt dat je uit?' Hij keek me verwachtingsvol aan.

'Nou...'

De vrijwilligster slaakte een zucht. 'Als u er niet met hem heen wilt, dan ga ik wel mee. Ik ben al vijf jaar niet meer naar de film geweest,' voegde ze eraan toe. 'Niet meer sinds mijn man is overleden... we gingen elke vrijdag. Nu heb ik niemand meer om mee te gaan; ik zou alles geven voor een dergelijke uitnodiging.' Ze schudde haar hoofd alsof ze mijn ongemanierdheid niet kon geloven en gaf Dan toen met een bemoedigende glimlach zijn tassen aan. 'Alsjeblieft, schat. Tot gauw.'

'Zeker weten,' zei Dan. Daarna liepen hij en ik allebei de winkel uit. 'Waar ga je heen?' vroeg hij toen we door Tranquil Vale wandelden.

'Ik moet even naar de bank... dat had ik al eerder willen doen.'

'Ik ga ook die kant op, ik loop wel met je mee. En hoe gaat het met Villa Vintage?'

'Daar gaat het goed mee,' antwoordde ik. 'Wat voor een groot deel aan jouw artikel te danken is,' voegde ik eraan toe. Ik voelde me nu een beetje schuldig over mijn prikkelbaarheid, maar zoals gewoonlijk had Dan me van de wijs gebracht met zijn spontaniteit. 'En met de krant?'

'Dat gaat goed,' antwoordde hij voorzichtig. 'De oplage is gestegen van 10.000 bij de start naar 11.000, en dat is natuurlijk goed, maar we zouden wel wat meer adverteerders kunnen gebruiken – veel lokale adverteerders weten ons nog niet te vinden.'

We liepen de heuvel af en staken het kruispunt over, waarna Dan plotseling voor het Age Exchange Reminiscence Centre stil bleef staan. 'Nou, ik ga hier naar binnen.'

Ik keek naar de kastanjebruine voorgevel. 'Waarom?'

'Ik wil er een artikel over schrijven, dus ik moet even op verkenning.'

'Ik ben hier al jaren niet meer binnen geweest,' mijmerde ik terwijl ik naar binnen keek.

'Ga dan met me mee,' hoorde ik Dan zeggen.

'Nou... ik weet niet zeker of ik daar tijd voor heb, dus ik denk dat ik het maar niet doe, Dan. Ik zal wel...' Ik vroeg me af waarom ik eigenlijk weigerde. Annie paste op de winkel, er was geen sprake van een bepaalde tijdsdruk. 'Ach, vooruit ook maar. Eventjes dan.'

De Age Exchange binnenstappen was alsof je terugging in de tijd. Het interieur was in de stijl van een ouderwets warenhuis. De schappen lagen vol verpakkingen van spullen van voor de oorlog: Sunlight-zeep, custardpudding van Brown & Polson, gedroogde eieren van het merk Eggo en Player's Senior Service-sigaretten. Er stond een prachtige oude bronzen kassa die op een oude schrijfmachine leek, een bakelieten radio en een paar Brownie-boxcamera's; er was ook een houten kast, waarvan de laatjes open waren gelaten zodat je een assortiment oude medailles, haaknaalden, gebreide poppen en klosjes naaigaren kon zien liggen – de snuisterijen van een lang vervlogen tijd.

Dan en ik liepen door de galerie achter in het centrum, waar diverse zwart-witfoto's deel uitmaakten van een tentoonstelling over het leven in East End in de jaren dertig en veertig. Een van de personen op de foto's – een meisje dat in een gebombardeerde straat in Stepney aan het spelen was – was omcirkeld omdat, zo stond eronder, ze nu in de tachtig was en in Blackheath woonde.

'Dit is dus een soort museum,' zei ik.

'Het is meer een gemeenschapscentrum,' antwoordde Dan, 'waar de ouderen kunnen terugkijken op hun vroegere leven. Achterin is een bioscoopzaaltje, en een café. Trouwens...' Hij knikte naar de keuken-balie. 'Ik heb zin in een kop koffie... wil je ook?'

Toen we aan een tafeltje zaten pakte Dan zijn aantekenboekje en zijn potlood, dat hij begon te slijpen.

'Dus je hebt hem teruggevonden,' zei ik, naar de puntenslijper wijzend.

'Ja... gelukkig wel.'

'Is hij bijzonder?'

Dan legde hem op tafel. 'Mijn grootmoeder heeft hem me nagelaten. Ze is drie jaar terug overleden.'

'Heeft ze je een puntenslijper nagelaten?'

Hij knikte.

'Is dat alles wat ze je heeft nagelaten?' kon ik niet nalaten te vragen.

'Nee.' Hij blies op de aangescherpte punt. 'Ze heeft me ook een nogal afzichtelijk schilderij nagelaten. Ik was wel een tikje... teleurgesteld,' besloot hij tactvol. 'Maar ik ben erg blij met de puntenslijper.'

Toen Dan in zijn vreemde 'snelschrift' aantekeningen begon te maken, vroeg ik hem hoelang hij al journalist was.

'Pas een paar maanden,' antwoordde hij. 'Ik ben nog maar een beginneling.' Dat verklaarde zijn onbekwaamheid als interviewer.

'Wat deed je voor die tijd?'

'Ik werkte voor een marketingbureau als ontwerper van product-promoties – meestal pasklare beloningsprogramma's, gratis vouchers, klantenkaarten, geld-terug-bonnen, twee-voor-de-prijs-van-één-aanbiedingen...'

'Vijf procent korting tijdens de eerste week?' merkte ik droogjes op.

'Ja.' Hij bloosde. 'Dat soort dingen.'

'Waarom ben je daarmee gestopt?'

Hij aarzelde even. 'Ik deed al tien jaar lang hetzelfde en ik was op zoek naar iets anders. En mijn oude schoolvriend Matt was net weggegaan bij de *Guardian*, waar hij redacteur van de economische pagina's was geweest, om zijn eigen krant te beginnen – een oude droom. En hij zei dat hij... hulp nodig had,' vervolgde Dan. 'Dus ik heb er even over nagedacht en toen heb ik besloten er voor te gaan.'

'Dus hij vroeg je om voor zijn krant te komen schrijven?'

'Nee, hij had al twee fulltime verslaggevers aangenomen; ik doe de marketing, maar ik heb carte blanche om te schrijven over alles wat ik interessant vind.'

'Dan zou ik me dus gevleid moeten voelen.'

Hij keek me aan. 'Ik zag je,' zei hij. 'De dag voor je openging. Ik geloof dat ik je dat heb verteld; ik liep langs aan de overkant van de straat en jij stond in de etalage een dummy aan te kleden...'

'Etalagepop, alsjeblieft.'

'...en daar had je wat problemen mee. Een van de armen viel er telkens af.'

Ik rolde met mijn ogen. 'Ik haat het gestoei met die dingen.'

'En je was zó vastbesloten om kalm te blijven dat ik dacht: wat zou ik graag eens met die vrouw praten... dus dat heb ik gedaan. Dat is het mooie van journalistiek,' besloot hij met een glimlach.

'Twee koffie!' zei de vrijwilliger die de kopjes op de balie zette. Ik ging ze halen en hield ze Dan voor. 'Welke? De rode of de groene?'

'De...' Hij aarzelde even. 'De rode.' Hij stak zijn hand uit.

'Maar dat is de groene die je nu gepakt hebt.'

Dan kneep een oog dicht. 'Wat je zegt.'

Eindelijk viel het kwartje. 'Zeg, Dan, ben je kleurenblind?' Hij tuitte zijn lippen en knikte toen.

Dat ik dat niet eerder had begrepen! 'Is dat lastig?'

'Niet echt.' Hij haalde kalm zijn schouders op. 'Het betekent alleen dat ik geen electricien kon worden...'

'Ach ja, al die gekleurde draden.'

'Of luchtverkeersleider... of piloot. Kleurenblindheid houdt ook in dat een bruingestreepte kat groene strepen heeft, dat ik waardeloos ben bij het aardbeien plukken en dat ik vaak kleren aantrek die niet bij elkaar passen... zoals je vast hebt opgemerkt.'

Ik voelde mijn gezicht warm worden. 'Als ik had geweten waarom dat zo was, was ik wat tactvoller geweest.'

'Sommige mensen maken wel botte opmerkingen over wat ik draag... ik leg het ze nooit uit, tenzij het moet.'

'En wanneer ben je daar achter gekomen?'

'Tijdens mijn eerste dag op de lagere school. We moesten een boom tekenen. De mijne had rode bladeren en een groene stam. De juf adviseerde mijn ouders mijn gezichtsvermogen te laten testen.'

'Dus voor jou is je broek niet scharlakenrood?'

Dan keek omlaag. 'Ik weet niet wat "scharlakenrood" is. Voor mij is dat een abstract concept, net als het geluid van een bel voor een dove: maar deze broek ziet er voor mij olijfgroen uit.'

Ik dronk van mijn koffie. 'Welke kleuren kun je wel zien?'

'Pastelkleuren – lichtblauw, mauve – en natuurlijk zwart en wit. Ik kijk dan ook graag naar dingen in zwart-wit,' zei hij met een knikje naar de tentoonstelling. 'Monochroom heeft iets wat...'

Ergens vandaan hoorde ik 'As Time Goes By' en ik dacht even dat het uit een geluidssysteem kwam, maar toen realiseerde ik me dat het de beltoon van Dans telefoon was.

Hij keek me verontschuldigend aan en nam toen op. 'Hoi, Matt,' zei hij zacht. 'Ik zit net om de hoek bij de Age Exchange... Ja, ik kan wel praten... eventjes. Sorry,' zei hij geluidloos tegen mij. 'O... juist...' Hij stond op; zijn blik was ernstig geworden. 'Nou, als ze bij dat verhaal blijft,' zei hij terwijl hij bij me vandaan liep. 'Harde feiten,' hoorde ik hem zeggen toen hij de binnenplaats op stapte. '... dat wij straks niet vervolgd worden wegens laster... Ik ben er over een paar minuten...'

'Neem me niet kwalijk,' zei Dan tegen me toen hij weer bij het tafeltje was. Hij leek wat afwezig. 'Matt moet iets met me bespreken, dus ik kan maar beter gaan.'

'Ik moet ook aan de slag.' Ik pakte mijn tas. 'Maar ik ben blij dat ik mee ben gegaan... bedankt voor de koffie.'

We verlieten het centrum en bleven toen even op het trottoir staan. 'Nou, ik ga deze kant op.' Hij knikte naar rechts. 'De *Black & Green* zit daar naast het postkantoor, en jij moet de andere kant op. Maar we gaan samen naar *Anna Karenina*.'

'Tja... waarom laat je me er niet even over nadenken?'

Dan haalde zijn schouders op. 'Waarom zeg je niet gewoon ja?' En toen, alsof dat volstrekt normaal voor hem was, kuste hij me op mijn wang en liep weg.

Toen ik vijf minuten later de deur van Villa Vintage openduwde, legde Annie net de hoorn van de telefoon neer. 'Dat was mevrouw Bell,' zei ze. 'Je bent kennelijk de hoedendoos vergeten toen je daar vanmorgen wegging.'

'Ik ben de hoedendoos vergeten?' Dat had ik nog niet eens opgemerkt.

'Ze stelde voor dat je hem morgen rond vier uur zou komen ophalen en ze zei dat je alleen hoefde te bellen als dat niet zou lukken. Maar ik kan er ook even heen om het voor je te doen als je wilt...'

'Nee, nee, ik doe het zelf wel... bedankt. Morgen om vier uur is goed. Dat is prima.'

Annie keek me bevreemd aan. 'Hoe was het met mevrouw Bell?' vroeg ze terwijl ze een satijnen avondjurk opraapte die van het hangertje was gegleden.

'Ze is... een lieve, interessante vrouw.'

'Ik neem aan dat sommigen van die oudere mensen je wel het een en ander vertellen.'

'Dat klopt.'

'Ze hebben soms vast ongelofelijke verhalen te vertellen. Dat deel van het werk zou ik echt fascinerend vinden,' vervolgde Annie. 'Ik hoor graag ouderen over hun leven vertellen... ik vind dat we meer naar oude mensen zouden moeten luisteren.'

Ik stond Annie net over de Age Exchange te vertellen en ze zei dat ze daar nog nooit was geweest, toen de telefoon ging. Het was een producent van Radio London, die zei dat hij het interview in de *Black & Green* had gelezen en hij vroeg of ik de volgende maandag naar de studio wilde komen om over vintage kleding te vertellen. Ik zei dat ik dat met plezier zou doen.

Toen sms'te Miles me dat hij voor donderdag om acht uur een tafel had gereserveerd in de Oxo Tower. Daarna moest ik een aantal online-bestellingen afhandelen, waarvan er vijf voor Franse nachthemden waren. Toen ik zag hoe sterk mijn voorraad slonk, boekte ik een ticket voor de Eurostar naar Avignon voor het laatste weekend van september. De rest van de middag praatte ik met mensen die kleren te koop kwamen aanbieden.

'Ik ben er morgen pas rond lunchtijd,' zei ik tegen Annie toen ik de winkel voor die dag afsloot. 'Ik ga naar Val, mijn naaister.' Ik zei er niet bij dat ik ook naar een medium zou gaan. De gedachte joeg me plotseling angst aan en ik nam me voor 's middags terug te gaan naar mevrouw Bell.

DE VOLGENDE OCHTEND STUURDE IK DE BALENCIAGA-JAPON NAAR CINDI IN Beverly Hills, benieuwd voor welke van haar topactrices hij bestemd was. Daarna reed ik met vlinders in mijn buik naar Kidbrooke. In mijn handtas had ik drie foto's van Emma en mij. De eerste was genomen toen we tien waren... op het strand van Lyme Regis, waar pap ons mee naartoe had genomen voor een dagje fossielen-jagen. Op de foto had Emma een grote ammoniet vast die ze gevonden had en waarvan ik wist dat ze hem altijd bewaard had. Ik weet nog dat we allebei weigerden mijn vader te geloven toen hij zei dat de ammoniet ongeveer tweehonderd miljoen jaar oud was. De tweede foto was genomen tijdens Emma's afstudeerpresentatie aan de Koninklijke Kunstacademie, het Royal College of Art. De derde was een kiekje van ons samen tijdens wat haar laatste verjaardag zou worden. Op haar hoofd droeg ze een hoed die ze – ongebruikelijk – voor zichzelf had gemaakt: een groene strooien cloche waar een roze gesteven zijden roos uit 'groeide'.

'Deze vind ik mooi,' had ze met gespeelde verbazing gezegd toen ze zichzelf in de handspiegel had bekeken. 'Met deze hoed wil ik begraven worden!'

Ik bracht mijn hand omhoog naar Vals bel. Toen ze opendeed zei ze dat ze van streek was omdat ze net een potje peperkorrels had omgegooid.

'Wat vervelend,' zei ik en ik herinnerde me plotseling het etentje bij Emma. 'Ze rollen overal heen, vind je niet?'

'O, maar ik ben niet van streek omdat het vervelend is,' zei Val, 'ik ben van streek omdat het veel ongeluk brengt als je peperkorrels laat vallen.'

Ik staarde haar aan. 'Waarom?'

'Omdat het gewoonlijk het eind van een hechte vriendschap voorspelt.'

Ik voelde een rilling over mijn rug lopen.

'Dus ik zal een poosje op mijn tellen moeten passen met Mag, denk je niet?' voegde ze eraan toe. 'Nou...' Val knikte naar mijn koffer. 'Wat heb je voor me meegebracht?'

Enigszins geschokt door wat ze me zojuist had verteld, liet ik Val de zes jurken en drie pakjes van mevrouw Bell zien.

'Kleine reparaties dus maar,' merkte ze op terwijl ze de kledingstukken bekeek. 'O, die jurk van Ossie Clark is prachtig. Ik kan me helemaal voorstellen dat iemand daar in 1965 mee door King's Road wandelde.' Ze draaide hem binnenstebuiten. 'Gescheurde voering? Laat het maar aan mij over, Phoebe. Ik bel je wel wanneer ik ermee klaar ben.'

'Bedankt. Nou dan,' zei ik met gespeelde opgewektheid, 'dan ga ik maar naar hiernaast.'

Val schonk me een bemoedigende glimlach. 'Succes.'

Mijn hart ging tekeer als een trommel toen ik bij Maggie aanbelde.

'Kom binnen, schat,' riep Mag. 'Ik ben in de huiskamer.' Ik volgde het spoor van Magie Noire vermengd met verschaalde sigarettenrook door de gang en trof Mag achter een vierkant tafeltje aan. Ze gaf me met een knikje te kennen dat ik in de stoel tegenover haar kon gaan zitten. Ik keek om me heen terwijl ik plaatsnam. Er was niets wat erop duidde dat ze hier regelmatig dit soort dingen deed. Geen lampenkappen met franjes eraan, geen kristallen bol. Geen stok tarotkaarten die lag te wachten. Er stonden alleen een bank en twee stoelen, een reusachtige plasma-tv, een kast met houtsnijwerk en een plank naast de open haard waar een grote porseleinen pop met glanzende bruine lokken en een starende blik op zat.

'Als je een ouijabord verwachtte, moet ik je teleurstellen,' zei Mag botweg. Het leek wel of ze mijn gedachten had gelezen. Ik vond het bemoedigend. 'Ik doe niet aan die onzin van handjes vasthouden en wachten tot het licht uitgaat. Nee. Het enige wat ik doe is je in contact brengen met je dierbare. Zie me maar als zo'n telefoniste aan een ouderwets schakelbord die je doorschakelt.'

'Mag...' Ik was plotseling vervuld van bezorgdheid. 'Nu ik hier ben, voel ik me een beetje nerveus. Ik bedoel, denk je niet dat het een beetje lasterlijk is om, nou ja... de doden aan te roepen?'

'Nee, dat is het niet,' antwoordde Mag. 'Het punt is namelijk dat ze niet echt dood zijn, wel dan? Ze zijn alleen maar ergens anders heen gegaan, maar' – ze stak haar vinger op – 'je kunt nog wel contact met ze opnemen. Goed dan, Phoebe. Laten we beginnen.' Mag keek me verwachtingsvol aan. 'Laten we beginnen.' Ze knikte naar mijn hand-tas.

'O, sorry.' Ik pakte mijn portemonnee.

'Eerst de zakelijke kant afhandelen,' zei Mag. 'Mijn dank.' Ze nam de 50 pond van me aan en stak het geld in haar decolleté. De brief-jes zouden wel erg warm worden, dacht ik. Toen vroeg ik me af wat ze daar nog meer bewaarde. Een gaatjestang? Haar adresboekje? Een hondje?

Nu Maggie er klaar voor was, legde ze haar handen op de tafel met de palmen omlaag en haar vingers in het tafelblad gedrukt als om zich vast te houden voor de spiritistische reis. Haar vermiljoenkleurige nagels waren zo lang dat ze aan de uiteinden omkrulden, als kleine kromzwaarden. 'Dus... je hebt iemand verloren,' begon ze.

'Ja.' Ik had al besloten dat ik Mag de foto's niet zou laten zien en haar geen enkele aanwijzing over Emma zou geven.

'Je hebt iemand verloren,' zei ze weer. 'Iemand van wie je hield.'

'Ja.' Ik voelde de bekende brok in mijn keel.

'Heel veel.'

'Ja,' zei ik weer.

'Een dierbare. Iemand die heel veel voor je betekende.' Ik knikte en deed mijn best om niet te gaan huilen.

Mag sloot haar ogen en ademde toen met een ruisend geluid diep in door haar neus. 'En wat zou je tegen deze dierbare willen zeggen...?'

Ik was verrast, want ik had niet verwacht dat ik meteen al iets zou moeten zeggen. Ik kneep even mijn ogen dicht en bedacht dat ik Emma bovenal wilde vertellen dat het me speet; toen wilde ik haar zeggen hoezeer ik haar miste... dat ik door het verlies een constante pijn in mijn hart voelde. Ten slotte zou ik Emma willen vertellen dat ik boos op haar was omdat ze had gedaan wat ze had gedaan.

Ik keek Maggie aan en werd plotseling door angst overspoeld. 'Ik... ik kan niet zo snel iets bedenken.'

'Het is al goed, schat... maar...' Ze pauzeerde theatraal. 'Je dierbare wil wel iets tegen jou zeggen.'

'Wat dan?' vroeg ik zwakjes.

'Het is heel belangrijk.'

'Zeg dan wat het is...' Mijn hart ging hevig tekeer. 'Alsjeblieft.'

'Nou...'

'Vertel het dan.'

Ze ademde diep in. 'Hij zegt...'

Ik knipperde met mijn ogen. 'Het is geen "hij".'

Mag opende haar ogen en keek me stomverbaasd aan. 'Geen "hij"?'

'Nee.'

'Weet je het zeker?'

'Natuurlijk weet ik het zeker.'

'Dat is raar, want ik krijg de naam Robert door.' Ze keek me aan. 'Hij komt heel sterk door.'

'Maar ik ken helemaal niemand die Robert heet.'

'Rob dan, misschien?' Ik schudde mijn hoofd. Mag hield haar hoofd schuin. 'Bob?'

'Nee.'

'Zegt de naam David je dan iets?'

'Maggie... we hebben het over een vriendín, een vrouw!'

Ze kneep haar ogen tot spleetjes en keek me door haar valse wimpers aan. 'Natuurlijk,' zei ze op een heel redelijke toon. 'Dat dacht ik al...' Ze sloot haar ogen weer en ademde luidruchtig in. 'Oké. Nu heb ik haar. Ze komt door... ik verbind je zo meteen met haar door.' Ik verwachtte half en half een piepje dat aangaf dat er een gesprek voor me in de wacht stond. Of een blikkerige opname van de *Four Seasons*.

'Welke naam krijg je nu door?' vroeg ik.

Mag drukte haar wijsvingers tegen haar slapen. 'Daar kan ik nog geen antwoord op geven... maar ik kan je wel vertellen dat ik heel sterk een band doorkrijg met het buitenland.'

'Het buitenland?' zei ik blij. 'Dat klopt. En wat krijg je dan precies door?'

Maggie staarde me aan. 'Nou, dat je vriendin ervan hield om naar... het buitenland te gaan. Is dat niet zo, dan?'

'Ja-a.' Maar dat gold voor bijna iedereen. 'Maggie, kun je me, gewoon om er zeker van te zijn dat je de juiste persoon te pakken hebt, vertellen met welk land mijn vriendin een speciale band had... een land waar ze in feite nog is geweest drie weken voordat ze...'

'Overging? Dat kan ik je inderdaad vertellen.' Mag sloot haar ogen weer. Haar oogleden waren dik aangezet met felblauwe eyeliner die bij de hoeken omhoogliep. 'Ik krijg het nu luid en duidelijk door.' Ze sloeg haar handen voor haar oren en keek omhoog naar het plafond. 'Ik heb je gehoord, schat! Je hoeft niet zo hard te roepen!' Kalm richtte Maggie haar blik weer op mij. 'Het land waar je vriendin een bijzondere band mee had is... Zuid...' Ik hield mijn adem in. '...Amerika!'

Er ontsnapte me een kreun. 'Nee. Daar is ze zelfs nog nooit geweest. Al had ze er wel een keer heen gewild,' zei ik.

Mag keek me wezenloos aan. 'Nou... dan is dat de reden dat ik het doorkrijg. Omdat je vriendin erheen wilde en dat het er nooit van is gekomen. Dat zit haar nu dwars.' Mag krabde aan haar neus. 'Dus die vriendin van je, die...' Ze sloot haar ogen en ademde luidruchtig in. 'Nadine heette.' Ze opende een oog en keek naar mij. 'Lisa?'

'Emma,' zei ik vermoeid.

'Emma!' Mag tutte een paar keer. 'Natuurlijk... Emma was een heel verstandige, no-nonsense-vrouw, nietwaar?'

'Nee,' antwoordde ik. Dit was hopeloos. 'Zo was Emma helemaal niet. Ze was intens. Een beetje naïef, ietwat... neurotisch zelfs. Hoewel je heel veel lol met haar kon hebben, had ze vaak heel duistere buien. Ze was ook onvoorspelbaar en ze kon heel... roekeloos zijn.' Ik dacht verbitterd aan de laatste roekeloze daad van Emma. 'Maar kun je me iets meer over haar carrière vertellen? Gewoon om er zeker van te zijn dat je de juiste Emma te pakken hebt?'

Mag sloot haar ogen weer en sperde ze toen wijd open... 'Ik zie een hoed...'

Ik voelde een golf van euforie vermengd met afgrijzen.

'Het is een zwarte hoed,' ging Maggie door.

'Welke vorm heeft die?' vroeg ik, en mijn hart ging tekeer als een keteltrom.

Mag kneep haar ogen tot spleetjes. 'Hij is plat... en hij heeft vier hoeken en... een lange zwarte kwast.'

Ik begon de moed op te geven. 'Je beschrijft een baret.'

Mag glimlachte. 'Dat klopt... omdat Emma docente aan de universiteit was, nietwaar?'

'Nee!'

'Nou dan... droeg ze dan een baret toen ze afstudeerde? Misschien is dat wat ik zie.' Mag kneep haar ogen weer tot spleetjes, hief haar hoofd een beetje op alsof ze op iets probeerde scherp te stellen wat net achter de horizon verdween.

'Nee.' Ik zuchtte van ergernis. 'Emma zat op het Royal College of Art.'

'Ik dacht al dat ze artistiek was,' zei Mag opgewekt. 'Dat had ik dus goed gezien.' Ze schudde wat met haar schouders en sloot toen haar ogen alsof ze in gebed was. Ik hoorde ergens vandaan een beltoon. Welke was dat nou? O ja... 'Spirit in the Sky'. Ik realiseerde me dat het van Mags borstkas kwam.

'Neem me niet kwalijk,' zei ze terwijl ze eerst een pakje Silk Cut en toen haar mobiele telefoon tussen haar borsten vandaan haalde. 'Hallo,' zei ze. 'Ik begrijp het... je kunt niet... Dat is niet erg. Bedankt dat je het even laat weten.' Ze klapte de telefoon dicht en stopte hem weer tussen haar borsten, waarna ze hem bevallig met haar middelvinger verder omlaag duwde. 'Je hebt geluk,' zei ze tegen mij. 'Mijn klant van twaalf uur belt net af, dus we kunnen nog even doorgaan.'

Ik stond op. 'Bedankt, Mag, maar dat hoeft niet.'

Het is mijn eigen schuld; had ik maar niet aan zoiets mee moeten doen, bedacht ik terwijl ik terugreed naar Blackheath. Ik was kwaad op mezelf omdat ik er zelfs maar aan gedacht had. Wat als Mag nou wel contact had kunnen leggen met Emma? De schok had me wel een zenuwinzinking kunnen bezorgen. Ik was eigenlijk blij dat Mag een charlatan bleek te zijn. Mijn verontwaardiging werd minder en maakte plaats voor opluchting.

Ik parkeerde de auto op mijn gebruikelijke plaats voor het huis, ging naar binnen om de wasmachine leeg te halen en er een nieuwe lading was in te stoppen en liep toen naar de winkel. Onderweg realiseerde ik me dat ik honger had, dus ik stopte bij het Moon Daisy Café voor een snelle lunch. Toen ik buiten aan een tafeltje ging zitten, kwam Pippa, de eigenares van het Café, die me een poos geleden over Val had verteld, me een exemplaar van *The Times* brengen. Ik bladerde eerst naar het lokale nieuws, toen naar het buitenlandkatern en daarna las ik een stuk over de London Fashion Week, die net was begonnen. En toen ik omsloeg naar de economische pagina's staarde ik plotseling geschrokken naar een foto van Guy. GOOD GUY IS HOOGVLIEGER stond eronder. Mijn mond werd zo droog als een lap vilt toen ik het artikel eronder las. *Guy Harrap... 36... van Friends Provident... heeft Ethix opgericht... investeert in bedrijven die geen negatieve invloed op het milieu hebben... clean-tech... geen gebruikmaken van kinderarbeid... dierenwelzijn... bedrijven die zich erop toeleggen de gezondheid en veiligheid van de mens te bevorderen.*

Ik voelde me misselijk. Guy had Emma's gezondheid en veiligheid niet bepaald bevorderd, wel dan? *Je weet hoezeer Emma altijd overdrijft, Phoebe. Ze wil waarschijnlijk gewoon aandacht.* Hij was helemaal niet zo'n 'good Guy' als hij graag dacht.

Ik keek met een plotseling gebrek aan belangstelling naar de omelet die Pippa voor me had neergezet. Mijn mobiele telefoon ging. Het was mam.

'Hoe gaat het met je, Phoebe?'

'Prima,' loog ik. Met bevende hand vouwde ik de krant dicht, zodat ik niet naar Guy hoefde te kijken. 'En met jou?'

'Met mij ook,' antwoordde ze luchthartig. 'Het gaat uitstekend met me, uitstekend, het gaat... eigenlijk helemaal niet goed, lieverd.' Ik hoorde dat ze haar best deed om niet te gaan huilen.

'Wat is er gebeurd, mam?'

'Nou, ik ben vandaag op locatie, in Ladbroke Grove. Ik moest John een paar tekeningen brengen die hij nodig had en...'

Ik hoorde haar naar adem happen.

'Dat maakte me van streek, omdat ik weet dat je vader daar nu in de buurt woont met... haar... en... en...'

'Arme mam. Probeer er gewoon niet aan te denken. Kijk naar de toekomst.'

'Ja, je hebt gelijk, lieverd.' Ze snufte. 'Dat zal ik doen. En nu je het daarover hebt... weet je wat ik heb gevonden? Een fantastische nieuwe...' – ik hoopte dat ze 'man' zou zeggen – 'behandeling. Het heet Fractional Resurfacing of Fraxel. Ze doen het met zo'n laserdingetje... heel wetenschappelijk. Het keert het verouderingsproces zelfs om.'

'Echt waar?'

'Wat het doet is – ik heb het foldertje hier,' zei ze en ik hoorde het papier ritselen, 'het "elimineert de oude epidermale gepigmenteerde huidcellen. Het herstelt het gezicht van de patiënt stukje voor stukje, zoals ook een mooi schilderij stukje voor stukje wordt gerestaureerd." Het enige nadeel,' voegde mam eraan toe, 'is dat het tot "hevige schilfering" leidt.'

'Hou de stofzuiger dan maar bij de hand.'

'En er zijn minimaal zes behandelsessies voor nodig.'

'En dat kost...?'

Ik hoorde haar inademen. 'Drieduizend pond. Maar het verschil tussen de foto's "voor" en "na" is verbijsterend.'

'Dat komt omdat de vrouwen op de foto's van "na de behandeling" lachen en make-up dragen.'

'Wacht maar tot jij zestig bent,' zei mam afkeurend. 'Dan laat je dat allemaal doen, plus alles wat ze tegen die tijd nog meer hebben uitgevonden.'

'Ik laat niets doen,' protesteerde ik. 'Ik mijd het verleden niet, mam... ik koester het. Daarom doe ik wat ik doe.'

'Je hoeft niet zo braaf te doen, hoor,' zei ze lichtgeraakt. 'En vertel me nu eens wat jij allemaal hebt meegemaakt.'

Ik besloot haar niet te vertellen dat ik net naar een medium was geweest. Ik vertelde haar dat ik eind van de maand naar Frankrijk zou gaan en toen begon ik in een impuls over Miles. Het was niet mijn bedoeling geweest, maar ik dacht dat het haar misschien een beetje zou opvrolijken.

'Dat klinkt veelbelovend,' zei ze toen ik hem begon te beschrijven. 'Een dochter van zestien?' onderbrak ze me. 'Ach, je zou een geweldige stiefmoeder zijn en je kunt er nog best een paar van jezelf krijgen. Dus hij is gescheiden? ... Weduwnaar? O, perfect... En hoe oud is Miles? ... Aha, ik begrijp het. Aan de andere kant,' zei ze, en ze klonk al opgewekter toen ze de mogelijkheden van de situatie leek in te zien, 'betekent dat dat hij niet jong is en slecht bij kas zit. O, hemeltje... John staat naar me te zwaaien. Ik moet gaan, lieverd.'

'Kop op, mam. O... en laat je gezicht maar gewoon zoals het is.'

De twee uur na de lunch besteedde ik aan het opmaken van de balans, het bellen van handelaren, het bekijken van de websites van veilinghuizen en het noteren van aankomende veilingen waar ik heen wilde. Om tien voor vier trok ik mijn jasje aan en vertrok ik naar The Paragon.

Mevrouw Bell liet me van boven af binnen en ik liep de drie trappen op. Mijn voetstappen klonken luid op de stenen treden.

'Hallo, Phoebe. Ik ben blij je weer te zien. Kom binnen.'

'Het spijt me dat ik de hoeden vergeten was, mevrouw Bell.' Op het tafeltje in de gang lag een foldertje van gespecialiseerde kankerverpleegkundigen.

'Dat maakt helemaal niet uit. Ik zal even thee zetten... ga lekker zitten.'

Ik liep de woonkamer in en ging bij het raam over de tuin uit staan kijken. Die was verlaten, afgezien van een paar jongetjes in grijze korte broeken en shirts, die op zoek naar wilde kastanjes door de bladeren liepen te schoppen.

Mevrouw Bell kwam binnen met het dienblad, maar toen ik deze keer aanbood het van haar over te nemen, liet ze dat toe. 'Mijn armen zijn niet meer zo sterk als ze zijn geweest. Mijn lichaam loopt over naar de vijand. Ik zal me de eerste maand nog redelijk goed voelen, kennelijk, en daarna... minder goed.'

'Dat vind ik heel erg,' zei ik machteloos.

'Het zij zo.' Ze haalde haar schouders op. 'Er is niets aan te doen... behalve genieten van elk moment van de korte tijd die me gegeven is, zolang ik dat nog kan.' Ze tilde de theepot op, maar moest hem met beide handen vasthouden.

'En hoe was de verpleegkundige?'

Mevrouw Bell zuchtte. 'Zo plezierig en goed georganiseerd als je kunt verwachten. Ze zei dat ik misschien wel hier kan blijven totdat...' Haar stem haperde. 'Ik wil ziekenhuisopname vermijden.'

'Natuurlijk.'

We dronken zwijgend onze thee. Het was nu wel duidelijk dat mevrouw Bell haar verhaal niet zou hervatten. Om de een of andere reden had ze besloten dat niet te doen. Misschien had ze er spijt van dat ze me al zoveel had verteld. Ze zette haar kopje neer en veegde een paar verdwaalde haren weg. 'De hoedendoos staat nog in de slaapkamer, Phoebe. Ga hem maar halen.' Ik ging naar de slaapkamer en toen ik de doos oppakte, hoorde ik haar roepen: 'En wil je zo vriendelijk zijn de blauwe jas ook mee te brengen?'

Mijn polsslag was versneld toen ik naar de kleerkast liep, de jas uit de beschermhoes haalde, hem mee naar de woonkamer nam en aan mevrouw Bell gaf.

Ze legde hem op haar knieën en streek over de revers. 'Zo,' zei ze zacht toen ik weer ging zitten, 'waar was ik gebleven?'

'Nou...' Ik zette de hoedendoos bij mijn voeten neer. 'U... vertelde me dat u uw vriendin Monique had gevonden in de oude stal en dat ze daar al tien dagen was.' Mevrouw Bell knikte langzaam. 'U had haar wat te eten gebracht...'

'Ja,' zei ze zacht. 'Ik had haar inderdaad eten gebracht, nietwaar? En toen beloofde ik haar deze jas te brengen.'

'Dat klopt.' Het was alsof mevrouw Bell mij bij haar verhaal betrok.

Ze keek weer naar buiten terwijl haar herinneringen terugkeerden. 'Ik weet nog hoe blij ik was bij de gedachte dat ik Monique zou helpen. Maar ik heb haar niet geholpen,' zei ze stilletjes. 'Ik heb haar verraden...' Ze klemde haar lippen op elkaar en toen hoorde ik haar inademen. 'Ik zou laat in de middag teruggaan naar Monique en ik dacht steeds maar aan alles wat ik voor mijn vriendin wilde doen...' Mevrouw Bell zweeg even.

'Na de lunch ging ik naar de *boulangerie* om mijn rantsoen brood te halen. Ik moest er een uur voor in de rij staan en de andere klanten mopperden over deze of gene die ervan werd verdacht goederen op de *marché noir* te kopen. Eindelijk kreeg ik de halve baguette waar ik recht op had en toen ik over het plein terugliep, zag ik Jean-Luc in zijn eentje voor de Bar Mistral zitten. Tot mijn verbazing keek hij niet zoals gewoonlijk langs me heen, maar keek hij me aan. En tot mijn nog grotere verbazing wenkte hij me om bij hem te komen zitten. Ik was zo blij dat ik nauwelijks kon spreken. Hij bestelde een glas appelsap voor me, waarvan ik nipte terwijl hij zijn bier dronk. Ik verkeerde in een roes van vreugde en opgetogenheid omdat ik plotseling samen met de vreselijk aantrekkelijke jongen op wie ik al zo lang een oogje had in de aprilzon op een terras zat.

'Op de radio hoorde ik Frank Sinatra, die "Night and Day" zong, wat destijds een populair nummer was. Opeens dacht ik aan Monique, die dag en nacht in die stal zat en ik realiseerde me dat ik moest gaan... meteen. Maar toen bracht de ober nog een biertje voor Jean-Luc en Jean-Luc vroeg me of ik wel eens bier had geproefd en ik zei: "Nee, natuurlijk niet. Ik ben pas veertien." Hij lachte en zei dat het hoog tijd werd dat ik het probeerde. Hij liet me van zijn Kronenbourg proeven en dat vond ik vreselijk romantisch, niet in het minst omdat bier strikt gerantsoeneerd was. Dus nam ik een slokje, en nog een, en nog een – ook al vond ik het helemaal niet lekker, maar ik wilde dat Jean-Luc dacht van wel. Het daglicht vervaagde al. Ik wist dat ik moest gaan... *meteen*. Maar mijn hoofd tolde inmiddels en het werd al donker en ik besefte tot mijn schaamte dat ik onmogelijk die dag nog naar de stal zou kunnen. Dus besloot ik bij het eerste ochtendlicht te gaan en ik troostte mezelf met de gedachte dat dat maar een paar uur uitstel zou betekenen.'

Mevrouw Bell streelde nog steeds de jas, alsof ze die wilde troosten. 'Jean-Luc zei dat hij me naar huis zou brengen. Het leek zo romantisch om in de schemering met hem over het plein en langs de kerk te lopen terwijl de eerste sterren aan de hemel verschenen. Ik realiseerde me dat het een heldere... en koude nacht zou worden.' De dunne vingers van mevrouw Bell zochten afwezig de knopen van de jas op. 'Ik voelde me vreselijk schuldig jegens Monique en ik voelde me licht en vreemd in mijn hoofd. Toen bedacht ik plotseling dat Jean-Luc haar misschien zou kunnen helpen. Zijn vader was immers gendarme en de autoriteiten hadden vast en zeker een fout gemaakt. En dus... net voordat we bij mijn huis waren...' Mevrouw Bell kneep zo hard in de jas dat haar knokkels wit werden. 'Ik vertelde Jean-Luc over Monique... Ik vertelde hem dat ik haar in de oude stal had gevonden en dat ik dat alleen maar tegen hem zei voor het geval hij haar misschien kon helpen. Jean-Luc keek erg bezorgd, zozeer zelfs dat ik me herinner dat ik even een steek van jaloezie voelde, en toen herinnerde ik me weer dat gebaar waarmee hij Moniques das had strakgetrokken. Hoe dan ook,' zei mevrouw Bell en ze slikte, 'hij vroeg me waar de stal was, dus beschreef ik hem de locatie ervan.' Ze schudde haar hoofd. 'Heel even sprak Jean-Luc niet, toen zei hij dat hij had gehoord dat ook andere kinderen zich op zulke plaatsen verstopt hadden, en dat ze zelfs bij mensen thuis verborgen werden. Hij zei nog dat het voor alle betrokkenen een moeilijke situatie was. Toen waren we bij mijn huis en namen we afscheid.

'Mijn ouders zaten naar een muziekprogramma op de radio te luisteren, dus hoorden ze me niet binnenkomen en naar mijn kamer sluipen. Ik dronk heel veel water, omdat ik erge dorst had en toen kroop ik in bed. Op mijn stoel, zichtbaar in het licht van de maan, hing de blauwe jas...' Mevrouw Bell tilde de jas op en drukte hem tegen zich aan. 'De volgende morgen werd ik wakker... niet bij het eerste daglicht zoals ik van plan was geweest, maar twee uur later. Ik voelde me vreselijk omdat ik me niet aan mijn belofte tegenover Monique had gehouden. Maar ik troostte me met de gedachte dat ik snel bij de stal zou zijn en dat ik haar mijn prachtige jas zou geven... wat volstond als offer, zo hield ik mezelf voor. Monique zou 's nachts kunnen slapen en alles zou in orde komen... en misschien zou Jean-Luc haar echt kunnen helpen.' Daarbij glimlachte mevrouw Bell gedeprimeerd.

'Omdat ik me zo schuldig voelde over de vorige avond pakte ik zoveel eten in mijn mandje als maar mogelijk was zonder dat mijn moeder het zou missen, en ik vertrok naar de stal. Daar aangekomen ging ik naar binnen. Ik riep zachtjes haar naam terwijl ik mijn jas uittrok. Ik kreeg geen antwoord. Toen zag ik haar deken op een hoopje liggen. Ik riep nog een keer, maar er kwam weer geen antwoord – niets dan het geluid van de zwaluwen die onder de dakbalken heen en weer vlogen. Ik had inmiddels het gevoel of er een steen op mijn maag lag, maar dan veel erger... alsof hij op mijn hele lichaam lag. Ik liep naar de achterkant van de stal, om de hooibalen heen, en op de plek waar Monique had liggen slapen zag ik haar glazen kralen over het stro verspreid liggen.'

Mevrouw Bell greep een van de mouwen vast. 'Ik kon me niet voorstellen waar Monique heen gegaan kon zijn. Ik liep naar buiten, naar het stroompje, maar daar was ze niet. Ik bleef hopen dat ze plotseling weer zou opduiken, zodat ik haar de jas kon geven... want ze had hem nodig.' Onwillekeurig hield mevrouw Bell mij de jas voor en toen ze zich dat realiseerde, liet ze hem weer op haar schoot vallen. 'Ik wachtte ongeveer twee uur op haar en toen vermoedde ik dat het bijna lunchtijd moest zijn en dat mijn ouders zich zouden afvragen waar ik bleef, dus ging ik naar huis. Thuis zagen ze dat ik van streek was en ze vroegen me waarom. Ik loog en zei dat het kwam doordat ik een jongen leuk vond – Jean-Luc Aumage – maar dat ik dacht dat hij mij niet leuk vond. "Jean-Luc Aumage!" riep mijn vader uit. "De zoon van René Aumage? Dat is een rotte appel van een waardeloze boom. Verspil je tijd niet aan hem, meisje... er komen wel betere mannen voor je dan hij!"

'Tja...' De ogen van mevrouw Bell glommen van verontwaardiging. 'Ik kon mijn vader wel slaan om zijn hatelijke opmerkingen. Hij wist niet wat ik wist... dat Jean-Luc had beloofd Monique te helpen. Toen vroeg ik me af of hij dat misschien al had gedaan. Misschien was ze dáárom niet meer in de stal, omdat Jean-Luc haar had meegenomen om haar ouders en broertjes te gaan zoeken. Ik had er alle vertrouwen in dat hij zou doen wat hij kon. Dus rende ik met hoop in mijn hart naar zijn huis; maar Jean-Lucs moeder zei dat hij naar Marseille was gegaan en pas de middag van de volgende dag terug zou zijn.

'Die avond ging ik weer naar de stal, maar Monique was er nog steeds niet. Hoewel het koud begon te worden kon ik mezelf er niet toe zetten de jas aan te trekken, omdat ik hem inmiddels als haar jas beschouwde. Toen ik thuiskwam ging ik meteen naar mijn kamer. Onder mijn bed was een losse vloerplank waaronder ik een paar van mijn geheime spulletjes had verborgen. Ik besloot de jas daar te bewaren tot ik hem aan Monique kon geven. Maar eerst moest ik hem in een krant wikkelen om hem te beschermen. Dus zocht ik het exemplaar van de *Gazette Provençal* dat mijn vader had zitten lezen, maar toen ik de pagina's uit elkaar haalde, viel mijn oog op een artikel. Het ging over de "succesvolle arrestatie" van "vreemdelingen" en andere "statelozen" in Avignon, Carpentras, Orange en Nîmes op 19 en 20 april. Het "succes" van deze klopjacht, stond in het artikel, was direct te danken aan het beleid van het stempelen van de rantsoenkaarten van de Joden met hun etnische identiteit.' Mevrouw Bell keek me aan.

'Toen besefte ik wat er met de familie van Monique was gebeurd. Het artikel vertelde over treinen die naar het noorden reden, "afgeladen" met "buitenlandse Joden" en "andere vreemdelingen". Nadat ik de jas had verborgen ging ik naar beneden. Mijn hoofd tolde.

'De volgende middag rende ik naar het huis van Jean-Luc en klopte aan. Tot mijn blijdschap deed hij open en met bonkend hart vroeg ik hem fluisterend of hij nog in staat was geweest Monique te helpen. Hij lachte en zei dat hij haar "inderdaad had geholpen". Ik voelde me misselijk worden toen ik hem vroeg wat hij bedoelde. Hij antwoordde niet, daarom zei ik tegen hem dat er iemand voor Monique moest zorgen. Jean-Luc antwoordde dat er beslist voor haar gezorgd zou worden – net als voor de "anderen van haar soort". Ik eiste dat hij me zou zeggen waar ze was en hij vertelde me dat hij zijn vader had geholpen haar naar de St Pierre-gevangenis in Marseille te brengen, vanwaar ze zo snel mogelijk op transport naar Drancy zou worden gesteld. Ik wist dat Drancy een interneringskamp aan de rand van Parijs was. Wat ik niet wist,' zei mevrouw Bell, 'was dat Drancy de plek was vanwaar Joodse mensen verder werden doorgestuurd naar het oosten – naar Auschwitz, Buchenwald en Dachau.' Haar ogen glommen. 'Toen Jean-Luc de deur dichtdeed, drong pas echt tot me door wat het allemaal betekende.

'Ik zakte tegen een muur in elkaar en fluisterde voor me heen: "Wat heb ik gedaan?" Ik had geprobeerd een vriendin te helpen, maar in plaats daarvan hadden mijn naïviteit en grote stommiteit ertoe geleid dat ze was ontdekt en op transport was gesteld naar...' Mevrouw Bells mond beefde en ik zag twee tranen op de jas vallen, die de stof donkerder maakten. 'Ik hoorde de fluit van een trein in de verte, en ik dacht dat Monique misschien in die trein zou zitten, en ik wilde naar het spoor rennen om de trein tegen te houden...' Ze pakte het zakdoekje aan dat ik haar gaf en drukte het tegen haar ogen. 'Toen we na de oorlog allemaal te weten kwamen wat het werkelijke lot van de Joden was geweest, was ik...' zei mevrouw Bell met haperende stem '...radeloos. Elke dag weer, zonder mankeren, stelde ik me de beproeving voor die mijn vriendin Monique Richelieu – geboren Monika Richter – moest hebben doorgemaakt. Ik werd gekweld door het idee dat ze vast en zeker overleden was, op god weet wat voor helse plek en in welk afgrijzen... door mijn schuld.' Mevrouw Bell sloeg weer tegen haar borstbeen. 'Ik heb het mezelf nooit vergeven en dat zal ik ook nooit doen.'

Mijn keel deed pijn... zowel door mijn eigen verdriet als dat van mevrouw Bell.

'Wat de jas betreft...' Ze kneep in het zakdoekje. 'Ik hield hem verborgen onder de vloerplanken, ondanks mijn moeders boze protesten dat ik hem moest zoeken. Maar het kon me niet schelen... hij was van Monique. Ik verlangde ernaar haar erin te kunnen helpen en de knopen voor haar dicht te doen.' Ze speelde met een van de knopen. 'Ik verlangde er ook naar Monique dit te kunnen geven...' Ze stak haar hand in een van de jaszakken en haalde er een halsketting uit. Het roze en bronskleurige glas blonk in de zon. Mevrouw Bell liet de kralen door haar vingers glijden en drukte toen de ketting tegen haar wang. 'Het was mijn fantasie dat ik Monique op een dag deze jas en de ketting zou geven, en weet je wat...?' Ze keek me aan en glimlachte zwakjes. 'Dat is het nog steeds. Jij vindt dit waarschijnlijk erg vreemd, Phoebe.'

Ik schudde mijn hoofd. 'Nee.'

'Ik hield de jas verborgen tot 1948, toen ik, zoals ik je vertelde, Avignon verruilde voor een nieuw leven in Londen... een leven ver weg van het strijdperk waar dit alles zich had afgespeeld; een leven waarin ik Jean-Luc Aumage of zijn vader niet op straat tegen kon komen, of langs het huis zou lopen waar Monique en haar familie hadden gewoond. Ik kon het niet verdragen dat huis weer te zien, wetende dat ze er nooit teruggekeerd waren. En ik heb het ook nooit meer gezien.' Mevrouw Bell slaakte een diepe zucht. 'Maar zelfs toen ik naar Londen verhuisde nam ik de jas mee, en hoopte ik nog steeds dat ik op een dag de kans zou krijgen mijn belofte aan mijn vriendin na te komen. Wat natuurlijk idioot was, want tegen die tijd had ik vernomen dat Monique voor het laatst was gezien op 5 augustus 1943, toen ze in Auschwitz arriveerde.' Mevrouw Bell knipperde met haar ogen. 'Maar toch heb ik de jas bewaard, al die jaren. Het is mijn... mijn...' Ze keek me aan. 'Welk woord zoek ik toch?'

'Het woord "boetedoening",' antwoordde ik zacht.

'Boetedoening.' Mevrouw Bell knikte. 'Natuurlijk.' Toen liet ze de halsketting weer in de zak glijden waar ze hem uit had gehaald. 'En dat,' besloot ze, 'is het verhaal van deze kleine blauwe jas.' Ze stond op. 'Ik ga hem nu terughangen. Bedankt voor het luisteren, Phoebe. Je hebt geen idee wat je zojuist voor me hebt gedaan. Al die jaren heb ik verlangd naar één persoon die mijn verhaal zou aanhoren, die me misschien wel zou veroordelen, maar het in elk geval zou... begrijpen.' Ze keek me aan. 'En begrijp je het, Phoebe? Begrijp jij waarom ik heb gedaan wat ik heb gedaan? Waarom ik nog steeds voel wat ik voel?'

'Ja, mevrouw Bell,' zei ik zacht. 'Ik begrijp het beter dan u denkt.'

Mevrouw Bell liep de slaapkamer in en ik hoorde de deur van de kleerkast dichtgaan, toen kwam ze terug en ging ze zitten, alle emotie was van haar gezicht verdwenen.

'Maar...' Ik verschoof op mijn stoel. 'Waarom hebt u het uw man niet verteld? Uit alles wat u over hem hebt gezegd, begrijp ik dat u veel van hem hield.'

Mevrouw Bell knikte. 'Ja, heel veel. Maar dat was juist de reden dat ik het hem niet durfde te vertellen. Ik was doodsbang dat hij anders tegen me aan zou kijken of me misschien zelfs zou veroordelen als hij wist wat ik had gedaan.'

'Waarvoor? Omdat u een jong meisje was dat probeerde het juiste te doen, maar uiteindelijk ongewild...'

'Het verkeerde deed,' maakte mevrouw Bell mijn zin af. 'Het ergste wat ik had kúnnen doen. Natuurlijk was het geen opzettelijk verraad,' vervolgde ze. 'Zoals Monique had gezegd, begreep ik niet hoe het zat. Ik was nog erg jong en ik heb vaak geprobeerd mezelf te troosten met de gedachte dat Monique misschien toch wel ontdekt zou zijn, wie weet...'

'Ja,' zei ik snel. 'Dat is goed mogelijk. Ze zou misschien toch wel gestorven zijn, en daar had u dan niets mee te maken, mevrouw Bell... helemaal niets, absoluut niets.'

Mevrouw Bell keek me bevreemd aan.

'U maakte alleen een beoordelingsfout, dat is alles,' voegde ik er zacht aan toe.

'Maar dat maakt het nog niet gemakkelijker om ermee te leven, want het was wel een beoordelingsfout die tot de dood van mijn vriendin leidde.' Ze ademde in en blies toen langzaam uit. 'En dat is heel moeilijk te aanvaarden.'

Ik pakte de hoedendoos op en zette hem op mijn schoot. 'Dat begrijp ik echt... maar al te goed zelfs. Het is alsof je rondstrompelt met een reusachtige kei in je armen. Alleen jij kunt die dragen en je kunt hem nergens neerleggen...' We werden plotseling omringd door stilte. Ik hoorde alleen de haard zachtjes branden.

'Phoebe,' zei mevrouw Bell zacht. 'Wat is er nou echt gebeurd met je vriendin? Met Emma?' Ik staarde naar de boeketjes bloemen op de hoedendoos; het was een semiabstract ontwerp, maar ik herkende er wel tulpen en hyacinten in.

'Je zei dat ze ziek was...'

Ik knikte, me bewust van het zachte tikken van de tafelklok. 'Het begon bijna een jaar geleden, begin oktober.'

'Emma's ziekte?'

Ik schudde mijn hoofd. 'De gebeurtenissen die daartoe leidden... die er in zekere zin de oorzaak van waren.' Ik vertelde mevrouw Bell over Guy.

'Dat moet Emma gekwetst hebben.'

Ik knikte. 'Ik had niet in de gaten hoezeer. Ze bleef volhouden dat het in orde was, maar zij bleek niet in orde te zijn... ze leed.'

'En jij hebt het idee dat jou dat aan te rekenen valt?'

Mijn mond was droog geworden. 'Ja. Emma en ik waren bijna vijfentwintig jaar hechte vriendinnen geweest. Maar nadat ik met Guy begon uit te gaan kwam er een eind aan haar dagelijkse telefoontjes: wanneer ik haar probeerde te bellen, nam ze niet op, belde ze me niet terug of was ze afstandelijk. Ze trok zich gewoon uit mijn leven terug.'

'Je relatie met Guy hield stand?'

'Ja, ziet u, we konden er niets aan doen... we waren verliefd geworden. Guy vond dat we niets verkeerd hadden gedaan. Het was niet onze schuld, zei hij, dat Emma meer in zijn vriendschap met haar had gezien. Hij zei dat ze uiteindelijk wel zou bijdraaien, en als ze een echte vriendin was, zou ze de situatie hebben geaccepteerd en zou ze proberen blij voor me te zijn.'

Mevrouw Bell knikte. 'Vind je dat daar enige waarheid in zit?'

'Ja... natuurlijk. Maar dat is gemakkelijker gezegd dan gedaan als jouw gevoelens gekwetst zijn. En ik wist door wat Emma daarna deed hoe erg de hare gekwetst waren.'

'Wat deed ze dan?'

'Na Kerstmis gingen Guy en ik skiën. Met oudjaar gingen we uit eten en we begonnen met een glas champagne. Toen Guy me mijn glas aanreikte, zag ik dat er iets in zat.'

'Aha,' zei mevrouw Bell. 'Een ring.'

Ik knikte. 'Een prachtige ring met één diamant. Ik was verrukt, en verbijsterd tegelijk, want we kenden elkaar pas drie maanden. Maar al terwijl ik de ring accepteerde en we elkaar kusten, maakte ik me zorgen hoe Emma het zou opnemen. Ik kwam daar al snel achter, want de volgende morgen belde ze tot mijn verbazing om me gelukkig nieuwjaar te wensen. We praatten een poosje en ze vroeg waar ik was. Dus vertelde ik haar dat ik in Val d'Isère zat. Ze vroeg of ik daar samen met Guy was en ik zei ja. Toen flapte ik eruit dat we ons net hadden verloofd, en er volgde een... verbijsterd stilzwijgen.'

'*La pauvre fille*,' mompelde mevrouw Bell.

'Toen zei Emma met een ijl, bevend stemmetje dat ze hoopte dat we heel gelukkig zouden worden. Ik zei tegen haar dat ik haar dolgraag wilde zien en dat ik haar zou bellen wanneer ik terug was.'

'Dus je probeerde je relatie met haar in stand te houden?'

'Ja... ik dacht dat ze wel anders over Guy zou gaan denken als ze er maar aan gewend zou raken mij met hem samen te zien. Ik dacht ook dat ze snel genoeg weer verliefd zou worden op iemand anders en dat onze vriendschap weer zoals voorheen zou worden.'

'Maar dat gebeurde niet.'

'Nee.' Ik liet het koord van de hoedendoos door mijn vingers glijden. 'Ze had duidelijk heel diepe gevoelens voor Guy en ze had zichzelf ervan overtuigd dat zijn vriendschap voor haar wel zou uitgroeien tot iets meer, als hij... als hij...'

'Maar niet verliefd was geworden op jou.'

Ik knikte. 'Maar goed, toen ik op 6 januari terugkwam in Londen, belde ik Emma, maar ze nam niet op. Ik belde haar mobiel, maar ook die nam ze niet op. Ik stuurde haar sms'jes en e-mails, maar ze reageerde niet. Haar assistente Sian was weg, dus ik kon ook haar niet vragen waar Emma was. Daarom belde ik haar moeder, Daphne. Ze vertelde me dat Emma drie dagen tevoren plotseling had besloten naar Zuid-Afrika te gaan om wat oude vriendinnen te bezoeken, en dat in Transvaal, waar ze was, de telefoonontvangst erg slecht was. Toen vroeg Daphne me of ik dacht dat het goed ging met Emma, omdat ze de laatste tijd van streek leek, maar niet wilde zeggen waarom. Ik deed alsof ik niet wist wat het probleem was. Daphne zei dat Emma soms humeurig kon zijn en dat je dan het beste gewoon kon wachten tot het over was. Ik stemde met haar in, maar voelde me daar vreselijk hypocriet over.'

'Hoorde je nog iets van Emma terwijl ze in Zuid-Afrika was?'

'Nee, maar de derde week van januari wist ik dat ze terug was, omdat ik een geschreven antwoord kreeg op de uitnodiging voor het verlovingsfeest dat Guy en ik de zaterdag erna zouden geven. Ze schreef dat ze helaas niet kon komen.'

'Dat moet je pijn gedaan hebben.'

'Ja,' mompelde ik. 'Ik kan u niet zeggen hoeveel. En toen kwam Valentijnsdag...' Ik aarzelde. 'Guy had een tafel gereserveerd in het Bluebird Café in Chelsea, niet ver van zijn appartement vandaan. En we stonden op het punt om te gaan, toen Emma me tot mijn verbazing belde... dat was de eerste keer sinds nieuwjaarsdag. Ik vond haar stem wat vreemd klinken – alsof ze kortademig was – dus ik vroeg haar of het wel goed met haar ging. Ze zei dat ze zich afschuwelijk voelde. Ze klonk zwak en beverig, alsof ze griep had. Ik vroeg haar of ze iets had ingenomen en ze zei dat ze paracetamol had geslikt. Ze voegde eraan toe dat ze zich zo "beroerd" voelde dat ze "wou dat ze dood was". Toen gingen bij mij de alarmbellen af, dus ik zei dat ik langs wilde komen. En ik hoorde Emma fluisteren: "Echt waar, Phoebe? Kom je naar me toe, Phoebe? Kom alsjeblieft." Dus ik zei dat ik er binnen een halfuur zou zijn.

'Ik klapte mijn telefoon dicht en zag meteen dat Guy kwaad was. Hij zei dat hij had gereserveerd voor een leuk Valentijnsdiner en dat hij daarvan wilde genieten... bovendien geloofde hij niet dat Emma er zo slecht aan toe was. "Je weet hoezeer ze altijd overdrijft," zei hij.

"Ze wil waarschijnlijk gewoon aandacht." Ik zei dat Emma echt ziek klonk en merkte op dat heel veel mensen griep hadden. Guy zei dat het, Emma kennende, waarschijnlijk gewoon een flinke verkoudheid was. Hij vond dat ik te heftig reageerde vanuit een misplaatst schuldgevoel, terwijl Emma degene was die zich schuldig zou moeten voelen. Ze had drie maanden lopen mokken en ze was zelfs niet naar mijn verlovingsfeest gekomen. En nu wilde ik me naar haar toe haasten zodra zij zich verwaardigde me weer eens te bellen. Ik vertelde Guy dat Emma een kwetsbaar persoon was die met zorg aangepakt moest worden. Hij zei dat hij genoeg had van de "gekke hoedenmaakster", zoals hij haar was gaan noemen. We zouden uit eten gaan. En hij trok zijn jas aan.

'Mijn instinct zei me dat ik naar Emma moest gaan, maar ik kon de gedachte aan ruzie met Guy niet verdragen. Ik herinner me dat ik bleef staan, dat ik mijn verlovingsring ronddraaide en zei: "Ik weet gewoon niet wat ik moet doen..." Toen, als compromis, stelde Guy voor... dat we zouden gaan eten en dat ik Emma zou bellen wanneer we terug waren. Omdat we niet van plan waren erg lang weg te blijven, stemde ik daarmee in. Dus gingen we naar de Bluebird. Ik weet nog dat we over onze trouwdag praatten, die deze maand plaatsgevonden zou hebben. Het is raar om daar nu aan te denken,' voegde ik eraan toe.

'Voel je je triest bij die gedachte?'

Ik keek mevrouw Bell aan. 'Het is vreemd, maar ik voel... bijna niets. Hoe dan ook... toen we om halfelf terugkwamen in Guys appartement belde ik Emma terug. Ze begon te huilen toen ze mijn stem hoorde. Ze zei dat ze er spijt van had dat ze zo vervelend had gedaan over Guy en mij. Ze zei dat ze een slechte vriendin was geweest. Ik zei dat het er niet toe deed en dat ze zich nergens druk over moest maken, omdat ik voor haar zou zorgen.' Ik voelde tranen op mijn wimpers. 'Toen hoorde ik haar mompelen: "Vanavond, Phoebe?" En ik zei: "Vanavond." Maar toen keek ik Guy aan en die maakte gebaren van drinken en autorijden en ik realiseerde me dat ik waarschijnlijk te veel op had, dus vertelde ik haar...' Ik probeerde te slikken, maar het leek of er een prop watten in mijn keel zat. 'Ik vertelde haar... dat ik de volgende ochtend zou komen.' Ik zweeg even. 'Emma reageerde niet meteen, maar toen hoorde ik haar fluisteren: "...nu slapen." Dus ik zei: "Dat is goed, ga maar slapen... ik kom morgenochtend meteen naar je toe. Slaap lekker, Em".' Ik keek naar de hoedendoos en zag de tulpen en hyacinten door een waas.

'Ik werd om zes uur wakker met een akelig voorgevoel. Ik dacht erover Emma te bellen, maar ik wilde haar niet wakker maken. Dus reed ik naar Marylebone en parkeerde dicht bij het huis dat ze huurde in Nottingham Street. Ik wist waar haar reservesleutel lag, die haalde ik discreet tevoorschijn en ik liet mezelf binnen. Het huis zag er bijna verwaarloosd uit. Er lagen stapels post op de mat. Er stonden diverse vuile borden in de spoelbak in de keuken.

'Het was voor het eerst dat ik bij Emma was sinds dat noodlottige etentje. Ik herinnerde me de ergernis die ik aanvankelijk had gevoeld toen Emma me aan Guy voorstelde, en mijn euforie toen hij me daarna belde. Onze vriendschap was zwaar op de proef gesteld, bedacht ik, maar nu zou alles weer in orde komen. Toen liep ik de woonkamer in. Daar was het ook een rommeltje, met handdoeken op de bank, de prullenbak vol gebruikte tissues en lege waterflesjes. Emma was er kennelijk slecht aan toe. Vervolgens liep ik de smalle trap op, langs foto's van modellen die haar prachtige hoeden droegen, en ik bleef voor haar slaapkamerdeur staan. Het was stil aan de andere kant en ik herinner me dat ik opgelucht was, omdat het betekende dat Emma diep in slaap was en dat dat alleen maar goed voor haar was.

'Ik duwde de deur open en sloop naar binnen. Toen ik dichter naar het bed liep, besefte ik dat Emma zo diep in slaap was dat ik haar niet kon horen ademhalen. Toen herinnerde ik me dat ze altijd heel goed haar adem had kunnen inhouden, en dat ze heel ver onder water kon zwemmen. Toen we klein waren liet ze me soms schrikken door op de grond te vallen en eindeloos haar adem in te houden. Maar toen vroeg ik me af waarom Emma dat nu zou doen, nu we allebei drieëndertig waren. Terwijl ik daar stond, hoorde ik in gedachten plotseling het pianostuk dat ze speelde toen we op school zaten – *Träumerei*. Ze droomt, dacht ik bij mezelf.

'"Emma," zei ik zachtjes. "Ik ben het."

'Ze verroerde zich niet. "Emma," fluisterde ik, "word wakker."

Geen beweging. "Word wakker, Emma," zei ik toen. Mijn hart bonkte. "Alsjeblieft, ik wil zien hoe het met je gaat. Toe nou, Em." Ze reageerde niet. "Emma, word nou alsjeblieft wakker," zei ik, en ik begon in paniek te raken. Ik klapte twee keer in mijn handen, dicht bij haar hoofd. En toen dacht ik er weer aan dat ze een keer, toen we verstoppertje aan het spelen waren, zo overtuigend had gespeeld dat ze dood was, dat ik er zeker van was dat ze echt dood was en ik vreselijk van streek raakte; maar toen sprong ze plotseling bulderend van het lachen overeind. Ik was zo geschrokken en boos dat ik begon te huilen.

'Ik verwachtte half en half dat Emma nu ook lachend overeind zou komen en zou zeggen: "Ik had je te pakken, Phoebe! Je dacht dat ik dood was, nietwaar!" tot ik me herinnerde dat ze had gezworen dat nooit meer te doen. Ze bewoog nog steeds niet. "Doe me dit niet aan, Em," kreunde ik. "Alsjeblieft!" Ik stak mijn hand uit en raakte haar aan...'

Ik staarde naar de hoedendoos en zag nu ook lupines... of was het vingerhoedskruid? 'Ik trok het dekbed weg. Emma lag op haar zij, in een spijkerbroek en een T-shirt, haar ogen halfopen, in het niets starend. Haar huid was grauw. Ze had haar vingers om de telefoon gekruld.

'Ik herinner me dat ik een kreet slaakte en toen mijn mobiele telefoon tevoorschijn haalde. Mijn hand beefde zo dat ik telkens mis drukte en drie of vier keer opnieuw moest proberen voor ik het alarmnummer goed had ingetoetst. Ik zag een doosje paracetamol op de grond liggen en raapte het op... het was leeg. Ik hoorde de vrouw van de alarmdienst vragen om wat voor noodgeval het ging. Ik hyperventileerde en kon nauwelijks spreken, maar slaagde er toch in te zeggen dat mijn vriendin onmiddellijk een ambulance nodig had, dus of ze er alsjeblieft meteen, acuut een wilden sturen...' Ik probeerde te slikken. 'Maar terwijl ik dat zei, wist ik dat het al... dat Em... dat Emma...'

Er drupte een grote traan op de hoedendoos.

'Ach, Phoebe,' hoorde ik mevrouw Bell fluisteren.

Ik hief mijn hoofd op en keek uit het raam. 'Ze vertelden me later dat ze ongeveer drie uur voor ik haar vond was overleden.'

Ik bleef even zwijgend zitten, de hoedendoos nog steeds op mijn schoot, en trok het lichtgroene koord tussen mijn vingers heen en weer.

'Maar wat vreselijk om zoiets te doen,' zei mevrouw Bell zacht. 'Hoe verdrietig ze ook was... om dan zelf...'

Ik keek haar aan. 'Maar dat was het niet... hoewel het daar aanvankelijk wel op leek. Er heerste een poosje verwarring over wat er nou eigenlijk met Emma was gebeurd... over wat de oorzaak was geweest van haar...' Ik zag mevrouw Bells gezicht door een waas en voelde mijn hoofd omlaag zakken.

'Het spijt me, Phoebe. Het maakt je te veel van streek om erover te praten.'

'Ja... dat klopt. Omdat ik me schuldig voel.'

'Maar het was niet jouw schuld dat Guy verliefd werd op jou in plaats van op Emma.'

'Maar ik wist hoe gek ze op hem was. Sommige mensen zouden gezegd hebben dat ik, met die wetenschap, geen relatie met hem had moeten beginnen.'

'Maar het was misschien de enige kans op liefde in je leven.'

'Dat hield ik mezelf ook voor. Ik zei tegen mezelf dat ik zoiets misschien nooit meer voor iemand anders zou voelen. En ik troostte mezelf met de gedachte dat Emma er wel overheen zou komen en verliefd zou worden op iemand anders, want zo was het altijd gegaan. Maar die keer was het anders.' Ik slaakte een zucht. 'En ik begrijp best dat ze het vreselijk vond om hem met mij samen te zien terwijl ze had gehoopt zelf met hem samen te kunnen zijn.'

'Je kunt het jezelf niet kwalijk nemen dat haar hoop misplaatst was, Phoebe.'

'Nee, maar ik kan het mezelf wel kwalijk nemen – en dat doe ik ook – dat ik die avond niet naar haar toe ben gegaan, terwijl mijn instinct zei dat ik dat wel moest doen.'

'Tja...' Mevrouw Bell schudde haar hoofd. 'Het zou misschien geen verschil hebben gemaakt.'

'Dat zei mijn huisarts ook. Ze zei dat Emma tegen die tijd al in coma aan het raken was waaruit ze niet meer...' Ik ademde beverig in. 'Ik zal het nooit weten. Maar als ik was gegaan toen ze de eerste keer belde, in plaats van zo'n twaalf uur later, was Emma vast nog in leven geweest.'

Ik zette de hoedendoos neer, liep naar het raam en keek over de verlaten tuin uit.

'Daarom voelde u affiniteit met mij, mevrouw Bell. We hadden allebei een vriendin die op onze komst zat te wachten.'

7

OP WEG NAAR HET ETENTJE MET MILES BEDACHT IK DAT ER MENSEN ZIJN die zeggen dat ze dingen in aparte 'compartimenten' kunnen stoppen, alsof je negatieve of verontrustende gedachten netjes in een mentaal laatje kunt leggen, dat je alleen maar opendoet wanneer jou dat psychisch goed uitkomt. Het is een bekoorlijk idee, maar ik heb het nooit geloofd. Naar mijn ervaring kunnen verdriet en spijt volstrekt willekeurig je bewustzijn binnensluipen, of je plotseling met een ploertendoder bespringen. De enige echte remedie is tijd, hoewel – zoals het verhaal van mevrouw Bell bewees – bijna een heel leven misschien niet eens genoeg is. Werken is natuurlijk ook een tegengif voor droefenis, evenals afleiding. En Miles was een welkome afleiding, besloot ik toen ik op donderdag net na acht uur op weg ging om hem te ontmoeten.

Ik had me een beetje opgetut en ik droeg een cocktailjurk uit de jaren zestig van lichtroze sarizijde. Daaroverheen droeg ik een antieke goudkleurige pashmina shawl.

'Meneer Archant is al aanwezig,' zei de maître d' van het Oxo Tower Restaurant. Toen ik achter hem aan door het vertrek liep zag ik Miles aan een tafel bij het reusachtige raam het menu zitten bestuderen. Ontmoedigd registreerde ik zijn grijze haar en zijn halve leesbril. Toen hij opkeek en mijn gezicht zag, verscheen er een opgetogen, maar gespannen glimlach op zijn gezicht, die mijn teleurstelling meteen verdreef. Hij stond op, schoof zijn leesbril in zijn borstzakje en drukte zijn gele zijden stropdas tegen zijn borst aan. Het was vertederend om te zien dat een zo goed ontwikkelde man zich zo onbeholpen gedroeg.

'Phoebe.' Hij kuste me op beide wangen en legde zijn hand op mijn schouder, alsof hij me naar zich toe wilde trekken. Nu ik zag hoe aantrekkelijk Miles was, voelde ik een plotselinge belangstelling voor hem die me verbijsterde.

'Wil je een glas champagne?' vroeg hij.

'Dat zou lekker zijn.'

'Is Dom Pérignon goed?'

'Als er niets beters is,' gekscheerde ik.

'De Vintage Krug is op... ik heb het gevraagd.' Ik lachte, maar realiseerde me toen dat Miles geen grapje had gemaakt.

Terwijl we praatten en van het uitzicht over de door de zon beschenen rivier heen op Temple Church en St Paul's Cathedral genoten, ontroerde het me dat Miles zozeer zijn best deed om indruk op me te maken, en dat hij zo gelukkig leek te zijn in mijn gezelschap. Ik vroeg hem naar zijn werk en hij legde uit dat hij de medeoprichter was van het advocatenkantoor waarvoor hij nu nog drie dagen per week werkte.

'Ik heb me min of meer teruggetrokken.' Hij nipte van zijn champagne. 'Maar ik heb toch graag nog een vinger in de pap, en ik help nieuwe business te genereren door de klanten te entertainen. Maar vertel me nu eens over je winkel, Phoebe... wat heeft je doen besluiten die te openen?'

Ik vertelde Miles kort over mijn tijd bij Sotheby's. Zijn ogen werden groter. 'Dus ik had met een professional te maken.'

'Inderdaad,' zei ik terwijl hij de wijnkaart teruggaf aan de kelner. 'Maar ik gedroeg me als de eerste de beste amateur. Ik werd veel te emotioneel.'

'Ik moet zeggen dat je inderdaad nogal intens was. Maar wat is er zo fantastisch aan... sorry, hoe heette de ontwerpster ook weer?'

'Madame Grès,' zei ik geduldig. 'Ze was de beste couturière van de wereld. Ze drapeerde en plooide gigantische hoeveelheden stof en speldde het rechtstreeks op het lichaam om een verbazingwekkende japon te maken die de vrouw in een prachtig beeld veranderde... als de "Spirit of Ecstasy" op een Rolls Royce. Madame Grès was een beeldhouwster die met stof werkte. Ze was ook erg moedig.'

Miles vouwde zijn handen. 'In welke zin?'

'Toen ze in 1942 in Parijs het Maison de Grès opende, hing ze een reusachtige Franse vlag uit het raam uit verzet tegen de Duitse bezetting. Telkens als de Duitsers de vlag eraf trokken, hing ze weer een nieuwe op. Ze wisten dat ze Joods was, maar ze lieten haar met rust in de hoop dat ze de vrouwen van hun officieren zou willen kleden. Toen ze dat weigerde, sloten ze haar zaak. Ze stierf triest genoeg arm en onbekend, maar ze was niettemin geniaal.'

'En wat ga je nu met de jurk doen?'

Ik haalde mijn schouders op. 'Dat weet ik niet.'

Hij glimlachte. 'Bewaar hem voor als je gaat trouwen.'

'Dat heeft iemand anders ook al gezegd, maar ik betwijfel of hij ooit voor dat doel gedragen zal worden.'

'Ben je al eens getrouwd geweest?' Ik schudde mijn hoofd. 'Wel ooit plannen gehad?' Ik knikte. 'Was je verloofd?' Ik knikte weer.

'Vind je het vervelend dat ik ernaar vraag?'

'Sorry... ik praat er liever niet over.' Ik zette Guy uit mijn gedachten. 'En hoe zit het met jou?' vroeg ik toen ons voorgerecht werd gebracht. 'Je bent al tien jaar alleen. Waarom ben jij nooit...?'

'Hertrouwd?' Miles haalde zijn schouders op. 'Ik heb wel een paar vriendinnen gehad.' Hij pakte zijn soeplepel op. 'Ze waren allemaal erg aardig, maar... het is er gewoon nooit van gekomen.' Daarmee kwam het gesprek als vanzelf op Miles' vrouw. 'Ellen was een fantastische vrouw en ik aanbad haar. Ze was Amerikaanse, een succesvol portretschilderes, vooral kinderportretten. Ze is tien jaar geleden gestorven, in juni.' Hij haalde adem en hield die even in, alsof hij over een moeilijke vraag nadacht. 'Ze zakte op een middag gewoon in elkaar.'

'Waardoor?'

Hij liet zijn lepel zakken. 'Ze kreeg een hersenbloeding. Ze had die hele dag al vreselijke hoofdpijn, maar ze had vaak migraine en het drong niet tot haar door dat dit een ander soort hoofdpijn was.' Miles schudde zijn hoofd. 'Je kunt je de schok niet voorstellen...'

'Jawel,' zei ik zacht.

'Maar ik had in elk geval de troost dat er niemand iets te verwijten viel.' Ik voelde een steek van afgunst. 'Het was gewoon een van die afschuwelijke, onvermijdelijke dingen... de hand van God, of hoe je het ook wilt noemen.'

'En wat vreselijk voor Roxanne.'

Hij knikte. 'Ze was pas zes. Ik nam haar op schoot en probeerde haar uit te leggen dat mammie...' Zijn stem stokte. 'Ik zal nooit de uitdrukking op haar gezicht vergeten toen ze het onbegrijpelijke probeerde te begrijpen... dat de helft van haar universum simpelweg was verdwenen.' Miles zuchtte. 'Ik weet dat Roxy het altijd bij zich draagt, net onder het oppervlak. Ze heeft een acuut besef van "niet-hebben" – een gevoel van... van...'

'Gemis?' opperde ik zacht.

Miles keek me aan. 'Gemis. Ja, dat is het.'

Zijn BlackBerry ging over. Hij haalde zijn bril uit zijn borstzak, zette hem op de punt van zijn neus en tuurde op het schermpje. 'Dat is Roxy. O jeetje... wil je me even excuseren, Phoebe?' Hij zette zijn bril weer af en liep het restaurant uit en naar een hoek van het terras, waar hij tegen de omheining leunde. Zijn das wapperde een beetje in de wind. Hij had kennelijk een ernstig gesprek met Roxanne. Toen zag ik hem zijn telefoon wegstoppen.

'Neem me niet kwalijk,' zei hij toen hij terugkeerde aan de tafel. 'Dat moet wel onbeschoft hebben geleken, maar als het je kind is...'

'Ik begrijp het,' zei ik.

'Ze zit vast met haar opstel voor geschiedenis,' legde hij uit toen de kelner ons hoofdgerecht kwam brengen. 'Het gaat over Boadicea.'

'Wordt die tegenwoordig niet Boudica genoemd?'

Miles knikte. 'Dat vergeet ik altijd. Ik moet mezelf er ook nog telkens aan herinneren dat Bombay tegenwoordig Mumbai heet.'

'En wat vind je ervan dat de Millennium Dome nu "O2" wordt genoemd?'

'Is dat zo?' zei hij, en toen glimlachte hij. 'Maar goed, Roxy moet morgen dat opstel inleveren en ze is amper begonnen. Ze gaat soms nogal ongeorganiseerd te werk.' Hij slaakte een geïrriteerde zucht.

Ik pakte mijn vork op. 'En vindt ze de nieuwe school leuk?'

Miles kneep zijn ogen tot spleetjes. 'Daar lijkt het wel op, maar het is natuurlijk nog vroeg... ze zit er pas twee weken op.'

'Waar zat ze voor die tijd?'

'Op St Mary's... een meisjesschool in Dorking. Maar dat liep niet echt lekker.'

Ik keek hem aan. 'Zat ze niet graag intern?'

'Dat vond ze niet erg, maar er deed zich...' Miles aarzelde even, '... een paar weken voor het examen een misverstand voor. Het is allemaal opgehelderd,' vervolgde hij. 'Maar ik had het gevoel dat daarna een frisse start beter voor haar zou zijn. Dus nu zit ze op Bellingham. Ze lijkt het er leuk te vinden, dus hoop ik maar dat ze goede cijfers zal halen.' Hij nipte van zijn wijn.

'En daarna naar de universiteit?'

Miles schudde zijn hoofd. 'Roxy zegt dat dat tijdverspilling is.'

'O ja?' Ik legde mijn vork neer. 'Nou... dat is niet waar. Zei je niet dat ze iets in de mode-industrie wilde gaan doen?'

'Ja, al heb ik geen idee wat precies. Ze heeft het erover dat ze bij een glossy magazine zoals *Vogue* of *Tatler* wil gaan werken.'

'Maar daar is heel veel concurrentie in... als ze dat serieus wil, is ze veel beter af met een universitaire opleiding.'

'Dat heb ik haar ook verteld,' zei Miles vermoeid. 'Maar ze is erg koppig.'

De kelner kwam onze borden weghalen, en ik maakte gebruik van de gelegenheid om van onderwerp te veranderen. 'Je hebt een onge-bruikelijke achternaam,' zei ik. 'Ik heb ooit een Sebastian Archant ontmoet, die eigenaar is van Fenley Castle. Ik moest daarheen voor de waardebepaling van een collectie achttiende-eeuwse kleding.' Ik her-innerde me een jacquet en een kniebroek uit omstreeks 1870, prachtig geborduurd met anemonen en vergeet-mij-nietjes. 'Het merendeel is naar een museum gegaan.'

'Sebby is mijn achterneef,' legde Miles enigszins verveeld uit. 'Je gaat me zeker vertellen dat hij heeft geprobeerd je achter de pergola te onteren.'

'Dat niet precies.' Ik rolde met mijn ogen. 'Maar ik moest drie nach-ten op het kasteel blijven omdat het zo'n grote klus was en er geen hotels in de buurt waren en...' ik kromp ineen bij de herinnering. 'Hij probeerde mijn kamer binnen te komen. Ik was gedwongen een dekenkist tegen de deur te schuiven... het was afschuwelijk.'

'Dat is Sebby ten voeten uit, vrees ik... niet dat ik niet begrijp dat hij het geprobeerd heeft.' Miles bleef me even aankijken. 'Je bent een mooie vrouw, Phoebe.' De directheid van zijn compliment benam me even de adem. Ik voelde een lichte golf van verlangen door me heen gaan. 'Ik sta dichter bij de Franse kant van de familie,' hoorde ik Miles zeggen. 'Dat zijn wijnboeren.'

'Waar?'

'In Châteauneuf-du-Pape, een paar kilometer ten noorden van...'

'Avignon,' onderbrak ik hem.

Hij keek me aan. 'Ken je dat?'

'Ik ga van tijd tot tijd naar Avignon om voorraad te kopen; toevallig ga ik er volgend weekend heen.'

Miles liet zijn glas rode wijn zakken. 'Waar logeer je?'

'In Hôtel d'Europe.'

Hij schudde verrukt en verbaasd zijn hoofd. 'Nou, mejuffrouw Swift, als u geneigd bent tot een tweede afspraakje met mij, dan neem ik u graag nog eens mee uit eten, aangezien ik in die periode in dezelfde omgeving ben.'

'Echt waar?' Miles knikte blij. 'Waarom?'

'Omdat mijn neef Pascal eigenaar is van de wijngaard. We hebben altijd een hechte band gehad en ik ga elk jaar in september helpen met de druivenoogst. Die is net begonnen en ik ben dan de laatste drie dagen daar. Wanneer kom jij aan?' Ik vertelde het hem. 'Dat overlapt elkaar,' zei hij met een blijdschap die een gevoelige snaar bij me raakte. 'Weet je,' zei hij toen onze koffie kwam, 'ik geloof sterk dat dit is voorbestemd.' Hij kromp plotseling in elkaar en pakte zijn telefoon. 'Niet weer... het spijt me echt, Phoebe.' Hij zette zijn bril op en tuurde fronsend op het schermpje. 'Roxy is in alle staten over dat opstel. Ze zegt dat ze "wanhopig" is... met hoofdletters en diverse uitroeptekens.' Hij zuchtte. 'Ik kan maar beter naar huis gaan. Vergeef je het me?'

'Natuurlijk.' Het eind van de avond was toch al in zicht en ik vond de band met zijn kind wel vertederend.

Miles gebaarde naar de kelner en keek toen naar mij. 'Ik heb erg van deze avond genoten.'

'Ik ook,' zei ik naar waarheid.

Miles glimlachte. 'Mooi.'

Hij rekende af en we gingen met de lift naar beneden. Toen we naar buiten stapten wilde ik Miles gedag zeggen en de vijf minuten naar London Bridge Station lopen, maar er stopte een taxi voor ons.

De chauffeur draaide het raampje omlaag. 'Meneer Archant?'

Miles knikte en wendde zich toen tot mij. 'Ik heb de taxi besproken om mij in Camberwell af te zetten en daarna jou naar Blackheath te brengen.'

'O. Ik was van plan de trein te nemen.'

'Daar wil ik niets over horen.'

Ik keek op mijn horloge. 'Het is pas kwart over tien,' wierp ik tegen. 'Dat is geen probleem.'

'Maar als ik je een lift geef... dan kan ik nog iets meer tijd met je doorbrengen.'

'In dat geval...' zei ik glimlachend, 'dank je.'

Terwijl we door Zuid-Londen reden, probeerden Miles en ik ons te herinneren wat we over Boudica wisten. We wisten alleen dat ze een koningin van de Kelten was, die rebelleerde tegen de Romeinen. Pap zou het wel weten, dacht ik, maar het was te laat om hem nog te bellen, omdat hij er 's nachts altijd uit moest voor Louis.

'Heeft ze Ipswich niet verwoest?' opperde ik toen we over Walworth Road reden.

Miles was op zijn BlackBerry op internet aan het surfen. 'Dat was Colchester,' zei hij, door zijn halve bril naar het schermpje turend. 'Het staat allemaal op Britannica punt com. Als ik thuis ben haal ik daar wel wat flinke stukken tekst af en herschrijf die.' Ik bedacht dat Roxy dat als zestienjarige vast heel goed zelf had gekund.

We staken Camberwell Green over, draaiden toen Camberwell Grove in en stopten halverwege aan de linkerkant. Dus hier woonde Miles. Ik keek naar het elegante georgiaanse huis dat wat van de weg af stond en zag beneden een gordijn opzijschuiven, waarachter Roxy's bleke gezicht verscheen.

Miles wendde zich naar mij. 'Het was erg leuk om je te zien, Phoebe.' Hij boog naar me toe, kuste me en hield zijn wang even tegen de mijne gedrukt. 'Nou... tot ziens in Frankrijk dan.' Zijn bezorgde uitdrukking vertelde me dat het een vraag was geweest, geen constatering.

'Tot ziens in Frankrijk,' zei ik.

Ik vond het fantastisch dat ik door Radio London was gevraagd deel te nemen aan een gesprek over vintage kleding, tot ik me herinnerde dat hun studio in Marylebone High Street was gevestigd. Ik zette me schrap voor de wandeling door Marylebone Lane op maandagochtend. Toen ik langs de lintenwinkel kwam waar Emma vaak spullen voor haar hoeden had gekocht, probeerde ik me haar huis een paar straten verderop voor de geest te halen, dat nu beslist door andere mensen werd bewoond. Ik probeerde me haar spullen voor te stellen, allemaal in dozen in de garage van haar ouders. Toen dacht ik vol ontzetting aan haar dagboek, waar Emma elke dag in had geschreven.

Toen ik Amici's naderde, de koffiebar waar Emma en ik altijd heen gingen, dacht ik opeens dat ik haar bij het raam zag zitten en dat ze met een gekwetste en verbaasde blik naar me keek. Maar natuurlijk was het Emma niet. Het was gewoon iemand die een beetje op haar leek.

Ik duwde de glazen deuren van Radio London open. De portier schreef mijn naam op een badge en gaf me die, toen vroeg hij me te wachten. Ik ging in de ontvangstruimte zitten en luisterde naar de uitzending. *En nu de verkeersberichten... South Circular... ongeluk op Highbury Corner... 94.9 FM... en het weer voor Londen... maxima van 22 graden... u luistert naar Ginny Jones... en over een paar minuten gaan we het over oude kleren hebben − vintage kleding, welteverstaan − met Phoebe Swift, eigenares van een vintage kledingwinkel.* Ik voelde een hele zwerm vlinders door mijn buik vliegen. Toen verscheen Mike, de producent, met een klembord in zijn hand.

'Het is gewoon een gezellig praatje van een minuut of vijf,' legde hij uit toen hij me voorging door de helder verlichte gang. Hij zette zijn schouder tegen de zware studiodeur, die met een gedempt 'zoef' openging. 'Wat je nu hoort is van tevoren opgenomen, dus je kunt gerust praten,' legde hij uit toen we naar binnen stapten. 'Ginny... dit is Phoebe.'

'Hoi, Phoebe,' zei Ginny toen ik ging zitten. Ze knikte naar de koptelefoon die voor me lag. Ik zette hem op en hoorde nog net het eind van het opgenomen stuk. Toen volgde wat gescherts met de sportverslaggever − iets over de Olympische Spelen in Londen − en een vooraankondiging van Danny Baker. 'En nu,' zei Ginny met een glimlach naar mij, 'rijk worden met oude kleren, dat is waar Phoebe Swift op hoopt. Ze heeft net een vintage kledingzaak geopend in Blackheath, Villa Vintage genaamd, en ze zit hier naast me. Phoebe, de London Fashion Week is net afgelopen... en vintage kleding was dit jaar een big issue, nietwaar?'

'Dat klopt. Diverse grote modehuizen hadden iets met een vintage uitstraling in hun nieuwe collectie.'

'En hoe komt het dat vintage de smaakmaker *de nos jours* lijkt te zijn?'

'Ik denk dat het feit dat een stijlicoon als Kate Moss vintage verkiest te dragen, van grote invloed is op de markt.'

'Ze droeg toch die goudkleurige satijnen jurk uit de jaren dertig die aan flarden werd gescheurd, is het niet?'

'Dat klopt, daar bleef echt niet veel van over. Jammer, want hij schijnt 2000 pond te hebben gekost. Veel Hollywoodsterren dragen tegenwoordig vintage op de rode loper... Denk maar aan Julia Roberts, die tijdens de Oscars vintage van Valentino droeg, of Renée Zellweger in die kanariegele jurk van Jean Desses uit de jaren vijftig. Dat alles heeft de kijk op vintage sterk veranderd. Voorheen werd het gezien als onconventioneel en eigenzinnig om vintage te dragen, terwijl het nu als zeer sophisticated wordt beschouwd.'

Ginny krabbelde iets op haar script. 'Vertel eens wat vintage voor een vrouw doet.'

'Het feit dat je weet dat je iets draagt wat uniek is, en prachtig gemaakt, is op zich al een opsteker. En je bent je ervan bewust dat het kledingstuk een geschiedenis heeft – een erfenis, als je wilt – die het wat extra's geeft. Geen enkel hedendaags kledingstuk kan die extra dimensie bieden.'

'En wat voor tips heb je voor het kopen van vintage?'

'Wees bereid om een poosje te zoeken, en weet wat je staat. Als je flinke rondingen hebt, kies dan niet voor de jaren twintig of zestig, want die rechte lijnen zullen je niet flatteren; ga liever voor de meer getailleerde silhouetten van de jaren veertig en vijftig. Hou je van de jaren dertig, wees je er dan van bewust dat die zeer strakke ontwerpen meedogenloos zijn voor een bolle buik of een grote boezem. Ik zou de mensen ook willen adviseren realistisch te zijn. Stap niet een vintage winkel binnen en vraag om te worden omgetoverd tot bijvoorbeeld

Audrey Hepburn in *Breakfast at Tiffany's*, omdat die stijl misschien helemaal niet bij je past en je dan wellicht voorbijloopt aan iets wat wel voor je gemaakt lijkt.'

'Wat heb je zelf aan, Phoebe?'

Ik keek naar mijn jurk. 'Een gebloemde zomerjurk van chiffon zonder label uit eind jaren dertig – mijn favoriete tijdperk – met een vintage kasjmieren vest.'

'Ook erg leuk. Je lijkt me een bijzondere dame.' Ik glimlachte. 'En draag je altijd vintage?'

'Ja... en als het geen complete outfit is, dan toch vintage accessoires; de dagen dat ik helemaal geen vintage draag zijn heel zeldzaam.'

'Maar,' – Ginny trok een gezicht – 'ik geloof niet dat ik de oude kleren van iemand anders zou willen dragen.'

'Zo denken sommige mensen er inderdaad over.' Ik dacht aan mijn moeder. 'Maar liefhebbers van vintage worden geboren, niet gemaakt, dus wij hebben die overgevoeligheid niet. Wij menen dat een vlekje of een kleine slijtageplek een lage prijs is voor het bezit van iets wat niet alleen origineel is, maar ook een heel beroemde naam kan dragen.'

Ginny stak haar pen op. 'Wat is dan het grote punt bij vintage? De prijzen?'

'Nee, voor de geboden kwaliteit zijn de prijzen nog altijd redelijk – wat een pluspunt is gezien de financieel moeilijke tijden. Het punt is de maatvoering: vintage kleding valt vaak klein uit. Van de jaren veertig tot zestig waren de tailles heel smal en waren jurken en jasjes heel nauwsluitend. Vrouwen droegen korsetten en keurslijfjes om zich erin te wurmen. En daar komt bij dat vrouwen tegenwoordig groter zijn. Mijn advies als je vintage kleding gaat kopen is dan ook dat je niet naar de maat op het etiketje kijkt, maar het kledingstuk gewoon aanpast.'

'Hoe zit het met de verzorging van oude kleren?' vroeg Ginny. 'Kun je ons vertellen hoe we onze vintage in topconditie houden?'

Ik glimlachte. 'Er zijn een paar basisregels. Was gebreide spullen met de hand, gebruik daar babyshampoo voor en laat het niet weken, want daardoor kunnen de vezels uitrekken; daarna moet je het binnenstebuiten en plat liggend laten drogen.'

'Hoe zit het met mottenballen?' vroeg Ginny, haar neus dichtknijpend.

'Die stinken behoorlijk en de geuriger alternatieven lijken niet goed te werken. Het beste wat je kunt doen is alles wat kwetsbaar is voor motten, bewaren in polyethyleen zakken; en een vleugje parfum in de kleerkast doet soms ook wonderen – alles wat sterk en zoet is, zoals Fendi, jaagt motten op de vlucht.'

'Dat jaagt mij ook op de vlucht,' zei Ginny lachend.

'Zijde,' vervolgde ik, 'moet je op gecapitonneerde hangertjes hangen, en buiten de invloed van zonlicht omdat het snel verbleekt. En bij satijn moet je zorgen dat er geen water bij komt, want dan rimpelt het. En koop nooit satijn als het bros aanvoelt of gerafeld is, want dat kun je niet meer dragen.'

'Zoals Kate Moss heeft gemerkt.'

'Inderdaad. Ik wil je luisteraars ook adviseren kledingstukken te laten hangen die eruitzien alsof ze flink gereinigd moeten worden, want dat kan onmogelijk blijken te zijn. Lovertjes van gelatine smelten bij de hedendaagse reinigingstechnieken. En kralen van glas of bakeliet kunnen scheuren.'

'Dat is nog eens een vintage woord – bakeliet,' zei Ginny met een geamuseerde gezichtsuitdrukking. 'Maar waar kunnen we vintage kleding kopen? Afgezien van jouw winkel natuurlijk...'

'Op veilingen,' antwoordde ik, 'en op speciale vintage markten – die worden in de grote steden een paar keer per jaar georganiseerd. En dan heb je natuurlijk eBay, maar vraag de verkoper dan wel om alle afzonderlijke maten.'

'En hoe zit het met tweedehandswinkels voor het goede doel?'

'Je kunt daar wel vintage vinden, maar niet voor een koopje, want in die winkels weten ze inmiddels ook goed wat vintage waard is.'

'Je krijgt zeker een gestage stroom mensen die kleding te koop komen aanbieden of die je vragen in hun kleerkast of op hun zolder te komen kijken?'

'Dat klopt, en dat vind ik heerlijk, omdat ik nooit van tevoren weet wat ik zal aantreffen. En als ik dan iets zie wat me bevalt, krijg ik zo'n heerlijk gevoel... hier.' Ik legde mijn hand op mijn borst. 'Het is... alsof je verliefd wordt.'

'Dus het is een vintage affaire!'

Ik glimlachte. 'Zo zou je het kunnen zeggen, ja.'

'Heb je nog meer adviezen?'

'Ja, als je kleding verkoopt... controleer dan de zakken.'

'Blijft daar wel eens wat in achter?'

Ik knikte. 'Van alles... sleutels, pennen, potloden.'

'Ooit geld gevonden?' gekscheerde Ginny.

'Helaas niet... al heb ik ooit wel een postwissel gevonden... voor twee shilling en sixpence.'

'Dus controleer uw zakken, mensen,' zei Ginny, 'en ga eens langs bij de winkel van Phoebe Swift, Villa Vintage in Blackheath, als u wilt weten' – ze boog voorover naar de microfoon – 'wat we vroeger droegen.' Ginny schonk me een warme glimlach. 'Phoebe Swift... bedankt.'

Mam belde toen ik naar de metro liep. Ze had op haar werk zitten luisteren. 'Je was geweldig,' zei ze enthousiast. 'Het was erg boeiend. Maar hoe kwam je op de radio terecht?'

'Door dat kranteninterview van die kerel die Dan heet, op de dag van de opening. Herinner je je hem nog? Hij ging net weg toen jij kwam.'

'Dat weet ik nog... die slecht geklede man met dat krulhaar. Ik vind krulhaar bij een man leuk,' zei mam, 'het is ongebruikelijk.'

'Ja mam. Maar goed, die radioproducent had dat stuk toevallig gelezen en was van plan iets over vintage te doen in verband met de Fashion Week, dus belde hij mij.'

Ik realiseerde me plotseling dat bijna alle nuttige dingen die de laatste tijd waren gebeurd, teweeg waren gebracht door het artikel van Dan. Het had Annie naar mijn winkel geleid en het had mij bij mevrouw Bell gebracht, en nu dit radio-interview, en dat allemaal nog afgezien van de klanten die waren gekomen omdat ze het artikel hadden gelezen.

Ik voelde plotseling een golf van warmte voor hem.

'Ik laat geen Fraxel doen,' hoorde ik mam zeggen.

'Godzijdank.'

'In plaats daarvan wil ik "radiofrequentie-verjonging" laten doen.'

'Wat is dat?'

'Dan verwarmen ze de diepere huidlaag met behulp van lasers. Daardoor krimpt alles, zodat het niet zo uitzakt. Je gezicht wordt in feite gekookt. Betty van de bridgeclub heeft het laten doen. Ze is er erg opgetogen over... alleen zei ze wel dat het aanvoelt alsof ze anderhalf uur lang sigaretten op je wang uitdrukken.'

'Wat een kwelling. En hoe ziet Betty er nu uit?'

'Eerlijk gezegd nog precies hetzelfde; maar ze is er zelf van overtuigd dat ze er jonger uitziet, dus het was het kennelijk toch waard.' Ik probeerde de logica daarvan te achterhalen. 'O, ik moet gaan, Phoebe. John staat naar me te zwaaien.'

Ik duwde de deur van de winkel open. Annie keek op van haar reparatie.

'Ik heb maar de helft van het programma gehoord, vrees ik, want ik had een akkefietje met een winkeldief.'

Mijn hart sloeg een slag over. 'Wat is er gebeurd?'

'Terwijl ik de radio aan het afstellen was, probeerde een man een krokodillenleren portefeuille in zijn zak te stoppen.' Annie knikte naar de mand met portemonnees en portefeuilles die ik op de toonbank heb staan. 'Gelukkig keek ik op het kritieke moment in de spiegel, dus hoefde ik niet op straat achter hem aan te rennen.'

'Heb je de politie gebeld?'

Ze schudde haar hoofd. 'Hij smeekte me dat niet te doen, maar ik heb tegen hem gezegd dat ik het meteen zou doen als ik hem hier ooit weer zag. Toen had ik een vrouw...' Annie rolde met haar ogen. 'Ze pakte de zilverkleurige kanten mini-jurk van Bill Gibb, kwakte hem op de toonbank en zei dat ze me er twintig pond voor zou geven.'

'Wat brutaal!'

'Dus legde ik haar uit dat tachtig pond al heel redelijk was voor die jurk, en dat ze als ze wilde marchanderen maar naar de soek moest gaan.' Ik proestte van het lachen. 'Daarna gebeurde er iets heel opwindends... Chloë Sevigny kwam binnen. Ze is in Zuid-Londen aan het filmen. We hebben leuk gebabbeld over acteren.'

'Ze draagt veel vintage, hè? En heeft ze nog iets gekocht?'

'Een van de Body Map-topjes van Jean-Paul Gaultier. Ik heb ook nog wat berichtjes voor je.' Annie pakte een velletje papier op. 'Dan heeft gebeld... hij heeft de kaartjes voor *Anna Karenina* voor woensdag en zegt dat hij om zeven uur voor het Greenwich Picturehouse op je wacht.'

'O, is dat zo...?'

Annie keek me aan. 'Ga je er niet heen, dan?'

'Ik wist het nog niet zeker... maar... nou ja, ik ga kennelijk wel,' antwoordde ik geïrriteerd.

Annie keek me verbaasd aan. 'Daarna belde Val. Ze is klaar met je reparaties en vraagt of je de spullen alsjeblieft komt halen. En er stond een bericht op het antwoordapparaat van ene Rick Diaz uit New York.'

'Dat is mijn Amerikaanse handelaar.'

'Hij heeft nog meer schoolbaljurken voor je.'

'Geweldig, die kunnen we goed gebruiken voor de feestdagen.'

'Inderdaad. Hij zei ook nog dat hij tassen heeft waarvan hij graag wil dat je ze afneemt.'

Ik kreunde. 'Ik heb al honderden tassen.'

'Ik weet het... maar hij vraagt of je hem wilt mailen. En tot slot... zijn deze voor je bezorgd.' Annie verdween de keuken in en kwam er weer uit met een bos rode rozen, zo groot dat haar hele bovenste helft erachter verdween.

Ik staarde er even naar.

'Vijfendertig,' hoorde ik haar vanachter de bloemen zeggen. 'Zijn ze van die Dan?' vroeg ze toen ik de envelop uit het boeket trok en het kaartje eruit haalde. 'Niet dat je privéleven mij iets aangaat,' vervolgde ze terwijl ze de rozen op de toonbank legde.

Love Miles. Er ontbrak een komma. Ik vroeg me af of hij die met opzet had weggelaten. Dan was het geen groet, maar een bevel.

'Ze zijn van iemand die ik pas heb leren kenen,' zei ik tegen Annie. 'Ik heb hem ontmoet tijdens de veiling bij Christie's.'

'Echt waar?'

'Hij heet Miles.'

'Is hij aardig?'

'Dat lijkt hij wel.'

'En wat doet hij?'

'Hij is advocaat.'

'En succesvol, te oordelen naar de massa bloemen die hij je heeft gestuurd. En hoe oud is hij?'

'Achtenveertig.'

'Ai.' Annie trok een wenkbrauw op. 'Dus hij is ook vintage.'

Ik knikte. 'Circa 1960. Een beetje versleten... wat rimpeltjes hier en daar...'

'Maar vol karakter?'

'Ik denk het wel... ik heb hem pas drie keer ontmoet.'

'Nou, hij is duidelijk al stapel op je, dus ik hoop dat je hem nog vaker zult zien.'

'Misschien.' Ik wilde niet toegeven dat ik Miles dat weekend in de Provence al weer zou zien.

'Zal ik ze voor je in een vaas zetten?'

'Ja, graag.'

Ze knipte het lint door. 'Ik heb trouwens wel twee vazen nodig.'

Ik trok mijn jas uit. 'Je kunt toch nog steeds werken deze vrijdag en zaterdag, hè?'

'Ja hoor,' antwoordde Annie terwijl ze het cellofaan verwijderde. 'Maar je weet zeker dat je dinsdag terug bent?'

'Ik kom maandagavond terug. Waarom?'

Annie ritste met een schaar de onderste bladeren van de stengels. 'Ik heb dinsdagmorgen weer een auditie, dus ik kan pas na de lunch hier zijn. Ik maak het op vrijdag wel goed, oké?'

'Dat is prima. Waar is de auditie voor?' vroeg ik enigszins teleurgesteld.

'Regionaal optreden,' antwoordde ze. 'Drie maanden in Stoke-on-Trent.'

'Nou... ik zal voor je duimen,' zei ik onoprecht, maar meteen voelde ik me schuldig omdat ik hoopte dat Annie zou falen. Het zou echter een kwestie van tijd zijn voordat ze een baan vond en dan...

Mijn gedachtegang werd onderbroken door de bel. Net wilde ik Annie vragen te gaan helpen, toen ik zag wie de klant was.

'Hoi,' zei het roodharige meisje dat bijna drie weken geleden de groene cupcake-jurk had aangepast.

'Hoi,' antwoordde Annie hartelijk terwijl ze de helft van de rozen in een vaas zette. Het meisje bleef even naar de groene schoolbaljurk staan kijken en sloot toen langzaam haar ogen. 'Godzijdank,' zuchtte ze. 'Hij is er nog.'

'Hij is er nog,' zei Annie haar opgewekt na terwijl ze de eerste vaas op de tafel midden in de winkel zette.

'Ik was ervan overtuigd dat hij weg was,' zei het meisje, dat zich naar mij omdraaide. 'Ik durfde bijna niet naar binnen te komen, omdat ik bang was dat hij verkocht zou zijn.'

'We hebben pas twee van die schoolbaljurken verkocht, maar niet de jouwe... ik bedoel die,' corrigeerde ik mezelf. 'De groene.'

'Ik neem hem,' zei ze blij.

'Echt?' Terwijl ik hem van de muur haalde, viel het me op dat het meisje veel meer zelfvertrouwen toonde dan toen ze hier was met... hoe heette hij ook weer?

'Keith vond hem niet mooi.' Het meisje deed haar tas open. 'Maar ik vond hem prachtig.' Ze keek mij aan. 'En dat wist hij. Ik hoef hem niet opnieuw te passen,' zei ze toen ik de jurk in het pashokje wilde hangen. 'Hij is volmaakt.'

'Hij staat jou fantastisch,' zei ik. 'Ik ben heel blij dat je ervoor bent teruggekomen,' bekende ik toen ik ermee naar de kassa liep. 'Als een kledingstuk een klant zo goed staat als die jurk jou, dan wil ik ook echt dat ze het krijgen. Heb je binnenkort een flitsend feest waarheen je hem wilt dragen?' Ik zag haar troosteloos voor me in de zwarte jurk in het Dorchester, met de gemene Keith en zijn 'topklanten'.

'Ik heb geen idee wanneer ik hem zal dragen,' antwoordde het meisje kalm. 'Ik wist alleen dat ik hem móést hebben. Toen ik hem eenmaal had aangepast, nou ja...' Ze haalde haar schouders op. 'De jurk claimde me gewoon.'

Ik vouwde hem op en duwde de wijde onderrokken zo in model dat ze niet uit de tas zouden springen.

Het meisje haalde een roze envelop uit haar handtas en gaf die aan mij. Het was er een van Disney met een afbeelding van Assepoester in de hoek. Ik maakte hem open en er zat 275 pond contant geld in.

'Ik geef je met plezier alsnog die vijf procent korting,' zei ik.

Het meisje aarzelde heel even. 'Nee. Dank je.'

'Ik vind het echt geen probleem...'

'Hij kost 275 pond,' hield ze vol. 'Dat was de prijs,' zei ze vastberaden, bijna strijdlustig zelfs. 'Laten we het daar maar op houden.'

'Nou... goed dan.' Ik haalde enigszins verbijsterd mijn schouders op.

Ze slaakte even een zucht, van extase bijna, toen ik haar de tas met de jurk gaf. Toen liep ze met opgeheven hoofd de winkel uit.

'Dus ze heeft uiteindelijk toch haar sprookjesjurk gekregen,' zei Annie terwijl ik het meisje de straat zag oversteken. Ze was de rest van de rozen aan het schikken. 'Ik wou alleen dat ze ook een sprookjesman had. Maar ze leek vandaag wel heel anders, vond je niet?' Annie zette de vaas op de toonbank en liep naar het raam om naar buiten te kijken. 'Ze loopt zelfs rechter... kijk nou.' Haar ogen werden kleiner terwijl ze haar met haar blik de straat door volgde. 'Dat kunnen vintage kleren met je doen,' voegde ze er even later aan toe. 'Ze kunnen je heel subtiel transformeren.'

'Dat is waar. Maar wat raar dat ze die korting weigerde.'

'Ik denk dat het belangrijk voor haar was dat ze de jurk zelf had betaald, tot de laatste penny. Ik vraag me alleen wel af wat er gebeurd is waardoor ze hem nu wel kon kopen,' mijmerde Annie.

Ik haalde mijn schouders op. 'Misschien is Keith uiteindelijk toch voor haar smeekbeden gezwicht en heeft hij haar het geld gegeven.'

Annie schudde haar hoofd. 'Dat zou hij nooit doen. Misschien heeft ze het geld van hem gestolen,' raadde ze. Ik kreeg plotseling een visioen van het meisje in de jurk achter de tralies. 'Misschien heeft ze het van een vriendin geleend.'

'Wie weet,' zei ik, en ik ging weer achter de toonbank staan. 'Ik ben gewoon blij dat ze hem nu toch heeft, ook al zullen we nooit weten hoe dat zo gekomen is.'

Annie stond nog steeds uit het raam te kijken. 'Misschien wel.'

Ik vertelde Dan die woensdag bij het filmhuis over het incident. Ik had bedacht dat het een leuk onderwerp zou zijn voor het geval het gesprek stokte.

'Ze kocht een van die schoolbaljurken uit de jaren vijftig,' legde ik uit toen we voor aanvang van de film in de bar zaten.

'Ik weet welke je bedoelt. Die jij "cupcake-jurken" noemde.'

'Dat klopt. En ik bood haar de oorspronkelijke vijf procent korting aan, maar ze zei dat ze dat niet wilde.'

Dan nam een slokje van zijn Peroni. 'Wat raar.'

'Het was meer dan raar... het was idioot. Hoeveel vrouwen ken jij die de kans zouden laten schieten om ergens 14 pond korting op te krijgen? Maar dit meisje stond erop de volle 275 pond te betalen.'

'Zei je 275 pond?' vroeg Dan. Terwijl ik hem over de achtergrond van de aankoop vertelde, leek Dan zich iets af te vragen.

'Alles goed met je?' vroeg ik.

'Wat? O ja, sorry...' Hij zette het kennelijk van zich af. 'Ik ben een beetje afwezig op het moment... een hoop aan mijn hoofd op het werk. 'Maar goed,' zei hij, en hij stond op. 'De film begint zo. Wil je nog iets drinken? We kunnen het mee naar binnen nemen.'

'Nog een glas rode wijn zou geweldig zijn.'

Terwijl Dan naar de bar liep dacht ik na over het begin van de avond. Toen ik om zeven uur bij het filmhuis was gearriveerd, belde Dan me op om te zeggen dat hij iets te laat was; dus ging ik boven op een van de banken bij de panoramaramen zitten om van het uitzicht op Greenwich te genieten. Daarna keek ik de krant in die iemand had laten liggen. Op de achterkant stond een paginagrote advertentie voor tuinhuisjes en schuren van World of Sheds. Terwijl ik ernaar keek, vroeg ik me af hoe de legendarische schuur van Dan eruit zou zien. Was het een 'Tiger Shiplap Apex', vroeg ik me af, of een 'Walton's Premium Overlap' met dubbele deuren, een 'Norfolk Apex Xtra' of een 'Tiger Mini-barn'? Ik zat me net af te vragen of het misschien een 'Titanium Wonder' zou kunnen zijn, een schuur met metalen wanden, die een 'uitstekende functionaliteit' bood, toen Dan aan kwam hollen.

Hij liet zich naast me neerzakken, pakte toen mijn linkerhand en bracht die snel naar zijn mond om er een kus op te drukken alvorens hij hem terug op mijn schoot legde.

Ik keek hem aan. 'Doe je dat vaker bij vrouwen die je pas twee keer hebt ontmoet?'

'Nee,' antwoordde hij. 'Alleen bij jou. Sorry dat ik wat laat ben,' vervolgde hij terwijl ik mijn kalmte probeerde te herwinnen. 'Maar ik was met een verhaal bezig...'

'Het verhaal over de Age Exchange?'

'Nee, dat is al klaar. Dit was een... economisch stuk,' legde hij enigszins ontwijkend uit. 'Matt schrijft het, maar ik ben... erbij betrokken. Er waren een paar problemen die we moesten uitzoeken en dat is nu gebeurd. Oké.' Hij klapte in zijn handen. 'Ik zal wat te drinken voor je halen. Wat mag het zijn? Niets zeggen... *Gimme a visky*,' zei hij zwoel. '*Ginger ale on the side... and don't be stinchy, baby.*'

'Pardon?'

'Garbo's allereerste woorden op het witte doek. Daarvoor waren al haar films stomme films geweest. Gelukkig paste haar stem bij haar gezicht... maar wat wil je nou drinken?'

'Zeer zeker geen "visky", maar een glas rode wijn is wel lekker.'

Dan pakte de drankkaart. 'Je hebt de keus tussen een merlot – de Le Carredon uit de Pays d'Oc, die kennelijk "zacht en rondborstig is, een vol aroma heeft en gemakkelijk wegdrinkt" – of de châteauneuf-du-pape, Chante le Merle, met een "uitstekende geur van rode bessen en een verleidelijk boeket..." Dus wat wordt het?'

Ik dacht aan mijn reisje naar de Provence. 'De châteauneuf-du-pape, alsjeblieft... dat vind ik een mooie naam.'

Nu, een halfuur later – we hadden geen gebrek gehad aan gespreksstof – haalde Dan nog een glas van de Chante le Merle voor me en gingen we naar boven, naar de filmzaal, waar we ons in de zwarte leren stoelen lieten zakken en ons overgaven aan *Anna Karenina* en Garbo's stralende schoonheid.

'Het draait bij Garbo allemaal om het gezicht,' zei Dan toen we naderhand het filmhuis uit liepen. 'Haar lichaam is niet relevant, evenmin als haar acteerprestaties, hoewel ze een uitstekend actrice was. De mensen hebben het altijd over het gezicht van Garbo – die albasten perfectie.'

'Haar schoonheid is bijna een masker,' zei ik. 'Ze is net een sfinx.'

'Dat klopt. Ze straalt een gereserveerde, bijna melancholische zelfbeheersing uit. Dat doe jij ook,' voegde hij er terloops aan toe. Opnieuw bracht Dan me van mijn stuk, maar of het nu kwam door de wijn, of door het feit dat ik van zijn gezelschap genoot en de avond niet wilde bederven, ik besloot niet op die opmerking te reageren.

'Laten we wat gaan eten,' zei hij, en zonder een reactie af te wachten haakte hij zijn arm door de mijne. Ik had geen bezwaar tegen zijn fysieke warmte. Ik realiseerde me dat ik die zelfs wel prettig vond. Het maakte de dingen... gemakkelijk. 'Is Café Rouge oké?' hoorde ik hem vragen. 'Het is niet bepaald de Rivington Grill, vrees ik.'

'Café Rouge is prima...' We stapten er naar binnen en vonden een tafeltje in de hoek. 'Waarom is Garbo zo jong gestopt?' vroeg ik toen we op de ober zaten te wachten.

'Het verhaal gaat dat ze zo van streek was door een slechte recensie over haar laatste film, *Two-Faced Woman*, dat ze ter plekke de handdoek in de ring gooide. Een meer voor de hand liggende verklaring is dat ze wist dat haar schoonheid op z'n hoogtepunt was en dat ze niet wilde dat haar imago zijn glans zou verliezen. Marilyn Monroe stierf toen ze zesendertig was,' vervolgde Dan. 'Zouden we hetzelfde over haar denken als ze op haar zesenzeventigste was overleden? Garbo wilde blijven leven... alleen niet in het openbaar.'

'Je bent goed op de hoogte.'

Dan vouwde zijn servet open. 'Ik ben dol op films... vooral op zwart-witfilms.'

'Is dat omdat je moeite hebt met kleuren zien?'

De ober bood hem een stuk brood aan. 'Nee. Dat is omdat kleur op het doek iets heel alledaags heeft, want we zien immers de hele dag al alles in kleur. Bij zwart-wit is er de inherente suggestie dat het "kunst" is.'

'Je hebt verf op je handen,' zei ik. 'Ben je aan het doe-het-zelven geweest?'

Hij bestudeerde zijn vingers. 'Ik heb gisteravond nog wat aan de schuur gedaan... nu gaat het alleen nog om de laatste afwerking.'

'Wat is er eigenlijk te zien in die geheimzinnige schuur van je?'

'Dat zul je op 11 oktober wel zien, tijdens de officiële galaopening. De uitnodigingen volgen binnenkort. Je komt toch zeker wel?'

Ik bedacht hoezeer ik van deze avond had genoten. 'Ja, ik kom. En hoe luidt het kledingvoorschrift? Tuinbroek? Rubberlaarzen?'

Hij keek beledigd. 'Nonchalant netjes.'

'Dus geen avondkleding?'

'Dat zou een beetje overdreven zijn, al kun je wel een van die prachtige vintage jurkjes van je aantrekken als je wilt. Je zou die lichtroze jurk aan kunnen trekken, die waarvan je zei dat hij van jou zelf is geweest.'

Ik schudde mijn hoofd. 'Die trek ik zeer beslist niet aan.'

'Ik vraag me af waarom niet,' mijmerde Dan.

'Ik vind hem gewoon... niet leuk.'

'Weet je, jij bent ook een beetje een sfinx,' zei Dan. 'Een enigma, in elk geval. En ik heb het idee dat je ergens mee worstelt.' Hij overdonderde me weer.

'Ja,' zei ik zacht. 'Dat klopt. Ik worstel met het feit dat jij zo... brutaal bent.'

'Brutaal?'

Ik knikte. 'Je maakt heel directe, zelfs ronduit persoonlijke opmerkingen. Je zegt en doet telkens dingen die me volkomen van de wijs brengen. Je bent altijd zo... ik weet niet goed welk woord ik zoek.'

'Spontaan? Ben ik altijd spontaan?'

'Nee. Je verwart me... brengt me in verlegenheid... brengt me van de wijs... Je brengt me van mijn à propos! Dat is het... je brengt me voortdurend van mijn à propos, Dan.'

Hij glimlachte. 'Ik vind het prachtig zoals je dat zegt... à propos. Zeg het nog eens. Het klinkt echt mooi uit jouw mond,' vervolgde hij. 'Ik wil het best wat vaker horen, à propos,' zei hij opgewekt.

Ik rolde met mijn ogen. 'En nu probeer je me te irriteren.'

'Sorry. Misschien komt het doordat je zo koel en beheerst bent. Ik mag je echt graag, Phoebe, maar zo nu en dan voel ik de aandrang om je – ik weet het niet – een beetje uit balans te brengen.'

'O, ik begrijp het. Nou, dat is je dan niet gelukt. Ik ben nog steeds helemaal... in balans. En hoe zit het met jou, Dan?' vroeg ik, vastbesloten zelf de controle over het gesprek te houden. 'Je weet aardig wat van mij... je hebt me immers geïnterviewd. Maar ik weet bijna niets van jou.'

'Behalve dat ik brutaal ben.'

'Buitengewoon brutaal.' Ik glimlachte en voelde dat ik me weer ontspande. 'Waarom vertel je me niet wat over jezelf?'

Hij haalde zijn schouders op. 'Oké... nou, ik ben opgegroeid in Kent, in de buurt van Ashford. Mijn vader was huisarts; mijn moeder was onderwijzeres – ze zijn nu allebei met pensioen. Het interessantste over ons als gezin was denk ik wel dat we een Jack Russell hadden, Percy, die achttien jaar is geworden, wat in mensenjaren honderdzesentwintig is. Ik zat op het plaatselijke atheneum voor jongens en ging daarna naar York om geschiedenis te studeren. Daarna volgde mijn glorieuze decennium in de direct marketing, en nu mijn werk bij de *Black & Green*. Niet getrouwd, geen kinderen, een paar relaties, waarvan de laatste drie maanden geleden zonder venijn van beide kanten is beëindigd. Bingo... mijn geschiedenis in een notendop.'

'En heb je plezier in je werk bij de krant?' vroeg ik hem, weer kalm.

'Het is een avontuur; maar niet wat ik op de lange duur wil blijven doen.' En voor ik Dan kon vragen wat hij wel op de lange duur wilde doen, zette hij het gesprek weer in een andere richting voort. 'Oké, we hebben dus net *Anna Karenina* gezien. Nou draaien ze vrijdag, als onderdeel van dezelfde reeks, een nieuwe verfilming van *Dr Zhivago* – heb je zin om mee te gaan?'

Ik keek Dan aan. 'Dat had ik eigenlijk best gewild, maar ik kan niet.'

'O?' zei Dan. 'Waarom niet?'

'Waarom niet?' herhaalde ik. 'Nou doe je het weer, Dan.'

'Je van je à propos brengen?'

'Ja. Omdat... Luister eens... ik hoef jou helemaal niet te vertellen waarom ik niet kan.'

'Nee, dat hoef je niet,' zei hij. 'Ik heb het al geraden. Het is omdat je een nieuwe vriend hebt die, als hij ons nu samen zag, mij in stukken zou scheuren. Is dat de reden?'

'Nee,' zei ik vermoeid, en Dan glimlachte. 'Het is omdat ik naar Frankrijk ga om voorraad in te kopen.'

'Aha.' Hij knikte. 'Dat herinner ik me. Je gaat wel eens naar de Provence. In dat geval gaan we wel weer naar de film wanneer je terug bent. O, nee, sorry, je moet daar eerst zes weken over nadenken, niet-waar? Zal ik je half november bellen? Maak je geen zorgen, ik stuur je van tevoren wel een e-mail om aan te kondigen dat ik ga bellen... en misschien moet ik je de week daarvoor een brief schrijven om je te la-ten weten dat ik van plan ben je te mailen, zodat je niet het idee krijgt dat ik brutaal ben.'

Ik keek Dan aan. 'Volgens mij is het veel eenvoudiger als ik gewoon maar "ja" zeg.'

8

IK STAPTE 'S OCHTENDS VROEG IN ST PANCRAS AAN BOORD VAN DE
Eurostar voor mijn reis naar Avignon. Ik had besloten me over te geven aan het genoegen van de reis, die met een overstap in Lille ongeveer zes uur zou duren. Terwijl de trein wachtte tot hij kon vertrekken, bladerde ik mijn *Guardian* door. In het lokale katern zag ik tot
mijn verbazing een foto van Keith. Het bijbehorende artikel ging over
zijn bedrijf Phoenix Land, dat gespecialiseerd was in het opkopen van
oude stedelijke gebieden voor herontwikkeling. Het was onlangs ge-
waardeerd op 20 miljoen pond en zou aandelen gaan uitgeven op de
Alternative Investment Market. Het artikel legde uit dat Keith was
begonnen met de verkoop van zelfbouwkeukens via een postorderbe-
drijf, maar dat zijn magazijn in 2002 was verwoest door een brand die
was gesticht door een ontevreden werknemer. Er stond een citaat van
Keith bij: *Dat was de ergste nacht van mijn leven. Maar terwijl ik naar
dat brandende gebouw stond te kijken, zwoer ik dat ik iets goeds uit de as
zou laten herrijzen.* Vandaar de naam van zijn nieuwe bedrijf, dacht ik
terwijl de trein in beweging kwam.

Ik ging verder met het exemplaar van de *Black & Green* dat ik van
Blackheath Station had meegenomen. Ik was eerder te moe geweest
om het te lezen. Het bevatte de verwachte lokale artikelen over de
dalende inkomsten bij bedrijven, de bedreiging die ketens in High
Street voor onafhankelijke winkels vormden en de problemen met
parkeren en het verkeer. Er was een uitgaanskatern voor het weekend
met onder andere een bladzijde over wat er in de O2 te doen zou zijn.
Er was een 'Sociaal-Leven-katern', met kiekjes van bekende bezoe-
kers aan de wijk, waaronder een foto van Chloë Sevigny, die naar de

etalage van Villa Vintage stond te kijken. Er stonden ook foto's in van beroemde bewoners, zoals eentje van Jools Holland, die ergens bloemen aan het kopen was en een van Glenda Jackson bij een benefietconcert in Blackheath Halls.

Op de middenpagina stond het artikel van Dan over de Age Exchange, met als kop À LA RECHERCHE DU TEMPS. *De Age Exchange is een plek waar het verleden wordt gekoesterd,* had hij geschreven. *Het is een plek waar ouderen bij elkaar kunnen komen om hun herinneringen te delen met elkaar en met de jongere generaties... Het belang van het vertellen van verhalen,* stond iets verderop. *Zorgvuldig gekozen memorabilia helpen de herinneringen op te roepen... Het centrum helpt de kwaliteit van leven van oudere mensen te verbeteren door de nadruk te vestigen op de waarde van hun memoires voor jong en oud...*

Het was een sympathiek, goed geschreven stuk.

De trein kwam op snelheid, ik vouwde de krant dicht en keek naar het landschap van Kent. De oogst was onlangs binnengehaald en de velden waren hier en daar zwart doordat men de stoppels had verbrand. Van de nog smeulende grond dreven slierten lichte rook omhoog. Toen we door Ashford reden, stelde ik me plotseling voor dat Dan in zijn slecht bij elkaar passende kleren op het perron zou staan zwaaien terwijl ik voorbijraasde. Al snel dook de trein onder Het Kanaal, om weer boven te komen in het vlakke land van België, waar reusachtige hoogspanningsmasten schrijlings op de kale velden stonden.

In Lille stapte ik over op de TGV die me naar Avignon zou brengen. Met mijn hoofd tegen het raampje geleund viel ik in slaap en ik droomde van Miles, Annie, het meisje dat terug was gekomen voor de groene schoolbaljurk en de vrouw die geen kindje kon krijgen en de roze jurk had gekocht. Daarna droomde ik van mevrouw Bell, die als jong meisje over de velden liep met haar blauwe jas, wanhopig op zoek naar de vriendin die ze nooit terug zou vinden. Toen ik mijn ogen opende, raasde tot mijn verbazing het Provençaalse landschap al voorbij met zijn terracotta huizen, zijn zilverkleurige aarde en zijn groen-zwarte cipressen die als uitroeptekens in het landschap staan.

In alle richtingen zag ik wijnstokken, die in zulke rechte lijnen waren geplant dat het leek of iemand een kam over ze had gehaald. Landarbeiders in felgekleurde kleren liepen achter de plukmachines aan, die het zand deden opstuiven terwijl ze tussen de rijen door rolden. De *vendange* was duidelijk nog in volle gang.

Avignon TGV, klonk het door de luidsprekers. *Descendez ici pour Avignon – Gare TGV.*

Ik liep het station uit en knipperde met mijn ogen tegen het felle zonlicht. Ik haalde mijn huurauto op en reed de stad in, waarbij ik eerst de weg rond de middeleeuwse muren volgde en daarna door de smalle straatjes naar mijn hotel manoeuvreerde.

Ik schreef me in, waste me en kleedde me om en slenterde daarna door de belangrijkste straat van Avignon, de Rue de la République, waar het in de winkels en cafés gonsde van de drukte op de vroege avond. Ik stond even stil op het Place de l'Horloge. Voor het imposante stadhuis draaide een draaimolen langzaam rond. Terwijl ik naar de kinderen keek die op en neer gingen op de goud-en-crèmekleurig geschilderde paarden, stelde ik me Avignon in een minder onschuldige tijd voor. Ik stelde me soldaten voor, die stonden waar ik nu stond, hun machinegeweren langs hun zij. Ik stelde me mevrouw Bell en haar broer voor, die naar hen wezen en lachten en door hun bange ouders tot stilte werden gemaand. Daarna liep ik door naar het Palais des Papes en ging ik bij een café voor het middeleeuwse fort zitten kijken naar de zon, die onderging in een bijna turquoise lucht. Mevrouw Bell had me verteld dat de kelders van het paleis tegen het einde van de oorlog tijdens luchtaanvallen werden gebruikt als schuilkelders. Ik keek naar het reusachtige gebouw en zag de menigten voor me die erheen renden wanneer de sirenes gingen.

Mijn gedachten keerden terug naar het heden en ik maakte plannen voor de uitstapjes die ik de komende paar dagen zou moeten maken. Ik zat op de kaart te kijken toen mijn telefoon ging. Ik keek op het schermpje en nam het gesprek aan.

'Miles,' zei ik blij.

'Phoebe… Ben je al in Avignon?'

'Ik zit voor het Palais des Papes. Waar ben jij?'

'We zijn net bij mijn neef gearriveerd.' Het drong tot me door dat Miles 'we' had gezegd, wat inhield dat Roxy bij hem moest zijn.

Hoewel het me nauwelijks verbaasde, daalde mijn stemming wel een beetje. 'Wat doe je morgen?' vroeg Miles.

'In de ochtend ga ik naar de markt in Villeneuve-lès-Avignon en daarna naar de markt in Pujaut.'

'Nou, Pujaut is al halverwege Châteauneuf-du-Pape. Waarom kom je niet hierheen als je klaar bent, dan neem ik je mee uit eten.'

'Dat lijkt me erg leuk, Miles, maar waar is "hier"?'

'Het heet Château de Bosquet en het is gemakkelijk te vinden. Je rijdt gewoon door Châteauneuf-du-Pape heen en zodra je het dorp uit bent neem je de weg naar Orange. Dan ligt er na ongeveer anderhalve kilometer een groot vierkant huis aan de rechterkant. Dat is het. Kom maar zo vroeg als je kunt.'

'Oké, dat doe ik.'

Dus reed ik de volgende ochtend de Rhône over naar Villeneuve-lès-Avignon. Ik parkeerde bovenaan in het dorp en liep toen de smalle hoofdstraat af naar het marktplein, waar handelaren hun *antiquités* op kleden op de grond hadden uitgestald. Ik zag oude fietsen en verkleurde tuinstoelen, porselein waar stukjes af waren en bekrast uitziend gegraveerd glas; er waren antieke vogelkooien, roestige oude gereedschappen en kalende teddyberen met gekreukte leren poten. Er waren kraampjes waar oude olieverfschilderijen en verbleekte Pronvençaalse gestikte dekens te koop werden aangeboden en tussen de platanen waren waslijnen gespannen waaraan oude kleren wapperden en ronddraaiden in de bries.

'*Ce sont que des vrais antiquités, madame,*' zei een verkoopster geruststellend toen ik haar kledingstukken stond te bekijken. '*Tous en très bon état.*'

Er was heel veel te zien. Ik besteedde een paar uur aan het uitkiezen van eenvoudige bedrukte jurken uit de jaren veertig en vijftig en witte nachthemden uit de jaren twintig en dertig. Sommige waren gemaakt van chambre, een grove linnensoort, andere van metisse, een mengeling van linnen en katoen, en weer andere van Valencienne, een ragfijne katoenen voile die op de wind leek te drijven. Veel van de nachthemden waren prachtig bewerkt. Ik vroeg me af wier handen de volmaakte kleine bloemen en bladeren hadden geborduurd die ik nu aanraakte, of de naaisters het leuk hadden gevonden om zulk fijn werk te doen en of ze er ooit bij stil hadden gestaan dat latere generaties dit zouden waarderen en er belangstelling voor zouden hebben.

Toen ik alles had gekocht wat ik wilde, ging ik naar een café voor een vroege lunch en stond ik mezelf toe over de datum na te denken. Ik had gedacht dat ik van streek zou zijn, maar dat was ik niet, al was ik wel blij dat ik niet thuis was. Ik vroeg me even af wat Guy aan het doen zou zijn en hoe hij zich zou voelen. Daarna belde ik Annie.

'Het is heel druk in de winkel,' zei ze. 'Ik heb de rok met de tournure van Vivienne Westwood en de grosgrain-jas van Dior al verkocht.'

'Goed gedaan.'

'Weet je nog wat je op de radio zei over Audrey Hepburn?'

'Ja.'

'Nou, ik had vanochtend een vrouw die me vroeg haar in Grace Kelly te veranderen. Dat was nogal lastig.'

'Niet aantrekkelijk genoeg?'

'O, ze was een heel mooie vrouw. Het zou alleen een stuk gemakkelijker zijn geweest om haar in Grace Jones te veranderen.'

'Aha.'

'En je moeder kwam langs om te kijken of je misschien met haar wilde gaan lunchen. Ze was vergeten dat je naar Frankrijk was.'

'Ik bel haar wel.' En dat deed ik meteen, maar ze begon weer over een nieuw soort behandeling waarnaar ze ergens was wezen informeren: Plasma Skin Regeneration. 'Ik had gisterochtend vrij genomen om naar die kliniek te gaan,' zei ze terwijl ik van mijn koffie nipte. 'Het is goed voor diepe rimpels,' hoorde ik haar uitleggen. 'Ze gebruiken stikstofplasma om het natuurlijke regeneratieproces van de huid te stimuleren. Ze injecteren het onder de huid en dat zet de fibroblasten aan het werk. Het resultaat, geloof het of niet, is een gloednieuwe opperhuid.' Ik rolde met mijn ogen. 'Phoebe? Ben je daar nog?'

'Ja, maar ik moet nu gaan.'

'Als ik de Plasma Skin Regeneration niet laat doen,' ging mam door, 'dan kan ik een van de vullers proberen – ze zeiden dat je Restylane, Perlane of Sculptra hebt – en ze hadden het ook over autologe vetverplaatsing, waarbij ze vet uit je billen halen en dat in je gezicht spuiten, maar het punt daarbij is...'

'Sorry, mam... ik moet nú weg.' Ik voelde me misselijk.

Ik stapte weer in de auto, zette elke gedachte aan de groteske procedures die mijn moeder zojuist had beschreven uit mijn hoofd en ging op weg naar Pujaut.

Toen ik een bord zag dat naar Châteauneuf-du-Pape verwees, voelde ik een aangename spanning over het weerzien met Miles. Ik had een jurk meegenomen, zodat ik me kon omkleden voor ik daar aankwam, omdat ik al de hele dag hetzelfde droeg.

De markt in Pujaut was klein, maar ik kocht er nog zes nachthemden en een paar vestjes in broderie anglaise met geschulpte hals, die meisjes graag bij een spijkerbroek dragen. Het was inmiddels halfdrie. Ik vond een café en kleedde me op het toilet om. Wat ik aantrok was een blauw-met-wit gestreepte overgooier van St Michael uit begin jaren zestig.

Toen ik Pujaut uit reed, zag ik landarbeiders ploeteren in de wijngaarden, die zich in alle richtingen uitstrekten. Borden langs de weg nodigden me uit bij *domaine* zus of *château* zo de wijn te komen proeven.

Voor me op een heuvel lag Châteauneuf-du-Pape, een kluwen crèmekleurige gebouwen onder een middeleeuwse toren. Ik reed door het dorp heen en sloeg toen rechtsaf naar Orange. Na pakweg anderhalve kilometer zag ik het bord van Château de Bosquet.

Ik draaide van de weg af, de met cipressen omzoomde oprijlaan op. Aan het eind daarvan zag ik een groot, vierkant, op een kasteel lijkend huis. In de wijngaarden aan weerskanten van de oprijlaan stonden mannen en vrouwen kromgebogen over de wijnstokken, hun gezichten overschaduwd door de hoeden die ze droegen. Bij het geluid van mijn auto rechtte een gestalte met grijs haar zijn rug. Hij hield zijn hand boven zijn ogen om ze te beschermen tegen de zon en zwaaide. Ik zwaaide terug.

Toen ik de auto parkeerde, zag ik Miles tussen de wijnstokken door naar me toe komen. Ik draaide mijn raampje omlaag en hij glimlachte; er zat zo veel stof op zijn gezicht dat de lijntjes rond zijn ogen kleine spaken leken.

'Phoebe!' Hij trok mijn portier open. 'Welkom op Château de Bosquet.' Hij kuste me al terwijl ik uitstapte. 'Je kunt straks kennismaken met Pascal en Cecile. Nu is iedereen nog hard aan het werk.'

Hij knikte naar de wijngaard. 'Morgen is onze laatste dag, dus de tijd dringt.'

'Kan ik helpen?'

Miles keek me aan. 'Wil je dat doen? Het is wel stoffig werk.'

Ik haalde mijn schouders op. 'Dat geeft niet.' Ik keek naar de arbeiders met hun zwarte emmers en hun snoeischaartjes. 'Gebruiken jullie geen plukmachine?'

Hij schudde zijn hoofd. 'In Châteauneuf-du-Pape moeten de druiven met de hand geplukt worden om te voldoen aan de wetten ten aanzien van de "appellation". Daarom hebben we dit kleine leger nodig.' Hij keek naar mijn veterschoenen. 'Je schoeisel is in orde, maar je hebt een schort nodig. Wacht hier maar even.' Terwijl Miles naar het huis liep, zag ik Roxy, die op een bank onder een grote vijgenboom een tijdschrift zat te lezen.

'Hallo, Roxy,' riep ik. Ik kwam een paar passen dichterbij. 'Hallo daar, Roxy!' Roxanne keek op en schonk me zonder haar zonnebril af te zetten een flauw glimlachje, waarna ze meteen verder las. Ik voelde me afgewezen, tot ik me herinnerde dat de meeste zestienjarigen over beperkte sociale vaardigheden beschikten en dat ze me bovendien nog maar één keer eerder had gezien, dus waarom zou ze vriendelijk doen?

Miles kwam naar buiten met een blauwe zonnehoed. 'Die heb je wel nodig.' Hij plantte de hoed op mijn hoofd. 'En dit ook...' Hij gaf me een flesje water. 'En de schort beschermt je jurk. Hij is van Pascals moeder geweest: ze was een lieve vrouw, nietwaar, Roxy, maar een beetje aan de forse kant.'

Roxy dronk van haar cola. 'Je bedoelt vet.'

Miles vouwde de omvangrijke schort open, hing hem over mijn hoofd, reikte toen met de banden achter me langs en streek daarbij met zijn adem langs mijn oor. Hij kruiste de banden, haalde ze weer naar voren en legde er een strik in. Hij deed een stap achteruit om me te bekijken. 'Zo,' zei hij, 'je ziet er schattig uit.' Ik werd me er plotseling onaangenaam van bewust dat Roxy vanachter haar Ray-Ban naar me zat te kijken. Miles pakte twee lege emmers en liep, ermee zwaaiend, naar de wijngaard. 'Kom dan, Phoebe.'

'Is het moeilijk?' vroeg ik toen ik hem had ingehaald.

'Nauwelijks,' antwoordde hij toen we tussen de weelderige bladeren aan de knoestige wijnstokken stapten. Hier en daar vloog een mus op of sprong een sprinkhaan voor ons weg wanneer we in de buurt kwamen. Miles plukte een klein trosje druiven en gaf het aan mij. Ik liet er een op mijn tong openbarsten. 'Heerlijk. Welke soort is dit?'

'Het zijn grenache. De stokken zijn al oud. Ze zijn in 1960 geplant, net als ik. Maar ze zijn heel vitaal,' voegde hij er plagerig aan toe. Hij keek met samengeknepen ogen en zijn hand boven zijn ogen naar de lucht. 'Godzijdank hebben we goed weer gehad. In 2002 hadden we vreselijk veel regen en toen rotten de druiven weg. We produceerden dat jaar maar vijfduizend flessen in plaats van honderdduizend... het was een ramp. De dorpspastoor zegent de oogst altijd en het lijkt erop dat hij dit jaar goed werk heeft verricht, want het is een overvloedige oogst.'

Overal om ons heen lagen grote ronde kiezels: in de gebroken exemplaren zag ik hier en daar witte kwarts glinsteren. 'Die grote stenen zijn wel hinderlijk,' zei ik terwijl ik me een weg ertussendoor zocht.

'Vreselijk,' zei Miles. 'Ze zijn hier eeuwen geleden door de Rhône afgezet. Maar we hebben ze wel nodig, omdat de warmte die ze overdag opslaan, 's nachts wordt afgegeven, wat een van de redenen is dat dit gebied zo geschikt is voor druiventeelt. Kun je hier beginnen?' Miles bukte en trok de rood-gouden bladeren opzij boven een grote tros zwarte druiven. 'Hou je hand eronder.' Ze voelden warm aan. 'Knip nu het steeltje door – geen bladeren erbij alsjeblieft – en leg ze met zo weinig mogelijk aanraking in de eerste emmer.'

'Wat gaat er in de tweede emmer?'

'De druiven die we afkeuren... dat is zo'n twintig procent van wat we plukken. Daar wordt tafelwijn van gemaakt.'

Er heerste een feestelijke sfeer om ons heen. De pakweg twaalf arbeiders lachten en praatten, en sommigen luisterden naar Walkmans of iPods. Een meisje zong een stukje uit *Die Zauberflöte*, de aria over mannen en vrouwen. Haar heldere mooie sopraan reikte door de hele wijngaard.

Mann und Weib, und Weib und Mann...

Wat vreemd om dat uitgerekend vandaag te horen.

Reichen an die Gottheit an.

'Wie zijn de druivenplukkers?' vroeg ik Miles.

'Een paar mensen uit de plaats, die ons elk jaar helpen, plus studenten en buitenlandse arbeiders. Bij ons duurt de *vendange* een dag of tien, en daarna geeft Pascal een groot feest om iedereen te bedanken.'

Ik zette de snoeischaar tegen de steel. 'Moet ik hier knippen?'

Miles boog voorover en legde zijn hand op de mijne. 'Hier is beter,' zei hij. 'Zo.' Ik voelde een golf van verlangen door me heen gaan. 'En nu knippen. Ze zijn zwaar, dus laat ze niet vallen.' Ik legde de tros voorzichtig in de eerste emmer. 'Ik ben daar,' zei Miles toen hij terugging naar zijn eigen emmers een paar meter verderop.

Het was heet en zwaar werk. Ik was blij met het water, en erg blij met de schort, die al snel onder het stof zat. Ik strekte even mijn rug en keek daarbij naar Roxy, die met haar exemplaar van *Heat* en haar koude drankje in de schaduw zat.

'Ik zou Roxy moeten laten helpen,' zei Miles, alsof hij mijn gedachten had gelezen. 'Maar druk uitoefenen werkt bij tieners averechts.'

Ik voelde een zweetdruppel tussen mijn schouderbladen door lopen. 'Hoe is het afgelopen met haar geschiedenisopstel?'

'Dat is goed geworden. Ik hoop een tien te krijgen,' zei hij laconiek. 'Dat heb ik wel verdiend, want ik heb er de hele nacht aan gewerkt.'

'Dan verdien je in elk geval een tien als vader. Mijn emmer is vol, wat nu?'

Miles deed de minder goede druiven in de tweede emmer en pakte toen beide emmers op. 'We brengen ze naar de pers.' Hij knikte naar de grote betonnen schuren rechts van het huis.

Toen we de eerste schuur binnengingen was de zoete, gistachtige geur overweldigend, net als het lawaai van de grote witte cilinder die voor ons stond te schudden. Ernaast stond een grote ladder waarop een stevig gebouwde man stond. Hij gooide de druiven die een kleine blonde vrouw in een gele jurk hem aangaf, in de cilinder.

'Dat is Pascal,' zei Miles, 'en dat is Cecile.' Hij zwaaide naar hen. 'Pascal! Cecile! Dit is Phoebe!'

Pascal knikte vriendelijk, nam de emmer van Cecile aan en schudde de druiven in de cilinder. Ze draaide zich om en glimlachte hartelijk.

Miles wees naar de vier reusachtige rode tanks tegen de achterste wand. 'Dat zijn de fermentatievaten. Het druivensap wordt er vanuit de cilinder rechtstreeks in gepompt. Nu hierheen...' Ik volgde hem naar de volgende schuur, die koeler was en waar een aantal grote stalen vaten stonden met datums erop gekalkt. 'Hier rijpt het gefermenteerde sap. Daar gebruiken we ook deze eiken vaten voor; na ongeveer een jaar kan de wijn gebotteld worden.'

'En wanneer kun je hem drinken?'

'De tafelwijn na achttien maanden en het goede spul na twee tot drie jaar. De vintage wijnen worden tot wel vijftien jaar bewaard. Het merendeel van wat we produceren is rood.'

Aan één kant stond een tafel met een paar halflege flessen met grijze stoppen, glazen en kurkentrekkers en enkele wijnboeken. Aan de muur hingen diverse ingelijste *diplômes d'honneur* die de wijnen van Château de Bosquet op internationale wijnfestivals hadden vergaard.

Ik zag dat een fles een mooi etiket had, er stond een merel op met een druiventros in zijn snavel. Ik keek nog eens goed. 'Chante le Merle,' zei ik. 'Die heb ik vorige week gedronken bij het Greenwich Picturehouse.'

'Die kopen inderdaad onze wijnen. Vond je hem lekker?'

'Hij was heerlijk. Hij had een... verleidelijk boeket, als ik me goed herinner.'

'Naar welke film ben je geweest?'

'*Anna Karenina.*'

'Met...?'

'Greta Garbo.'

'Nee, ik bedoel... met wie ben je erheen geweest. Dat vroeg ik me zomaar af,' vervolgde hij verlegen.

Ik vond Miles' onzekerheid ontroerend... vooral omdat hij me bij onze eerste ontmoeting zo kalm had geleken. 'Met een vriend van me, Dan. Hij is nogal een filmliefhebber.'

Miles knikte en keek op zijn horloge. 'Nou... het is bijna zes uur. We kunnen ons maar beter klaar gaan maken. We eten in het dorp. Roxy zal wel bij Pascal en Cecile blijven. Dan kan ze meteen haar Frans oefenen,' voegde hij eraan toe. 'Nou, je wilt je vast wel wassen...'

Ik stak mijn paarsgevlekte handen op.

Toen we om het huis heen liepen, zag ik dat Roxy haar plekje had verlaten. Ze had het lege colaflesje laten staan, waarvan de hals nu omringd werd door wespen. Miles duwde de enorme voordeur open en we stapten het koele huis binnen. De gang was groot en had een gebogen plafond met zichtbare balken en een reusachtige open haard waar een stapel hout naast lag. Tegen een muur stond een lange kistbank, gemaakt van oude fusten. Aan de voet van de trap hield een opgezette beer met ontblote tanden en klauwen de wacht.

'Maak je geen zorgen,' zei Miles toen we erlangs liepen.'Hij heeft nog nooit iemand gebeten. We gaan naar boven. En nu...' We staken de overloop over en Miles duwde een paneeldeur open waarachter een groot kalkstenen bad in de vorm van een sarcofaag stond. Hij pakte een handdoek van het rek. 'Nu ga ik in bad.'

'Ergens anders, neem ik aan,' gekscheerde ik, me afvragend of Miles zich voor mijn ogen zou uitkleden. Ik realiseerde me plotseling dat ik dat niet erg zou vinden.

'Ik heb een en-suite,' zei hij terwijl hij de kamer uit liep. 'Ik zit aan het eind van de overloop. Ik zie je beneden over... twintig minuten? Roxy...' riep hij terwijl hij doorliep en de deur dichtdeed. 'Ro-xy... ik moet met je praten...'

Ik trok de schort uit, die mijn jurk uitstekend had beschermd, en veegde het stof van mijn schoenen. Ik douchte me onder de oud uitziende koperen douche, draaide mijn natte haren in een knot, kleedde me weer aan en deed wat make-up op.

Vanaf de overloop hoorde ik beneden de fluisterende stem van Miles en daarna Roxy's klaaglijke klanken.

'Ik blijf niet lang weg, schatje...'

'*Wat doet zíj hier?*'

'Ze heeft werk te doen in de omgeving...'

'*...wil niet dat je uitgaat...*'

'Ga dan met ons mee.'

'*Heb ik geen zin in...*'

De bovenste tree kraakte onder mijn voeten.

Miles keek lichtelijk geschrokken op. 'Daar ben je, Phoebe, dus je bent klaar om te gaan?' Ik knikte. 'Ik vroeg net aan Roxy of ze mee wilde,' zei hij toen ik naar beneden liep.

'Ik hoop het,' zei ik tegen Roxy, vastbesloten haar over te halen.

'Dan kunnen we over kleren kletsen: je vader zei dat je belangstelling hebt voor een carrière in de mode.'

Ze keek me nukkig aan. 'Dat ga ik doen, ja.'

'Waarom ga je dan niet mee?' vroeg haar vader hartelijk.

'Ik wíl niet uitgaan.'

'Je kunt ook samen met de druivenplukkers eten.'

Ze keek hem vol walging aan. 'Nee, dank je.'

Miles schudde zijn hoofd. 'Roxy... daar zijn heel leuke jongelui bij. Dat Poolse meisje Beata leert voor operazangeres. Ze spreekt heel goed Engels, dus je zou met haar kunnen praten.' Roxy haalde haar smalle schouders op. 'Dan eet je maar met Pascal en Cecile.' Het meisje kreunde en sloeg haar armen over elkaar. 'Doe niet zo vervelend,' zei haar vader. 'Alsjeblieft, Roxanne, ik wil graag dat je meegaat...' Maar ze was al halverwege de gang.

Miles draaide zich naar me om. 'Sorry, Phoebe.' Hij zuchtte. 'Roxy is op een lastige leeftijd.' Ik knikte beleefd en herinnerde me de Franse uitdrukking voor de tienerjaren... *l'âge ingrat.* 'Ze kan best een paar uur hier blijven. Zo...' Hij rammelde met zijn sleutels. 'Laten we gaan.'

Miles reed naar het dorp en parkeerde zijn gehuurde Renault in de hoofdstraat. Toen we uitstapten knikte hij naar een restaurant met tafeltjes op het terras, waarvan de witte kleedjes wapperden in de bries. We staken de weg over en Miles duwde de deur open.

'Ah... monsieur Archant,' zei een vettig uitziende maître d' terwijl hij de deur openhield. '*C'est un plaisir de vous revoir. Un grand plaisir.*' Er verscheen een glimlach op het gezicht van de man en de twee mannen sloegen elkaar lachend op de rug.

'Goed om je te zien, Pierre,' zei Miles. 'Ik wil je graag aan de schone Phoebe voorstellen.'

Pierre bracht mijn hand naar zijn lippen. '*Enchanté.*'

'Pierre en Pascal zaten samen op school,' legde Miles uit toen Pierre ons naar een tafeltje in de hoek bracht. 'We trokken in de zomervakanties altijd samen op... vijfendertig jaar geleden, Pierre?'

Pierre blies. '*Oui... il y a trente-cinq ans.* Voor u geboren werd,' zei hij grinnikend tegen mij. Ik zag plotseling een vijftienjarige Miles voor me, met mij als baby in zijn armen.

'Wil je een glas wijn?' vroeg Miles, en hij opende de *carte des vins*.

'Jawel,' antwoordde ik voorzichtig, 'maar dat kan ik misschien beter niet doen, want ik moet nog terug naar Avignon.'

'Je moet het zelf weten,' zei Miles, en hij zette zijn leesbril op. Hij keek op de kaart. 'Je bent tenslotte uit eten.'

'Dan neem ik er een... maar meer ook niet.'

'En als je toch besluit je te bezatten, kun je altijd blijven slapen,' voegde hij er nonchalant aan toe. 'Er is een logeerkamer... met een grote dekenkist!'

'O, dat zal niet nodig zijn... de kamer bedoel ik,' corrigeerde ik mezelf blozend. 'Ik bedoel dat ik niet blijf slapen, dank je.' Miles glimlachte om mijn gêne. 'Dus je helpt elk jaar met de oogst, zeg je?'

Hij knikte. 'Ik doe het om de familieband te onderhouden. Het bedrijf is opgericht door mijn overgrootvader Philippe, die ook Pascals overgrootvader was. En ik kom omdat ik een klein aandeel in het bedrijf heb geërfd en er daarom graag bij betrokken blijf.'

'Dus Château de Bosquet is jouw "Villa Vintage".'

'Dat zou je kunnen zeggen, ja.' Miles glimlachte. 'Maar ik ben dol op het hele proces van de wijnproductie; de machines, het lawaai, de geur van de druiven en de band met de aarde. Ik vind het prachtig dat er zoveel bij de wijnbouw komt kijken: geografie, scheikunde, meteorologie... en geschiedenis. En dat wijn een van de weinige dingen is die met de jaren steeds beter worden.'

'Zoals jij?' plaagde ik.

Hij glimlachte. 'Weet je al wat je wilt drinken?' Ik koos de châteauneuf-du-pape Fines Roches. 'En voor mij een glas Cuvée Reine,' zei Miles tegen Pierre. 'Als ik uitga drink ik non-Bosquetwijnen,' zei hij terwijl ik de menukaart pakte. 'Het is goed om te weten hoe de concurrent smaakt.'

Pierre zette de glazen wijn voor ons neer, met een bord vette groene olijven. Miles hief zijn glas. 'Wat leuk om je nu alweer te zien, Phoebe. Tijdens ons etentje van vorige week hoopte ik je nog eens te zien, maar ik had nooit gedacht dat we... o.' Hij haalde zijn BlackBerry uit zijn zak. 'Luister, Roxy,' fluisterde hij terwijl ik het menu bestudeerde, 'ik heb wel gezegd waar ik heen ging... wel waar... we zitten in het Mirabelle.' Hij stond op. 'Je wás uitgenodigd.' Hij liep zuchtend naar de deur. 'Je weet dat het waar is, lieverd. Waarom zeg je dat nou toch?'

Miles stond nog even buiten met Roxy te praten en keek geïrriteerd toen hij terugkwam. 'Sorry,' zei hij zuchtend en hij stopte de telefoon weg. 'Nu is ze kwaad omdat ze niet is meegegaan! Roxy kan soms zó vervelend zijn, echt waar. Maar toch is ze een goede meid.'

'Natuurlijk,' mompelde ik.

'Ze zou nooit iets... verkeerds doen,' zei hij na een korte aarzeling. Pierre kwam weer naar ons toe en we gaven onze bestelling op. 'Maar ik wil over jou praten, Phoebe,' zei Miles. 'Vorige keer ontweek je al mijn vragen... ik zou graag iets meer willen weten.'

Ik haalde mijn schouders op. 'Waarover?'

'Nou... persoonlijke dingen. Vertel eens over je familie.'

Dus vertelde ik Miles over mijn ouders, en over Louis.

Miles schudde zijn hoofd. 'Dat is zwaar. En het betekent voor jou vast een conflict,' zei hij toen Pierre het voorgerecht bracht.

Ik legde mijn servet op schoot. 'Ja. Ik wou dat ik Louis vaker had gezien, maar het was allemaal nogal pijnlijk. Nu heb ik besloten vaker langs te gaan en het gewoon niet tegen mijn moeder te zeggen. Normaal gesproken is ze dol op baby's,' zei ik, 'maar hoe kan ze dol zijn op deze?'

'Tja...' zei Miles hoofdschuddend. 'Ik weet het niet.'

'Ze voelt zich nu erg kwetsbaar,' vervolgde ik terwijl ik een broodje in tweeën brak. 'Ze zegt dat ze nooit had gedacht dat mijn vader bij haar weg zou gaan; maar als ik erover nadenk, déden ze eigenlijk nooit iets samen; al jaren niet meer – althans niet dat ik me kan herinneren.'

'Toch moet het moeilijk voor haar zijn.'

'Ja, maar ze heeft in elk geval haar werk.' Nu vertelde ik Miles over mijn moeders baan.

Hij pakte zijn soeplepel. 'Dus ze werkt al tweeëntwintig jaar voor die kerel?'

Ik knikte. 'Het is net een professioneel huwelijk. Als John met pensioen gaat, doet zij dat ook, maar omdat hij zegt dat hij tot zijn zeventigste door wil werken, duurt dat nog wel een poos, gelukkig. Ze heeft de afleiding nodig en het geld is ook welkom, vooral gezien mijn vaders... carrière-onderbreking,' besloot ik omzichtig.

'En er is geen kans dat je moeder en haar baas...?'

'O nee.' Ik lachte. 'John is gek op haar, maar hij heeft niets met vrouwen.'

'Ik begrijp het.'

Ik nam een slok wijn. 'Zijn jouw ouders bij elkaar gebleven?'

'Drieënvijftig jaar... tot de dood hen scheidde. Ze stierven binnen een paar maanden na elkaar. Heeft wat er met jouw ouders is gebeurd je geloof in het huwelijk doen wankelen?'

Ik liet mijn vork zakken. 'Je neemt aan dat ik dat heb?'

'Ja, omdat je zei dat je verloofd bent geweest.' Miles nam een slok van zijn wijn en knikte naar mijn rechterhand. 'Was dat je verlovingsring?'

'O nee.' Ik keek naar de ruitvormig geslepen smaragd geflankeerd door twee diamantjes. 'Deze was van mijn grootmoeder. Ik draag hem graag, niet in het minst omdat ik zoveel herinneringen heb aan toen dat zij hem droeg.'

'Was je verloving lang geleden?'

Ik schudde mijn hoofd. 'Eerder dit jaar.' Miles keek me verrast aan. 'In feite...' zei ik, naar buiten kijkend, 'zou ik vandaag trouwen.'

'Vandaag?' Miles liet zijn glas zakken.

'Ja. Ik zou vanmiddag om drie uur trouwen voor de burgerlijke stand in Greenwich, gevolgd door een diner en een feest voor tachtig mensen in het Clarendon Hotel in Blackheath. In plaats daarvan heb ik in de Provence druiven staan plukken met een man die ik nauwelijks ken.'

Miles keek verbijsterd. 'Je lijkt niet erg... van streek.'

Ik haalde mijn schouders op. 'Het is vreemd, maar ik voel bijna niets.'

'Wat betekent dat jij degene was die er een punt achter heeft gezet.'

'Ja.'

'Maar... waarom?'

'Omdat ik niet anders kon. Dat was wel duidelijk geworden.'

'Hield je niet van je verloofde?'

Ik dronk van mijn wijn. 'Jawel. Of beter gezegd, ik had heel veel van hem gehouden. Maar toen gebeurde er iets waardoor mijn gevoelens voor hem sterk veranderden, dus heb ik het uitgemaakt.' Ik keek Miles aan. 'Vind je me nu gevoelloos?'

'Een beetje,' zei hij, licht fronsend. 'Maar ik kan niet oordelen zonder dat ik iets over hem weet. Ik neem aan dat hij je ontrouw was of iets dergelijks.'

'Nee. Hij deed alleen iets wat ik hem niet kon vergeven.' Ik keek naar Miles' verbaasde gezicht. 'Ik zal het je vertellen... als je wilt. Of we veranderen van onderwerp.'

Miles aarzelde. 'Oké,' zei hij even later. 'Ik kan niet ontkennen dat je me nieuwsgierig hebt gemaakt.' Dus vertelde ik hem kort over Emma en over Guy. Miles brak een soepstengel in tweeën. 'Dat was vast pijnlijk.'

'Ja, dat was het.' Ik nam weer een slokje wijn. 'Ik wou dat ik Guy nooit had ontmoet.'

'Maar wat heeft die arme man dan gedaan?'

Ik dronk mijn glas leeg en terwijl ik de warmte van de wijn door mijn aderen voelde sijpelen vertelde ik Miles over mijn verloving en daarna over Valentijnsdag en Emma's telefoontje. Toen vertelde ik hem hoe ik haar had aangetroffen.

Miles schudde zijn hoofd. 'Wat een trauma, Phoebe.'

'Trauma?' zei ik. *Träumerei*. 'Ja. Het komt voortdurend bij me naar boven. Ik droom vaak dat ik in Emma's kamer ben en het dekbed wegtrek...'

Miles' gezicht straalde droefenis uit. 'Ze had dus alle paracetamol ingenomen?'

'Ja, maar volgens de patholoog had ze er maar vier geslikt – de laatste vier kennelijk, want het flesje was leeg.'

Miles keek verbijsterd. 'Waarom was ze dan...?'

'We beseften eerst niet wat er met Emma was gebeurd. Het leek een overdosis.' Ik kneep in mijn servet. 'Maar ironisch genoeg was het een ónderdosis waardoor ze...'

Miles staarde me aan. 'Je zei dat je dacht dat ze griep had.'

'Ja, daar leek het op toen ze me belde.'

'En was ze pas naar Zuid-Afrika geweest?'

Ik knikte. 'Ze was pas drie weken terug.'

'Was het malaria?' vroeg hij zacht. 'Niet-gediagnosticeerde malaria?'

Ik had weer het gevoel of ik van een heuvel omlaag gleed. 'Ja,' mompelde ik. 'Dat was het.' Ik kneep mijn ogen dicht. 'Had ik het maar net zo snel beseft als jij.'

'Mijn zus Trish heeft een paar jaar geleden malaria opgelopen,' zei Miles. 'Het was na een reis naar Ghana. Ze heeft geluk gehad dat ze het heeft overleefd, want het was malaria tropica, de vaak dodelijke vorm...'

'Plasmodium falciparum,' zei ik. 'Overgebracht door een besmette anofeles mug... maar alleen het wijfje. Ik ben inmiddels een expert... helaas.'

'Trish had niet al haar antimalariapillen ingenomen. Was het dat bij Emma ook? Ik neem aan dat je dat bedoelde met het woord "onderdosis"?'

Ik knikte. 'Een paar dagen na haar dood vond haar moeder de medicijnen in Emma's wasmand. Aan de doordrukstrips kon ze zien dat Emma ze maar tien dagen had ingenomen, in plaats van acht weken. En ze was er te laat mee begonnen – ze had ze al een week voor haar vertrek moeten gaan gebruiken.'

'Was ze eerder in Zuid-Afrika geweest?'

'Heel vaak – ze heeft er als kind gewoond.'

'Dus ze kende de risico's.'

'O ja.' Ik zweeg terwijl Pierre onze borden weghaalde. 'En hoewel het risico van malaria daar laag is, gaf Emma me altijd de indruk dat ze de pillen nauwgezet innam. Maar deze keer lijkt ze roekeloos te zijn geweest.'

'Waarom denk je dat dat was?'

Ik speelde met de steel van mijn wijnglas. 'Soms denk ik dat ze het misschien doelbewust heeft gedaan...'

'Je bedoelt dat ze opzettelijk...?'

'Misschien. Ze was erg down. Ik denk dat ze daarom plotseling besloot te gaan. Of misschien vergat ze ze gewoon in te nemen, of vond ze het geen probleem om Russische roulette te spelen met haar gezondheid. Ik weet alleen dat ik meteen naar haar toe had moeten gaan toen ze me belde.' Ik wendde mijn blik af.

Miles pakte mijn hand vast. 'Je wist niet hoe ziek ze was.'

'Nee,' zei ik zwaarmoedig. 'Het kwam gewoon niet bij me op dat ze malaria kon hebben.' Ik schudde mijn hoofd. 'Emma's ouders zouden het wel beseft hebben, maar die waren op wandelvakantie in Spanje en waren niet te bereiken. Ze had kennelijk twee keer geprobeerd haar moeder te bellen.'

'Dus dat is het verdriet waarmee zíj moeten leven.'

'Ja. Plus de manier waarop het is gebeurd... het feit dat Emma alleen was. Dat is heel moeilijk voor hen... en voor mij. Ik moest hun vertellen...' Mijn ogen liepen vol tranen. 'Ik moest hun vertellen...'

Miles kneep in mijn hand. 'Wat vreselijk.'

Mijn keel deed pijn door een onderdrukte snik. 'Ja. Maar haar ouders weten nog steeds niet dat Emma de laatste weken voor haar dood door míj zo van streek was. En als ze dat niet was geweest, zou ze misschien niet naar Zuid-Afrika zijn gegaan en niet ziek zijn geworden.' Mijn hart sloeg een slag over toen ik aan Emma's dagboek dacht. 'Ik hoop dat ze daar nooit achter komen... Miles, mag ik nog een glas wijn?'

'Natuurlijk.' Hij wenkte Pierre. 'Maar als je daarna nog meer drinkt, is het wellicht beter dat je blijft slapen, oké?'

'Ja... maar dat zal niet gebeuren.'

Miles keek me aan. 'Ik begrijp nog steeds niet waarom je vond dat je je verloving moest verbreken.'

Ik draaide mijn wijnglas rond. 'Ik kon er niet mee omgaan dat Guy me had overgehaald niet naar Emma te gaan. Hij zei dat ze alleen maar aandacht wilde.' Ik werd weer boos toen ik eraan dacht. 'Hij zei dat het waarschijnlijk een flinke verkoudheid was.'

'Neem je het hem dan kwalijk dat ze gestorven is?'

Ik wachtte terwijl Pierre de wijn inschonk. 'Ik neem het bovenal mezelf kwalijk, omdat ik degene was die het had kunnen voorkomen. Ik neem het Emma kwalijk, omdat ze haar pillen niet had ingenomen. Maar ja, ik neem het Guy ook kwalijk, want als hij me niet had tegengehouden zou ik meteen bij haar langs zijn gegaan... dan zou ik hebben gezien hoe ziek ze was en een ambulance hebben gebeld, en dan had ze misschien nog geleefd. Maar Guy haalde me over te wachten, dus ik ging pas de volgende ochtend en toen...' Ik sloot mijn ogen.

'Heb je Guy dat verteld?'

Ik nam nog een slok wijn. 'Niet meteen. Ik was in shock en probeerde het allemaal te bevatten. Maar op de ochtend van Emma's begrafenis...' Ik zweeg even en dacht aan haar kist, met bovenop haar favoriete groene hoed in een zee van roze rozen. 'Die ochtend deed ik mijn verlovingsring af. Op weg terug naar huis vroeg Guy me waar hij was en ik zei dat ik hem niet had kunnen dragen waar Emma's ouders bij waren. Er volgde een afschuwelijke scène. Guy hield vol dat ik me nergens schuldig over hoefde te voelen, dat het Emma's eigen schuld was dat ze was gestorven, en dat de verwaarlozing van haar gezondheid niet alleen haarzelf het leven had gekost, maar ook haar familie en vrienden veel verdriet had gebracht. Ik zei tegen Guy dat ik me wel schuldig voelde en dat ook altijd zou blijven doen. Ik zei tegen hem dat ik gekweld werd door de gedachte dat Emma dood lag te gaan terwijl wij in de Bluebird zaten te eten en drinken. En toen zei ik wat ik al twee weken wilde zeggen... dat ze misschien nog zou leven als hij me niet had tegengehouden. Guy keek me aan alsof ik hem had geslagen. Hij was woedend over die beschuldiging, maar ik zei dat het waar was. Toen liep ik naar boven, pakte de ring en gaf die aan hem terug... en dat was de laatste keer dat ik hem heb gezien. Dat is de reden dat ik vandaag niet ben getrouwd,' besloot ik stilletjes.

Ik zuchtte. 'Je zei dat je iets persoonlijks van me wilde weten... maar dit was waarschijnlijk persoonlijker dan je had bedoeld.'

'Nou...' Miles pakte mijn hand weer vast. 'Ik vind het vreselijk dat je zoiets schokkends hebt meegemaakt, maar ik ben blij dat je het me hebt verteld.'

'Het verbaast me dat ik dat heb gedaan. Ik ken je nauwelijks.'

'Nee, je kent me niet. Nog niet,' voegde hij er zacht aan toe. Hij streelde mijn vingers en ik voelde plotseling een schok door me heen gaan, zoals bij statische elektriciteit.

'Miles...' Ik keek hem aan. 'Ik wil toch nog wel een glas wijn.'

We bleven niet veel langer in het restaurant, vooral omdat Roxy weer begon te bellen. Miles zei tegen haar dat we om tien uur terug zouden zijn, maar toen onze toetjes werden gebracht belde ze weer. Ik moest op mijn tong bijten. Roxy had geweigerd mee te gaan, maar ze leek niet te willen dat haar vader plezier had.

'Had ze geen boek kunnen gaan lezen?' opperde ik. Of misschien nog een paar nummers van de *Heat*, dacht ik smalend.

Miles speelde met zijn wijnglas. 'Roxy is een intelligente meid, maar ze is niet zo... vindingrijk als ik graag zou willen,' zei hij omzichtig. 'Dat komt ongetwijfeld doordat ik haar altijd op haar wenken heb bediend.' Hij stak zijn handen op alsof hij zich overgaf. 'Maar als enige ouder van een enig kind is dat bijna onvermijdelijk. Bovendien probeer ik wat er is gebeurd te compenseren; daar ben ik me van bewust.'

'Maar tien jaar is een lange tijd. Je bent een aantrekkelijke man, Miles.' Hij speelde met zijn vork. 'Het verbaast me dat je nooit iemand hebt gevonden die een moederfiguur voor Roxy zou kunnen zijn, en tegemoet kon komen aan jouw behoeften en emoties.'

Miles zuchtte. 'Niets zou me gelukkiger hebben gemaakt... of gelukkiger maken. Een aantal jaren geleden was er wel iemand op wie ik erg gesteld was, maar het lukte gewoon niet. Misschien gaat dat nu goed komen.' Hij glimlachte even en de vele lijntjes onder zijn ogen werden dieper. 'Maar goed...' zei hij, en hij schoof zijn stoel naar achteren. 'We gaan nu maar terug.'

Toen we bij het huis aankwamen zei Pascal dat Roxy net naar bed was gegaan. Nadat ze er eerst voor had gezorgd dat haar vader vroeg terugkwam, dacht ik. Miles legde Pascal uit dat ik zou moeten blijven slapen.

'*Mais bien sûr*,' zei Pascal, en hij sloeg zijn handen ineen en glimlachte naar me. '*Vous êtes bienvenue.*'

'Dank u.'

'Ik zal het logeerbed opmaken,' zei Miles. 'Help je me even, Phoebe?'

'Natuurlijk.' Ik volgde hem, wat onvast ter been door de wijn, de trap op. Boven opende hij een grote droogkast, die heerlijk naar warm katoen rook, en pakte wat beddengoed van de lattenrekken.

'Mijn kamer is aan het eind,' legde hij uit terwijl ik hem volgde over de lange overloop. 'Die van Roxy is ertegenover. En jij slaapt hier.' Hij duwde de deur open en we stapten de grote slaapkamer binnen, waarvan de muren waren behangen met donkerroze Toile de Jouy met een pastoraal tafereel van jongens en meisjes die appels plukken.

Het was vreemd om samen met Miles het bed op te maken. Ik vond de intimiteit van de gezamenlijke worsteling met het grote dekbed verwarrend en opwindend tegelijk. Onze vingers raakten elkaar toen we het laken gladstreken en er ging weer een elektrische schok door me heen. Miles trok de linnen sloop over de peluw. 'Zo...' Hij glimlachte wat timide. 'Kan ik je een shirt lenen om in te slapen?' Ik knikte. 'Streepjes of effen?'

'Een T-shirt, alsjeblieft.'

Hij liep naar de deur. 'Een T-shirt, komt eraan.'

Miles kwam al snel terug met een shirt van Calvin Klein. 'Nou moest ik maar eens naar bed gaan,' zei hij. Hij kuste me op mijn wang. 'Ik heb morgen weer een lange dag in de wijngaard voor de boeg.' Hij kuste me op mijn andere wang en hield me even vast. 'Goedenacht, lieftallige Phoebe,' mompelde hij. Ik sloot mijn ogen en genoot van het gevoel door hem omhelsd te worden. 'Ik ben zo blij dat je hier bent,' fluisterde hij, zijn ademhaling warm in mijn oor. 'Maar wat een raar idee dat dit je huwelijksnacht geweest zou zijn.'

'Dat is inderdaad raar.'

'En nu ben je hier, in een slaapkamer in de Provence met een zo goed als vreemde man. Maar... ik heb een probleem.'

Ik keek naar Miles op. Zijn gezicht was plotseling vol verlangen.

'Wat?'

'Ik wil je kussen.'

'O.'

'Ik bedoel echt kussen.'

'Ik begrijp het.' Hij streek met zijn vinger over mijn wang. 'Nou...' mompelde ik. 'Dat mag.'

'Je kussen?' fluisterde hij.

'Kus me,' fluisterde ik terug.

Miles nam mijn gezicht tussen zijn handen, boog voorover en drukte zijn lippen op de mijne. Ze voelden koel en droog aan. Even bleven we zo staan, toen werd de kus intenser en dringender. Miles bracht zijn handen naar de rug van mijn jurk om de ritssluiting te openen, maar dat lukte hem niet.

'Sorry,' zei hij lachend. 'Ik heb dit al een tijd niet gedaan.' Hij probeerde het nog eens. 'Aha... hebbes.' Hij schoof de bandjes van mijn schouders. De jurk viel op de grond, ik stapte eruit en Miles leidde me naar het bed. Terwijl hij de knoopjes van zijn shirt opende, ritste ik zijn broek open om zijn erectie vrij te laten. Daarna ging ik op het bed liggen toekijken terwijl hij zich uitkleedde. Hij mocht dan bijna vijftig zijn, zijn lijf was slank en stevig, en hij was inderdaad – zoals de druivenstokken die in het jaar van zijn geboorte waren geplant – nog steeds 'heel vitaal'.

'Wil je dit echt, Phoebe?' fluisterde hij terwijl hij naast me kwam liggen en mijn gezicht streelde. 'Want de dekenkist waar ik het over had staat daar.' Hij kuste me. 'Je hoeft hem alleen maar voor de deur te schuiven.'

'Om je buiten te houden?'

'Ja.' Hij kuste me weer. 'Om me buiten te houden.'

'Maar dat wil ik niet.' Ik kuste hem terug, dringender nu, en trok hem bevend van verlangen naar me toe. 'Ik wil je hier binnen.'

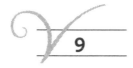

9

MANN UND WEIB, UND WEIB UND MANN...

Ik werd wakker van het gezang van het Poolse meisje in de wijngaarden.

Reichen an die Gottheit an...

Miles was weg. Hij liet alleen een deuk in het kussen en zijn mannelijke geur op de lakens achter. Ik ging zitten, sloeg mijn armen om mijn opgetrokken knieën en dacht na over de wending die mijn leven had genomen. De kamer was nog donker, afgezien van een paar strepen licht op de vloer waar de zon tussen de luiken door scheen. Buiten hoorde ik het koeren van duiven en verder weg het rommelen en snorren van de persmachine.

Ik opende de ramen en bekeek het bleekrode landschap met zijn blauwgroene cipressen en wuivende dennen. In de verte zag ik Miles een paar emmers op de trekker laden. Ik bleef even naar hem staan kijken en dacht aan de intense, bijna eerbiedige manier waarop hij de liefde met me had bedreven en het genoegen dat hij aan mijn lichaam had beleefd. Onder mijn raam stond de vijgenboom, waarin twee witte duiven aan de overrijpe paarsbruine vruchten pikten.

Ik waste me, kleedde me aan, haalde het bed af en ging naar beneden. In het ochtendlicht leek de opgezette beer te grijnzen in plaats van te grommen.

Ik liep de gang door naar de keuken. Aan de ene kant van de enorm lange tafel zat Roxy samen met Cecile te ontbijten.

'*Bonjour*, Phoebe,' zei Cecile hartelijk.

'*Bonjour*, Cecile. Hallo Roxy.'

Roxy trok een professioneel geëpileerde wenkbrauw op. 'Nog hier?'

'Ja,' antwoordde ik kalm. 'Ik wilde niet in het donker terugrijden naar Avignon.'

'*Et vous avez bien dormi?*' vroeg Cecile, haar glimlach subtiel vergezeld van een veelbetekenende blik.

'*Très bien, merci.*' Ze wees naar de stapel croissants en beschuit en gaf me een bord. 'Wil je koffie?'

'Graag.' Terwijl Cecile een kop koffie uit de percolator voor me inschonk keek ik om me heen in de grote keuken met zijn terracotta vloertegels, de strengen knoflook en pepers en de oude koperen pannen, die stonden te glanzen op de planken. 'Dit is prachtig... het is een mooi huis, Cecile.'

'Dank je.' Ze bood me een stuk brioche aan. 'Ik hoop dat je vaker zult komen.'

'Ga je nou weg, dan?' vroeg Roxanne, die haar boterham dik met boter besmeerde. Haar stem klonk neutraal, maar haar vijandigheid was duidelijk.

'Ik vertrek na het ontbijt.' Ik wendde me tot Cecile. 'Ik moet naar L'Isle-sur-la-Sorgue.'

'*C'est pas trop loin,*' zei ze terwijl ik van mijn koffie nipte. 'Misschien een uur.'

Ik knikte. Ik was eerder in L'Isle-sur-la-Sorgue geweest, maar niet vanuit deze richting. Ik moest de route nog uitstippelen.

Terwijl Cecile en ik in 'Franglais' met elkaar babbelden, kwam er een mooie zwarte kat binnen, met haar staart recht omhoog. Ik maakte kusgeluidjes naar haar en tot mijn verbazing sprong ze op mijn schoot en ging ze tevreden liggen spinnen.

'Dat is Minou,' zei Cecile toen ik de kat over haar kopje aaide. 'Ik denk dat ze je mag.' Ik zag dat Cecile naar mijn rechterhand keek. '*Quelle jolie bague,*' zei ze bewonderend. 'Je ring is erg mooi.'

'Dank je.' Ik keek ernaar. 'Hij was van mijn grootmoeder.'

Roxanne schoof haar stoel naar achteren en stond op. Ze pakte een perzik van de fruitschaal, gooide hem omhoog en ving hem handig weer op.

'Heb je genoeg *petit-déjeuner* gehad, Roxanne?' vroeg Cecile.

'Ja,' antwoordde Roxy nonchalant. 'Ik zie je straks.'

'Dan ben ik al weg,' zei ik, 'maar ik hoop je nog eens te zien, Roxy.'

Ze liep zonder te antwoorden de keuken uit en er viel een ongemakkelijke stilte. Cecile had haar minachting opgemerkt.

'*Roxanne est très belle*,' zei ze terwijl ze Roxy's ontbijtspullen opruimde.

'Ja, ze is erg mooi.'

'*Miles l'adore.*'

'Natuurlijk,' zei ik schokschouderend. '*Elle est sa fille.*'

'*Oui.*' Cecile zuchtte. '*Mais elle est aussi – comment dire? – son talon d'Achille.*'

Ik veinsde hernieuwde interesse in de kat, die zich op haar rug had gedraaid om haar buik te laten aaien. Ik dronk mijn koffie op en keek op mijn horloge. 'Ik moet gaan, Cecile. *Mais merci bien pour votre hospitalité.*' Ik zette de kat van mijn schoot en wilde mijn bord en koffiekop in de vaatwasser zetten, maar Cecile nam ze met een ts-ts-geluid van me over. Ze liep met me naar de voordeur.

'*Au revoir, Phoebe,*' zei ze toen we het zonlicht in stapten. 'Ik wens je een fijn verblijf in de Provence.' Ze kuste me op beide wangen. 'En ik wens je...' zei ze met een blik naar Roxanne, die in de zon zat '... succes.'

Ik liep naar de auto en wenste dat Cecile die dingen niet had gezegd. Roxy was opstandig, egoïstisch en veeleisend, maar gold dat niet voor veel tieners? Ik kende Miles trouwens nog maar net, dus dat succes sloeg nergens op. Maar ik realiseerde me wel dat ik hem graag mocht... erg graag.

Met mijn hand boven mijn ogen tegen de zon tuurde ik over de wijngaard en ik zag Miles met dat licht onzekere air dat hij vaak had – alsof hij bang was dat ik weg zou lopen – naar me toe komen. Ik vond die mengeling van verfijning en onzekerheid ontroerend.

'Je gaat toch nog niet weg?' zei hij toen hij dichterbij kwam.

'Jawel. Maar, nou ja... bedankt, voor alles.'

Miles glimlachte en bracht mijn hand naar zijn lippen, waardoor mijn hart een slag oversloeg. Hij knikte naar mijn kaart, die voorin lag. 'Heb je de route naar L'Isle-sur-la-Sorgue al uitgestippeld?'

'Ja, het is heel eenvoudig. Dus...'

Ik kroop achter het stuur en hoorde de zilverige arpeggio's van een merel. 'Chante le Merle,' zei ik.

'Dat klopt.' Miles boog voorover en kuste me door het open raampje. 'Ik zie je weer in Londen. Dat hoop ik tenminste.'

Ik legde mijn hand op de zijne en kuste hem terug. 'Je ziet me weer in Londen,' zei ik...

Ik genoot van de rit naar L'Isle-sur-la-Sorgue over smetteloze wegen in het heldere zonlicht, langs kersenboomgaarden en pas leeggeplukte wijngaarden, waar de goudkleurige randen van de velden vol stonden met rode klaprozen. Ik dacht aan Miles en hoe aantrekkelijk ik hem vond. Mijn lippen voelden nog gezwollen aan door zijn mond.

Ik parkeerde aan de ene kant van het mooie rivierstadje en slenterde met de rest van de menigte over het eerste deel van de markt. Hier waren kraampjes die lavendelzeep, olijfolie, stapels geurende salami, Provençaalse quilts en manden van stro in de natuurlijke tinten terracotta, geel en groen verkochten. Dat deel van de markt was commercieel en lawaaiig.

'*Vingt euros!*'

'*Merci, monsieur.*'

'*Les prix sont bas, non?*'

'*Je vous en prie.*'

Daarna liep ik over het houten bruggetje dat de smalle rivier overspande. Hier, in het hogere deel van het stadje was de sfeer gemoedelijker en bekeek het winkelend publiek rustig de *antiquités* en snuisterijen. Ik bleef even staan bij een kraampje met een oud zadel, een paar bokshandschoenen, een groot schip in een fles, diverse postzegelalbums en een stapel van het oorlogsmagazine *L'Illustration* uit de jaren veertig. Ik keek ze even door: Er waren voorpagina's met Magnum-foto's van de landing in Normandië, verzetsstrijders naast geallieerde troepen en de feestelijkheden in de Provence toen er een eind was gekomen aan de bezetting. *L'ENTREE DES TROUPES ALLIÉES* meldde het omslag. *LA PROVENCE LIBÉRÉE DU JOUG ALLEMAND.*

Vervolgens deed ik waarvoor ik was gekomen. Ik bekeek de vintage kleding, koos bloesjes van witte katoenbatist, bedrukte jurken, hemdjurken en vestjes in broderie anglaise, allemaal in uitstekende staat. Toen hoorde ik de kerkklok drie uur slaan. Het werd tijd om terug te gaan. Ik dacht aan Miles, nog steeds bezig in de wijngaard om het laatste deel van de oogst binnen te halen. En vanavond zou het feest voor de druivenplukkers zijn.

Ik zette de tassen in de kofferbak, stapte in en zette alle raampjes open om de warmte te laten ontsnappen. De route naar Avignon leek eenvoudig, maar toen ik dichterbij kwam, realiseerde ik me dat ik een bord over het hoofd had gezien. Ik reed niet naar het zuiden, maar naar het noorden. De frustratie van het besef dat ik precies de verkeerde kant op ging, werd nog versterkt doordat ik nergens kon keren. Erger nog, achter me had zich een lange rij auto's gevormd. Ik reed een plaatsje in dat Rochemare heette.

Ik keek in mijn spiegel. De auto achter me zat zó dichtbij dat ik bijna de kleur ogen van de bestuurder kon zien. Ik kromp ineen toen hij geïrriteerd claxonneerde. Om van hem af te zijn sloeg ik plotseling rechtsaf, een smal weggetje in. Ik slaakte een zucht van verlichting en volgde het weggetje bijna een kilometer, tot het uitkwam op een mooi groot plein. Aan de ene kant waren kleine winkels en een bar met terras, overschaduwd door knoestige platanen, waar een oude man een biertje zat te drinken. Aan de andere kant van het plein stond een imposante kerk. Ik keek naar de deur toen ik erlangs reed en er ging een schok door me heen.

Vanuit het niets hoorde ik mevrouw Bells stem.

Ik ben opgegroeid in een groot dorp zo'n vijf kilometer van het centrum van de stad. Het was een slaperige plaats, met smalle straten die naar een groot plein leidden dat werd overschaduwd door platanen. Met een paar winkels en een leuke bar...

Ik reed het dichtstbijzijnde parkeervak op, voor een *boulangerie*, stapte uit en liep naar de kerk, met nog steeds de stem van mevrouw Bell in mijn oren.

Aan de noordkant van het plein stond de kerk, en boven de deur stond in grote letters LIBERTÉ, ÉGALITÉ ET FRATERNITÉ...

Met bonkend hart bekeek ik de beroemde inscriptie die in Romeinse letters in het steen was uitgehakt. Daarna draaide ik me om en keek ik naar het plein. Hier was mevrouw Bell opgegroeid. Daar twijfelde ik niet aan. Dit was de kerk en daar was de bar, Bar Mistral — ik zag de naam nu ook – waar ze die avond had gezeten. Ik bedacht plotseling dat de oude man die daar nu zat Jean-Luc Aumage zou kunnen zijn. De man was waarschijnlijk in de tachtig, dus het was mogelijk. Hij dronk zijn glas leeg, kwam overeind, trok zijn baret omlaag en liep langzaam, zwaar op een stok leunend, het plein over.

Ik liep terug naar de auto en reed verder. De bebouwing werd al minder en ik zag hier en daar wijngaarden en kleine boomgaarden en in de verte een spoorwegovergang.

Het dorp grensde aan open velden en er liep een spoorweg langs. Mijn vader had een kleine wijngaard niet ver van ons huis...

Ik reed een parkeerplaats langs de weg op en stelde me Thérèse en Monique voor, die over de velden, door de wijngaarden en boomgaarden wandelden. Ik dacht aan Monique, die zich in de stal had verscholen om te overleven. De donkere cipressen schenen me nu beschuldigende vingers toe, die naar de hemel wezen. Ik startte de auto weer en reed verder. Hier aan het eind van het dorp stonden een paar redelijk nieuw uitziende huizen, maar ook een rijtje van vier die veel ouder waren. Ik stopte voor het laatste daarvan en stapte uit.

Ervoor lag een mooie tuin, met wit-roze pelargoniums in potten. Er was een oude vijver en boven de deur hing een plaat met een leeuwenkop erin gekerfd. Ik stelde me voor hoe het huis zeven decennia eerder onder geluiden van protesterende en angstige stemmen was verlaten.

Plotseling zag ik beweging achter de luiken – een vluchtige schaduw, meer niet, maar om de een of andere reden gingen mijn nekharen ervan overeind staan. Ik aarzelde even en keerde toen met bonkend hart terug naar de auto.

Ik ging achter het stuur zitten, keek nog even in de achteruitkijkspiegel naar het huis en reed met bevende handen weg.

Toen ik terugkeerde in het dorpscentrum ging mijn hart rustiger kloppen. Ik was blij dat het toeval me naar Rochemare had gebracht, maar het werd tijd om te gaan. Zoekend naar de weg het dorp uit, sloeg ik linksaf een smalle straat in. Aan het eind ervan stopte ik en draaide het raampje open. Daar was, met een bijna nonchalant gebrek aan ceremonieel, een oorlogsmonument neergezet. *Aux Morts Glorieux* stond er in zwarte letters op de smalle zuil van wit marmer.

Er waren namen in gekerfd van de Eerste en Tweede Wereldoorlog, namen die ik eerder had gehoord – *Caron, Didier, Marigny en Paget.* Toen zag ik, geschokt alsof ik hem zelf had gekend: *1954. Indochine. J-L Aumage.*

Mevrouw Bell wist dat waarschijnlijk wel, dacht ik toen ik dinsdags enkele van haar kleren in de winkel hing. Ze zal nog minstens een paar keer in Rochemare zijn geweest, dacht ik terwijl ik haar in pied-de-coq geweven pakje van Pierre Cardin ophing. Ik borstelde het af en vroeg me af wat ze had gevoeld toen ze het hoorde.

Daarna wilde ik mevrouw Bells avondkleding ophangen, maar ik herinnerde me dat het merendeel ervan nog bij Val was. Ik bedacht net wanneer ik de kleren zou kunnen ophalen, toen de deurbel rinkelde en er twee schoolmeisjes binnenkwamen in hun lunchpauze. Terwijl ze rondkeken trok ik een etalagepop een groene suède Jean Muir-jas van mevrouw Bell aan. Terwijl ik de knopen dichtdeed, keek ik naar de laatste cupcake-jurk aan de muur en was benieuwd wie hem zou kopen.

'Neem me niet kwalijk.' Ik draaide me om. De twee meisjes stonden bij de toonbank. Ze waren van Roxy's leeftijd... misschien iets jonger.

'Kan ik jullie helpen?'

'Nou...' Het eerste meisje, dat schouderlang donker haar en een bijna mediterraan uiterlijk had, hield een slangenleren portefeuille vast die in het mandje bij de andere portefeuilles en portemonnees had gelegen. 'Ik stond hiernaar te kijken.'

'Hij is van eind jaren zestig,' legde ik uit. 'Volgens mij kost hij 8 pond.'

'Ja, dat staat op het stickertje. Maar het punt is...' Ze wil afpingelen, dacht ik moedeloos. 'Er zit een geheim vakje in,' vervolgde ze. Ik keek haar aan. 'Hier...' Ze trok een flapje leer terug en onthulde een verborgen rits. 'Ik denk niet dat u dat wist, of wel?'

'Nee, dat klopt,' zei ik zacht. Ik had de portefeuilles op een veiling gekocht en ze alleen snel opgepoetst en toen in het mandje gelegd.

Het meisje maakte de rits open. 'Kijk eens.' Er zaten bankbiljetten in. Ze gaf mij de portefeuille en ik haalde ze eruit.

'Tachtig pond,' zei ik verbaasd. Ik dacht meteen aan Ginny Jones van Radio London, die me vroeg of ik wel eens geld had gevonden in de spullen die ik verkocht. Ik kreeg zin om haar op te bellen en haar dit te vertellen.

'Ik vond dat ik het moest zeggen,' zei het meisje.

Ik keek haar aan. 'Dat is erg eerlijk van je.' Ik pakte er twee briefjes van 20 pond af en gaf ze haar. 'Hier.'

Het meisje bloosde. 'Ik bedoelde niet...'

'Dat weet ik, maar alsjeblieft... het is het minste wat ik kan doen.'

'Nou, dank u wel,' zei het meisje blij, en ze nam het geld aan. 'Hier, Sarah...' Ze bood een bankbiljet aan haar vriendin aan, een meisje van dezelfde lengte, met kort, blond haar.

Sarah schudde haar hoofd. 'Jij hebt het gevonden, Katie, ik niet. We moeten trouwens opschieten, we hebben niet veel tijd.'

'Zoeken jullie iets speciaals?' vroeg ik.

Ze legden uit dat ze bijzondere jurken zochten voor een benefietbal voor tieners ten bate van de Teenage Leukaemia Trust.

'Het is in het natuurhistorisch museum,' zei Katie. Het was dus hetzelfde bal als waar Roxy heenging. 'Er komen duizend tieners, dus we willen allemaal erg graag opvallen in de menigte. Ik vrees alleen dat we geen hoog budget hebben,' zei ze verontschuldigend.

'Nou... kijk maar eens goed rond. Ik heb een paar heel opvallende jurken uit de jaren vijftig... zoals deze.' Ik haalde een mouwloze jurk van glanskatoen in een helder, semi-abstract dessin van kubussen en cirkels tevoorschijn. 'Deze is 80 pond.'

'Hij is heel apart,' zei Katie.

'Hij is van Horrocks. Ze maakten in de jaren veertig en vijftig prachtige katoenen jurken. Deze print is ontworpen door Eduardo Paolozzi.' De meisjes knikten en toen zag ik Katies ogen naar de gele cupcake-jurk gaan.

'Wat kost die?' Ik vertelde het haar. 'O... dat is te veel. Voor mij, bedoel ik,' voegde ze er snel aan toe. 'Maar iemand zal het er vast voor overhebben, want hij is gewoon... fantastisch.' Ze zuchtte.

'Dan moet je de loterij winnen,' zei Sarah tegen haar. 'Of een weekendbaantje vinden dat beter betaalt.'

'Was het maar waar,' zei Katie. 'Bij Costcutters moet ik twee maanden werken voor de jurk en tegen die tijd is het bal al achter de rug.'

'Nou, je hebt hier al 40 pond,' zei Sarah, 'dus je hoeft er nog maar 235 te vinden.' Katie rolde met haar ogen. 'Pas hem even,' zei haar vriendin.

Katie schudde haar hoofd. 'Wat heeft dat voor zin?'

'Ik denk dat hij je goed zal staan.'

'Ook al is dat zo, ik kan hem toch niet betalen.'

'Pas hem maar,' zei ik. 'Gewoon voor de lol... en omdat ik het leuk vind klanten de kleren te zien dragen.'

Katie keek weer naar de jurk. 'Oké.'

Ik haalde hem van de muur en hing hem in het pashokje. Katie stapte naar binnen en kwam er een paar minuten later weer uit.

'Je ziet eruit als... een zonnebloem,' zei Sarah glimlachend.

'Hij staat je erg leuk,' zei ik terwijl Katie naar haar spiegelbeeld staarde. 'Geel is een moeilijke kleur om te dragen, maar jij hebt de warme teint ervoor.'

'Je moet alleen wel je beha opvullen,' zei Sarah voorzichtig toen Katie aan het lijfje trok. 'Misschien kun je er van die kipfiletdingen in stoppen.'

Katie draaide zich lusteloos naar haar om. 'Je praat alsof ik hem ga kopen... maar dat doe ik niet.'

'Kan je ma niet helpen?' vroeg Sarah.

Katie schudde haar hoofd. 'Die heeft zelf niet veel. Misschien kan ik een baantje vinden voor 's avonds,' mijmerde ze terwijl ze met haar hand op haar taille heen en weer draaide en de petticoats ruisten.

'Je kunt gaan babysitten,' opperde Sarah. 'Ik krijg 5 pond per uur om op de buurkinderen te passen. En zodra ik ze in bed heb liggen, kan ik mijn huiswerk maken.'

'Dat is geen slecht idee,' peinsde Katie terwijl ze zichzelf op haar tenen van opzij bekeek. 'Ik kan een briefje ophangen bij de speelgoedwinkel... of voor het raam van Costcutters. Het was in elk geval fijn om te kunnen zien hoe hij staat.' Ze keek nog even naar haar spiegelbeeld, alsof ze zich het beeld van hoe mooi ze er nu uitzag wilde inprenten. Toen trok ze met een spijtige zucht het gordijn dicht.

'Waar een wil is, is een weg,' zei Sarah opgewekt.

'Ja,' antwoordde Katie. 'Maar tegen de tijd dat ik genoeg heb gespaard, heeft iemand anders hem al gekocht.' Een minuut later kwam ze uit het pashokje en keek ze triest naar haar grijze schoolblazer en -rok. 'Ik voel me nu net Assepoester na het bal.'

'Ik zal voor je uitkijken naar een goede fee,' zei Sarah. 'Hoelang kunt u spullen vasthouden?' vroeg ze aan mij.

'Gewoonlijk niet meer dan een week. Ik zou hem graag langer voor je bewaren, maar...'

'O, nee, dat kunt u niet doen,' zei Katie, en ze pakte haar rugzak op. 'U weet niet of ik ooit nog terugkom.' Ze keek op haar horloge. 'Het is kwart voor twee. We moeten opschieten.' Ze keek Sarah aan. 'Juf Doyle wordt woest als we te laat komen, hè? In elk geval bedankt,' zei ze met een glimlach naar mij.

Toen de meisjes weggingen, kwam Annie terug. 'Die zagen er leuk uit,' zei ze.

'Ze waren schattig.' Ik vertelde Annie over Katies eerlijkheid met de portefeuille.

'Ik ben onder de indruk.'

'Ze is gevallen voor de gele cupcake,' legde ik uit. 'Ik zou hem graag bewaren voor het geval ze genoeg kan sparen om hem te kopen, maar...'

'Dat is een risico,' zei Annie begrijpend. 'Dan raak je hem misschien helemaal niet kwijt.'

'Dat klopt... maar hoe ging je auditie?' vroeg ik gespannen.

Ze deed haar jasje uit. 'Hopeloos. Iedéreen was er.'

'Nou... ik blijf voor je duimen,' zei ik onoprecht. 'Maar kan je impresario dan niet meer werk voor je vinden?'

Annie haalde haar vingers door haar korte blonde haar. 'Die heb ik niet. Mijn vorige was waardeloos, ik heb hem ontslagen, en ik kan geen nieuwe krijgen omdat ik nergens in speel wat ik ze kan laten zien. Dus blijf ik mijn cv opsturen en mag ik af en toe op auditie.' Ze begon de toonbank af te vegen. 'Wat ik het ergste vind aan acteren is het gebrek aan controle. Ik kan het niet uitstaan dat ik op mijn leeftijd zit te wachten tot een regisseur me opbelt. Ik zou eigenlijk mijn eigen materiaal moeten schrijven.'

'Je zei dat je van schrijven hield.'

'Dat klopt. Ik zou graag een verhaal vinden waar ik een onewomanshow van kan maken. Ik zou het zelf kunnen schrijven, en het spelen en de voorstellingen regelen... dan zou ík het voor het zeggen hebben.' Ik dacht aan het verhaal van mevrouw Bell, maar ook al kon ik het Annie vertellen, het einde was te triest.

Ik hoorde mijn telefoon piepen, keek op het schermpje en voelde mijn gezicht verkleuren van plezier. Het was een berichtje van Miles, die me uitnodigde die zaterdag met hem naar het theater te gaan. Ik sms'te hem terug en zei toen tegen Annie dat ik naar The Paragon ging.

'Ga je weer naar mevrouw Bell?'

'Ik ga even een kopje thee bij haar drinken.'

'Ze is je nieuwe beste vriendin,' zei Annie vriendelijk. 'Ik hoop dat er bij mij ook een leuke jonge vrouw op visite komt wanneer ik later oud ben.'

'Ik hoop dat u het niet erg vindt dat ik mezelf heb uitgenodigd,' zei ik twintig minuten later tegen mevrouw Bell.

'Erg?' zei ze terwijl ze me binnenliet. 'Ik vind het heerlijk dat je er bent.'

'Gaat het een beetje, mevrouw Bell?' Ze zag er magerder uit dan de week ervoor en haar gezicht was iets meer ingevallen.

'Het gaat... goed, dank je. Nou ja, niet echt goed natuurlijk.' Haar stem stierf weg. 'Maar ik zit graag bij het raam te lezen of naar buiten te kijken. Ik heb een paar vriendinnen die langskomen. Mijn hulp Paola is twee ochtenden per week hier en mijn nicht komt donderdag en blijft dan drie dagen bij me. Ik wou maar dat ik kinderen had,' zei mevrouw Bell terwijl ik haar volgde naar de keuken. 'Maar dat mocht niet zo zijn... de ooievaar weigerde bij me langs te komen. Tegenwoordig kunnen vrouwen worden geholpen,' zei ze zuchtend terwijl ze een kast opende. Dat kan inderdaad, dacht ik, maar het werkt niet altijd. Ik dacht aan de vrouw die de roze schoolbaljurk had gekocht. 'Het enige wat mijn eierstokken me hebben gegeven is kanker, helaas,' zei mevrouw Bell terwijl ze het melkkannetje pakte. 'Vreselijk gemeen van ze. Zo, als jij het dienblad voor me zou willen dragen...'

'Ik ben net terug uit Avignon,' zei ik toen ik een paar minuten later de thee inschonk.

Mevrouw Bell knikte peinzend. 'En was het een succesvolle reis?'

'In die zin dat ik prachtige spullen heb gekocht, ja.' Ik gaf haar een kopje. 'Ik ben ook in Châteauneuf-du-Pape geweest.' Ik vertelde haar over Miles.

Ze nipte van haar thee, het kopje met beide handen vasthoudend. 'Dat klinkt erg romantisch.'

'Nou... niet op elk gebied.' Ik vertelde haar over het gedrag van Roxanne.

'Dus je was in Châteauneuf-du-*Papa*.'

Ik glimlachte. 'Zo voelde het wel. Roxanne is op z'n zachtst gezegd erg veeleisend.'

'Dat kan lastig worden,' zei mevrouw Bell voorzichtig.

'Dat denk ik ook.' Ik dacht aan Roxy's vijandigheid. 'Maar Miles lijkt me graag te mogen.'

'Hij zou wel gek zijn als hij dat niet deed.'

'Dank u. Maar de reden dat ik u dit vertel is dat ik op weg terug naar Avignon verkeerd reed en in Rochemare terechtkwam.'

Mevrouw Bell ging iets verzitten. 'Aha.'

'U had me niet verteld hoe uw dorp heet.'

'Nee. Dat deed ik liever niet... en het was niet nodig dat je het wist.'

'Ik begrijp het. Maar ik herkende het van uw beschrijving. En ik zag een oude man bij de bar op het plein zitten en ik dacht zelfs dat hij Jean-Luc Aumage zou kunnen...'

'Nee,' onderbrak mevrouw Bell me. Ze zette haar kopje neer. 'Nee, nee.' Ze schudde haar hoofd. 'Jean-Luc is gestorven in Indochina.'

'Dat zag ik op het oorlogsmonument.'

'Hij stierf in de strijd om Dien Bien Phu. Kennelijk terwijl hij een Vietnamese vrouw in veiligheid bracht.' Ik staarde mevrouw Bell aan. 'Het is een vreemd idee,' merkte ze zacht op. 'En ik heb me wel eens afgevraagd of die galante actie misschien te maken kon hebben met schuldgevoel over wat hij tien jaar daarvoor had gedaan.' Ze hield haar handen op. 'Wie weet?' Mevrouw Bell keek naar het raam. 'Wie weet...?' herhaalde ze. Ze duwde zich omhoog uit haar stoel en trok even een gezicht toen ze haar rug rechtte. 'Neem me niet kwalijk, Phoebe. Er is iets wat ik je wil laten zien.'

Ze liep de kamer uit en de gang door naar haar slaapkamer, waar ik haar een lade hoorde openen. Even later kwam ze terug met een grote bruine envelop waarvan de randen verbleekt waren. Ze ging zitten, opende hem en schoof er een grote foto uit, die ze een paar seconden zoekend bekeek alvorens mij te wenken. Ik trok een stoel bij en ging naast haar zitten.

Op de zwart-witfoto stonden ruim honderd jongens en meisjes in rijen, netjes in de houding, of verveeld kijkend met hun hoofd iets opzij, of met hun ogen halfdicht tegen het zonlicht. De oudere kinderen stonden stijfjes achteraan, de jongste zaten met gekruiste benen vooraan, de jongens hadden een scherpe scheiding in hun haar, de haren van de meisjes werden getemd met linten en speldjes.

'Deze werd in mei 1942 genomen,' zei mevrouw Bell. 'Er zaten toen zo'n honderdtwintig kinderen op onze school.'

Ik bekeek de zee van gezichten. 'En waar staat u?'

Mevrouw Bell wees naar de linkerhelft van de derde rij, naar een meisje met een hoog voorhoofd, brede mond en schouderlang middenbruin haar, dat haar gezicht in zachte golven omlijstte. Toen ging haar vinger naar het meisje direct links van haar – een meisje met glanzend zwart, in een bob geknipt haar, hoge jukbeenderen en donkere ogen met een vriendelijke, enigszins waakzame blik. 'En dat is Monique.'

'Ze straalt iets behoedzaams uit.'

'Ja, de spanning en angst voor ontdekking is aan haar af te zien.' Mevrouw Bell zuchtte. 'Arm kind.'

'En waar is hij?' Mevrouw Bell wees nu naar de jongen midden in de achterste rij wiens hoofd het hoogste punt van de fotocompositie vormde. Ik keek naar zijn fijne trekken en tarweblonde haar en begreep wel dat mevrouw Bell als tiener verliefd op hem was geworden.

'Het is grappig,' mompelde ze, 'maar wanneer ik na de oorlog aan Jean-Luc dacht, had ik altijd het verbitterde idee dat hij pas op hoge leeftijd, omringd door zijn kinderen en kleinkinderen, in zijn slaap zou overlijden. Maar Jean-Luc werd gedood toen hij zesentwintig was, ver van huis, in de chaos van de strijd, terwijl hij dapper een vreemde redde. Volgens het krantenartikel – Marcel heeft me dat gestuurd – was hij teruggegaan om de Vietnamese vrouw te helpen, die het overleefde en hem als "een held" beschreef, en voor haar was hij dat natuurlijk ook.'

Mevrouw Bell liet de foto zakken. 'Ik heb me vaak afgevraagd waarom Jean-Luc Monique heeft aangedaan wat hij haar heeft aangedaan. Hij was natuurlijk erg jong, ook al is dat geen excuus. Hij vereerde zijn vader als zijn grote held, hoewel René Aumage helaas geen held was. En misschien werd hij deels gemotiveerd door een besef van persoonlijke afwijzing. Monique had hem op afstand gehouden... en terecht.'

'Maar Jean-Luc kon niet geweten hebben wat het lot van Monique zou zijn,' zei ik zacht.

'Nee, dat kon hij niet weten, want niemand wist het, tot het voorbij was. En degenen die het wel wisten, werden niet geloofd... de mensen zeiden dat ze gek waren. Hadden we maar...' mompelde mevrouw Bell hoofdschuddend. 'Maar het blijft een feit dat Jean-Luc zich vreselijk heeft gedragen, zoals veel mensen destijds. Maar veel anderen gedroegen zich heldhaftig,' zei ze. 'Zoals de familie Antignac, die nog vier andere kinderen een schuilplaats hadden verleend in hun huis, die alle vier de oorlog overleefden.' Ze keek me aan. 'Er waren veel dappere mensen zoals de Antignacs, en dat zijn de mensen aan wie ik denk.' Ze schoof de foto terug in de envelop.

'Mevrouw Bell,' zei ik zacht. 'Ik heb ook het huis van Monique gevonden.' Ze kromp ineen. 'Het spijt me,' zei ik. 'Ik wilde u niet van streek maken. Maar ik herkende het aan de vijver... en aan de leeuwenkop boven de voordeur.'

'Het is vijfenzestig jaar geleden dat ik dat huis voor het laatst heb gezien,' zei ze zacht. 'Ik ben natuurlijk nog wel in Rochemare geweest, maar ik ben nooit teruggegaan naar Moniques huis – ik kon het niet. En nadat mijn ouders in de jaren zeventig stierven, verhuisde Marcel naar Lyon en had ik geen band meer met het dorp.'

Ik roerde in mijn thee. 'Het was een rare ervaring voor me, mevrouw Bell, want toen ik daar stond, zag ik iets bewegen achter de luiken; het was maar een vluchtige schaduw, maar op de een of andere manier gaf het me een schok. Ik kreeg het gevoel...'

Mevrouw Bell werd boos. 'Wat voor gevoel?'

Ik staarde haar aan. 'Ik weet het niet. Ik kan het niet uitleggen. Ik kan alleen zeggen dat ik me moest inhouden om niet naar de deur te stappen, aan te kloppen en te vragen...'

'Wat te vragen?' zei mevrouw Bell scherp. Ik schrok van haar toon. 'Wat kon je vragen?'

'Tja...'

'Wat had je te weten kunnen komen dat ik zelf niet al weet, Phoebe?' Mevrouw Bells lichtblauwe ogen schoten vuur. 'Monique en haar familie zijn in 1943 omgekomen.'

Ik bleef haar aankijken en deed mijn best kalm te blijven. 'Weet u dat zeker?'

Mevrouw Bell zette haar kopje neer. Het rinkelde zacht op het schoteltje. 'Toen de oorlog voorbij was, zocht ik naar informatie over hen, vol vrees over wat ik zou kunnen ontdekken. Ik zocht naar hen onder hun Franse en Duitse naam via de zoekservice van het Rode Kruis. De gegevens die ze vonden – en dat duurde meer dan twee jaar – wezen uit dat Moniques moeder en broertjes in juni 1943 naar Dachau waren gestuurd; hun namen stonden op de transportlijsten. Maar daarna zijn er geen gegevens meer over hen, omdat degenen die niet door de selectie kwamen, niet werden geregistreerd – en vrouwen met kleine kinderen overleefden de selectie niet.' Mevrouw Bells stem stokte. 'Maar het Rode Kruis vond wel gegevens over Moniques vader. Hij was geselecteerd voor dwangarbeid, maar stierf zes maanden later. Wat Monique betreft...' Mevrouw Bells mond trilde. 'Het Rode Kruis kon na de oorlog geen spoor van haar vinden. Ze wisten dat ze drie maanden in Drancy had gezeten voor ze naar Auschwitz werd gestuurd. Uit haar kampdossier – de nazi's hielden nauwgezet dossiers bij – bleek dat ze daar op 5 augustus 1943 was aangekomen. Dat er een dossier over haar was, betekent dat ze de selectie heeft overleefd. Maar men gaat ervan uit dat ze daar ter dood is gebracht of overleden op een onbekende datum.'

Ik voelde mijn pols versnellen. 'Maar u weet niet met zekerheid wat er met haar is gebeurd.'

Mevrouw Bell ging iets verzitten. 'Nee, dat klopt, maar...'

'En hebt u sindsdien niet meer gezocht?'

Mevrouw Bell schudde haar hoofd. 'Ik heb drie jaar lang naar Monique gezocht, en wat ik vond overtuigde me ervan dat ze het niet had overleefd. Ik meende dat het onzinnig en pijnlijk zou zijn om haar te blijven zoeken. Ik ging trouwen en vertrok naar Engeland; ik had de kans gekregen opnieuw te beginnen. Ik besloot, misschien meedogenloos, om een streep te zetten onder wat er was gebeurd: ik kon het niet voor altijd met me mee blijven slepen, kon mezelf niet eeuwig blijven straffen...' Mevrouw Bells stem stokte weer. 'En ik durfde het ook mijn man niet te vertellen. Ik was doodsbang dat ik teleurstelling in zijn ogen zou lezen, die alles... verpest zou hebben. Dus begroef ik het verhaal over Monique – tientallen jaren lang, Phoebe – zonder het iemand te vertellen. Helemaal niemand. Tot ik jou ontmoette.'

'Maar u weet niet zéker dat Monique in Auschwitz is gestorven,' hield ik vol. Mijn hart bonkte tegen mijn ribben.

Mevrouw Bell keek me aan. 'Dat is waar, maar als ze daar niet is gestorven, is de kans groot dat ze in een ander concentratiekamp of in de chaos van januari 1945 is overleden, toen de geallieerden binnendrongen en de nazi's de gevangenen die nog op hun benen konden staan, dwongen door de sneeuw naar andere kampen in Duitsland te marcheren. Minder dan de helft van hen heeft dat overleefd. Er zijn in die maanden zó veel mensen vermist geraakt of gestorven dat duizenden en duizenden sterfgevallen niet werden geregistreerd, en ik geloof dat Monique een van hen is geweest.'

'Maar u wéét het niet.' Ik probeerde te slikken, maar mijn mond was te droog. 'En zonder die zekerheid hebt u zich toch vast afgevraagd of...'

'Phoebe,' zei mevrouw Bell met tranen in haar lichtblauwe ogen, 'Monique is al meer dan vijfenzestig jaar dood. Haar huis heeft, net als de kleren die jij verkoopt, een nieuw leven gekregen, met nieuwe eigenaars. Wat je gevoeld hebt toen je daar voor het huis stond, was... irrationeel. Want het enige wat je hebt gezien was een glimp van degene die daar nú woont, en geen... ik weet het niet... "aanwezigheid" – als je dat wilt suggereren – die je dwong om... weet ik wat te doen! Nu...' Haar hand ging naar haar borst en bleef daar fladderen als een gewonde vogel. 'Ik ben moe.'

Ik stond op. 'En ik moet terug.' Ik bracht het dienblad naar de keuken en keerde naar haar terug. 'Het spijt me dat ik u van streek heb gemaakt, mevrouw Bell. Dat was niet mijn bedoeling.'

Ze ademde moeizaam uit. 'En het spijt mij dat ik zo... geagiteerd raakte. Ik weet dat je het goed bedoelt, Phoebe, maar het is te pijnlijk voor me, vooral nu het eind van mijn leven nadert en ik zal sterven in de wetenschap dat ik nooit het onrecht dat ik heb aangericht, heb kunnen herstellen.'

'U bedoelt de vergissing die u hebt gemaakt,' corrigeerde ik haar zacht.

'Ja, de vergissing... de afschuwelijke vergissing.' Mevrouw Bell stak haar hand naar me uit en ik pakte hem vast. Hij voelde heel klein en licht aan. 'Maar ik waardeer het dat je aan mijn verhaal denkt.' Ze kneep zacht in mijn hand.

'Dat doe ik inderdaad. Ik denk er heel vaak aan, mevrouw Bell.'

Ze knikte. 'En ik aan dat van jou.'

10

OP DONDERDAG BELDE VAL ME WEER OVER HET OPHALEN VAN DE REPARA-
ties, dus reed ik meteen na mijn werk naar Kidbrooke. Toen ik mijn
auto voor haar huis parkeerde, hoopte ik vurig dat Mag er niet zou
zijn. Ik schaamde me nu over de sessie bij haar. Het was allemaal zo
absurd en ordinair geweest.

Ik schrok op toen ik mijn hand uitstak om bij Val aan te bellen. Een
dikke spin, van de soort die in de herfst tevoorschijn komen, had er
een web overheen gesponnen. Dus klopte ik hard aan en toen Val de
deur opendeed, wees ik haar op de spin.

Ze keek ernaar. 'O, dat is mooi. Spinnen brengen geluk, wist je
dat?'

'Nee.'

'Omdat een spin het baby'tje Jezus verborg voor de soldaten van
Herodes door een web over hem heen te weven. Is het niet ongelofelijk? Daarom mag je spinnen nooit doodmaken.'

'Ik peins er niet over.'

'Aha, dat is interessant.' Val tuurde nog steeds naar de spin. 'Hij
kruipt in zijn web omhoog. Dat betekent dat je op reis bent geweest,
Phoebe.'

Ik keek haar verbaasd aan. 'Ja, dat klopt. Ik ben net naar Frankrijk
geweest.'

'Als hij in zijn web omláág zou kruipen, zou dat betekenen dat je op
het punt stond op reis te gáán.'

'Echt waar? Je bent echt een bron van informatie,' zei ik toen ik
naar binnen stapte.

'Tja, ik vind het belangrijk die dingen te weten.'

Terwijl ik achter Val aan door de gang liep, merkte ik de geur van Magie Noire met een ondertoon van nicotine op. *Maggie Noire*, dacht ik somber.

'Hallo, Mag,' zei ik met een geforceerde glimlach.

'Dag, schat,' raspte Mag terwijl ze in de leunstoel in Vals naaikamer ging zitten, die ze helemaal vulde. 'Zonde van vorige week, maar je had me moeten laten doorgaan.' Ze krabde met een rode vingernagel aan haar mondhoek. 'Volgens mij begon Emma net door te komen.'

Ik keek Mag aan, plotseling kwaad omdat ze zo grof over mijn beste vriendin sprak. 'Ik geloof het niet, Maggie,' zei ik, mijn best doend om kalm te blijven. 'Nu je er toch zelf over begint, heb ik er geen moeite mee je te vertellen dat ik de hele sessie zonde van de tijd vond.'

Mag keek me aan alsof ik haar had geslagen. Toen haalde ze een pakje zakdoekjes uit haar decolleté en pakte er eentje uit. 'Het probleem is dat je er niet echt in gelooft.'

Ik staarde haar aan terwijl ze het zakdoekje openvouwde. 'Dat is niet waar. Ik denk niet dat het onmogelijk is dat de menselijke ziel kan voortbestaan of dat we zelfs de aanwezigheid kunnen opmerken van iemand die overleden is. Maar aangezien je alles over mijn vriendin mis had – zelfs haar geslacht – kan ik niet anders dan enigszins cynisch over jouw vaardigheden denken.'

Mag snoot haar neus. 'Ik had gewoon een slechte dag,' snoof ze. 'Bovendien is de ether op dinsdagmorgen altijd een beetje ondoordringbaar.'

'Mag is echt heel goed, Phoebe,' zei Val loyaal. 'Ze heeft me pas in contact gebracht met mijn oma – weet je nog?'

Mag knikte.

'Ik was haar recept voor lemon curd kwijt, dus heeft ze het me opnieuw gegeven.'

'Acht eieren,' zei Mag. 'Geen zes.'

'Dat kon ik me niet meer herinneren,' zei Val. 'Maar goed, dankzij Mag hebben oma en ik gezellig even kunnen babbelen.' Ik rolde discreet met mijn ogen. 'Mag is zelfs zo goed dat ze is uitgenodigd om als gastmedium op te treden bij het programma *In Spirit* op ITV2, hè, Mag?'

Mag knikte.

'Ik weet zeker dat ze een hoop kijkers troost zal kunnen schenken. Je zou er eens naar moeten kijken, Phoebe,' vervolgde Val gemoedelijk. 'Elke zondag om halfdrie.'

Ik pakte de koffer met kleren op. 'Ik zal het onthouden,' zei ik.

'Deze zijn prachtig,' zei Annie toen ik haar de volgende ochtend de kleren liet zien die Val had gerepareerd – mevrouw Bells gele avondjurk met platte plooien, de prachtige roze zijden 'cocoon'-jas van Guy Laroche. De maxi-jurk van Ossie Clark en het pruimenpaarse pakje van gabardine. Ik liet haar de regenboogkleurige gebreide jurk van Missoni zien, die een mottengaatje had gehad aan de zoom. 'Wat een fantastische reparatie,' zei Annie toen ze hem bekeek. Val had een stukje gebreid om het gaatje op te vullen. 'Ze moet piepkleine naalden hebben gebruikt om hetzelfde effect te krijgen, en de kleur is perfect.' Daarna hield Annie de saffierblauwe avondmantel van zijden faille van Chanel Boutique met ellebooglange mouwen omhoog. 'Deze is prachtig. Hij hoort in de etalage, vind je niet? Misschien in plaats van het Norma Kamali-broekpak,' mijmerde ze.

Annie was al om acht uur gekomen om me te helpen de kleding te verwisselen voor de winkel opening. We hadden minstens de helft van de kleren weggehangen en vervangen door kledingstukken in uitgesproken herfstkleuren... donkerblauw, tomatenrood, zeegroen, donkerpaars en goud; edelsteentinten die deden denken aan de kleuren van renaissanceschilderijen. Verder hadden we kleren gezocht die aansloten bij de mode van het seizoen; A-lijn-jassen en jurken met afstaande kragen en wijde rokken; leren jacks met extra brede schouders en gebogen mouwen. We kozen voor stoffen die pasten bij de verleidelijke stoffen van het moment: brokaat, kant, satijn en damast, kreukfluweel, Schotse tartan en tweed.

'Dat we vintage verkopen wil niet zeggen dat we de trends in modellen en kleuren mogen negeren,' zei ik toen ik met weer diverse outfits in mijn armen uit de voorraadkamer naar beneden kwam.

'Dat is waarschijnlijk juist extra belangrijk,' zei Annie. 'In dit seizoen wordt vaak een statement gemaakt,' voegde ze eraan toe toen ik haar een kersenrode jurk met uitwaaierende ballonrok van Balmain, een chocoladebruin leren pakje met smalle taille en grote revers van

Alaia Couture en een futuristische oranje crêpe jurk van Courrèges van halverwege de jaren zestig aangaf. 'Alles is groot en weelderig,' vervolgde Annie. 'Warme, krachtige kleuren, gestructureerde vormen, stugge stoffen die van het lichaam af staan. Dat heb je hier allemaal, Phoebe... we hoeven het alleen maar bij elkaar te brengen.'

Annie had het merendeel van mevrouw Bells avondkleding al opgehangen en stond naar het pruimenpaarse tweedelige pakje van gabardine te kijken. 'Dit is prachtig, maar ik vind dat we het een beetje bij de tijd moeten brengen met een zachte, brede ceintuur en een kraag van nepbont... zal ik iets uitzoeken?'

'Ja, doe maar.'

Terwijl ik het pakje ophing, zag ik mevrouw Bell voor me, die het eind jaren veertig droeg. Ik dacht aan het gesprek dat ik drie dagen geleden met haar had gevoerd en bedacht weer hoe moeilijk het voor haar geweest moest zijn om er na de oorlog achter proberen te komen wat er met Monique was gebeurd. Als zich, god verhoede, vandaag de dag zoiets zou voordoen, zou ze een oproep op radio en tv kunnen doen; ze zou e-mails de wereld rond kunnen sturen of verzoeken om informatie op bulletinboards op internet of op Facebook, MySpace of YouTube kunnen zetten. Ze zou Moniques naam kunnen invoeren in een zoekprogramma en kijken wat dat opleverde...

'Hier,' zei Annie toen ze naar beneden kwam met een 'ocelot'-kraag. 'Deze lijkt me er mooi bij, en deze ceintuur heeft volgens mij de goede kleur.' Ze hield hem bij het jasje. 'Inderdaad.'

'Wil jij het pakje ermee opfleuren?' vroeg ik Annie terwijl ik naar het kantoortje liep. 'Ik moet even... op de website kijken.'

'Natuurlijk.'

Sinds mevrouw Bell me haar verhaal had verteld, dacht ik erover op internet naar verwijzingen naar Monique te zoeken, al was de kans klein. Maar als ik nou wel iets vond? Kon ik dat dan voor mevrouw Bell verzwijgen? Omdat het bijna zeker negatief, en dus afschuwelijk, zou zijn, had ik de drang weerstaan. Maar sinds ik Moniques huis had gezien dacht ik er anders over. Ik moest het weten. En dus kroop ik, gedreven door een innerlijke impuls die ik niet kon verklaren, achter de computer en tikte ik Moniques naam bij Google in.

Dat leverde niets relevants op, alleen wat verwijzingen naar een

Avenue Richelieu in Quebec en naar het Cardinal Richelieu Lycée in Parijs. Ik tikte de achternaam zonder de eerste 'e'. Daarna typte ik 'Monika Richter'. Dat leverde een Californische psychoanalytica, een Duitse kinderarts en een Australische natuurbeschermster op, die waarschijnlijk geen van allen iets met hun oudere naamgenote te maken hadden. Daarna zocht ik nog eens onder de naam 'Monica' en voegde ik er 'Auschwitz' aan toe, bedenkend dat er misschien een ooggetuigenverslag was waarin ze werd genoemd, tussen de miljarden woorden die over het kamp waren geschreven. Daarna voegde ik 'Mannheim' toe, omdat ik me herinnerde dat ze daar oorspronkelijk vandaan kwam. Het leverde allemaal niets op wat verband hield met Monique/Monika of haar familie... alleen een paar verwijzingen naar een tentoonstelling van Gerhard Richter.

Ik tuurde naar het scherm. Dat was het dan. Zoals mevrouw Bell had gezegd, had ik in Rochemare alleen maar de schaduw van een levende gezien in een huis dat de herinnering aan de bewoners in oorlogstijd allang had afgeschud. Ik wilde Internet Explorer al afsluiten, maar besloot toen op de website van het Rode Kruis te kijken.

Op hun homepage stond dat ze aan het eind van de oorlog waren begonnen met hun zoekservice en dat het archief in Duitsland nu bijna vijftig miljoen nazidocumenten over de kampen bevatte. Iedereen kon een zoekaanvraag indienen, die zou worden behandeld door de archivarissen van het IRC; een zoekaanvraag vergde gemiddeld een tot vier uur. Gezien het aantal aanvragen, moest de aanvrager uitgaan van een reactie binnen uiterlijk drie maanden.

Ik downloadde het formulier en verbaasde me erover dat het zo kort was: het vroeg alleen de persoonlijke gegevens van degene die je zocht, en de plaats waar die het laatst was gezien. De aanvrager moest zijn persoonlijke gegevens in relatie tot de gezochte persoon opgeven, en de reden van de zoekaanvraag. Er waren een paar keuzes. Ik koos voor 'Verlangen te weten wat er is gebeurd'.

Ik printte het formulier en stopte het in een envelop. Ik zou het meenemen naar mevrouw Bell wanneer haar nicht niet weer weg was en het samen met haar invullen, daarna zou ik het naar het Rode Kruis sturen. Als ze in hun uitgebreide informatiecentrum iets over Monique konden vinden, dan was er althans een kans dat mevrouw Bell de zaak eindelijk kon afsluiten. Een termijn van 'uiterlijk' drie maanden impliceerde dat er ook eerder bericht kon komen... misschien al binnen een maand, dacht ik, of zelfs twee weken. Ik vroeg me af of ik er een opmerking bij zou zetten, dat in verband met ziekte de tijd beperkt was. Maar dat gold waarschijnlijk voor veel aanvragers van mevrouw Bells generatie, van wie de jongsten ruim in de zeventig zouden zijn.

'En, heb je veel internetbestellingen?' riep Annie.

'O...' Ik richtte mijn aandacht weer op de winkel, navigeerde snel naar de website van Villa Vintage en opende de mailbox. 'Het zijn er... drie. Iemand wil de smaragdgroene Kelly-tas kopen, er is belangstelling voor de palazzo-broek van Pucci en – hoera – iemand koopt de Madame Grès.'

'De jurk die jij niet wilt.'

'Inderdaad.' De jurk die Guy me had gegeven. Ik liep de winkel in en haalde hem uit het rek om hem in te pakken en te versturen. 'Die vrouw vroeg me vorige week om de afmetingen,' zei ik terwijl ik de jurk van het hangertje haalde. 'En nu heeft ze het geld overgemaakt... godzijdank.'

'Je wilt er met alle geweld vanaf, is het niet?'

'Ja, eigenlijk wel.'

'Is dat omdat je hem van een vriendje hebt gehad?'

Ik keek Annie aan. 'Ja.'

'Dat dacht ik al, maar ik wilde het je niet vragen omdat ik je niet kende. Nu ik je wél ken, vind ik dat ik best een beetje nieuwsgierig mag zijn.'

Ik glimlachte. Annie en ik kenden elkaar inderdaad. Ik was op haar vriendelijke, prettige gezelschap en haar enthousiasme voor de winkel gesteld geraakt. 'Was het een bitter einde?'

'Dat zou je kunnen zeggen.'

'Dan is het volkomen begrijpelijk. Als Tim mij dumpte, zou ik alles van hem weggooien... behalve zijn schilderijen,' zei ze, 'voor het geval die nog eens veel waard worden.' Ze zette een paar rode naaldhakken van Bruno Magli in het schoenenrek. 'En hoe is het met de man van de rode rozen, als ik dat vragen mag?'

'Hij is... prima. Ik heb hem trouwens gezien in Frankrijk.' Ik legde uit waarom.

'Dat klinkt goed, en hij is duidelijk gek op je.'

Ik glimlachte, en terwijl ik de knoopjes van een roze kasjmieren vest dichtdeed, vertelde ik wat meer over hem.

'En hoe is zijn dochter?'

Ik drapeerde diverse vergulde kettingen rond de hals van een houten kop. 'Ze is zestien, erg knap en vreselijk verwend.'

'Zoals veel tieners,' merkte Annie op, 'maar ze blijft geen tiener.'

'Klopt,' zei ik blij.

'Maar tieners kunnen behoorlijk gemeen zijn.'

Er werd op het raam geklopt, en daar stond Katie in haar schooluniform naar ons te zwaaien. En tieners kunnen schatjes zijn, dacht ik.

Ik opende de deur en Katie kwam binnen. 'Hoi,' zei ze, en toen keek ze gespannen naar de gele cupcake-jurk. 'Godzijdank.' Ze glimlachte. 'Hij is er nog.'

'Jazeker,' zei ik. Ik vertelde haar niet dat een vrouw de jurk de vorige dag nog had gepast. Ze had er wel een grapefruit in geleken. 'Annie, dit is Katie.'

'Ik herinner me dat ik je een week of twee geleden heb gezien,' zei Annie hartelijk.

'Katie heeft belangstelling voor de gele cupcake-jurk.'

'Ik vind hem prachtig,' zei ze verlangend. 'Ik ben ervoor aan het sparen.'

'Mag ik vragen hoe het gaat?' zei ik.

'Nou, ik babysit nu bij twee gezinnen, dus ik heb inmiddels 120 pond. Maar omdat het bal op 1 november is, kan ik die dag niet bij Costcutters werken.'

'Nou... hou vol.. Ik wou dat ik kinderen had, dan kon je bij mij komen oppassen.'

'Ik was op weg naar school en ik moest gewoon nog even kijken... Mag ik er een foto van maken?'

'Natuurlijk.'

Katie hield haar telefoon omhoog en ik hoorde de klik. 'Zo,' zei ze, 'dan blijf ik gemotiveerd. Maar nu moet ik snel weg, het is al kwart voor negen.' Katie pakte haar rugzak op en wilde vertrekken, maar bukte toen om de krant op te rapen die net op de mat was gevallen en ze gaf hem aan Annie.

'Dank je, lieverd,' zei Annie.

Ik zwaaide Katie na en begon toen de avondkleding te herschikken.

'Lieve-hemel!' hoorde ik Annie uitroepen.

Ze keek met grote ogen naar de voorpagina van de krant en hield hem voor me omhoog.

De bovenste helft van de *Black & Green* werd ingenomen door een foto van Keith. Boven zijn afgetobde gezicht prijkte de kop: FRAUDE-ONDERZOEK PLAATSELIJKE AANNEMER — *EXCLUSIEF!*

Annie las me het artikel voor. 'Prominente plaatselijke ontwikkelaar Keith Brown, directeur van Phoenix Land, staat vandaag mogelijk een strafrechtelijk onderzoek te wachten nadat deze krant fascinerende bewijzen heeft ontdekt die hem in verband brengen met een omvangrijke verzekeringsfraude.' Ik dacht vol sympathie aan de vriendin van Keith; dit zou vreselijk voor haar zijn. 'Brown richtte Phoenix Land op in 2004,' vervolgde Annie, 'na de ontvangst van een grote som verzekeringsgeld nadat zijn keukenbedrijf twee jaar eerder door brand was verwoest. Browns verzekeraar Star Alliance betwistte zijn bewering dat zijn magazijn in brand was gestoken door een ontevreden werknemer die vervolgens zou zijn verdwenen en nooit is opgespoord... Weigerde uit te betalen,' hoorde ik haar zeggen terwijl ik de jurken anders rangschikte. 'Brown procedeerde... Star Alliance schikte uiteindelijk... Twee miljoen pond...' Ik hoorde Annie naar adem happen en keek haar aan. 'De *Black & Green* heeft nu bewijzen in handen gekregen dat de brand is aangestoken door Keith Brown zelf...' Annie keek me met ogen als schoteltjes aan en las verder. 'Meneer Brown weigerde gisteren antwoord te geven op onze vragen, maar zijn poging de uitgave van deze editie van de *Black & Green* te laten verbieden, heeft gefaald... Jeetje!' riep ze tevreden uit. 'Prettig om te weten dat onze hardvochtigheid jegens hem terecht was.' Ze gaf me de krant.

Ik las het stuk snel door en herinnerde me toen Keiths citaten in de *Guardian* over hoe vreselijk hij het had gevonden en dat hij 'had gezworen iets goeds uit de as te laten herrijzen'. Het had allemaal een beetje onecht geleken, en nu wist ik waarom.

'Ik vraag me af hoe de *Black & Green* aan het verhaal is gekomen,' zei ik tegen Annie.

'Waarschijnlijk doordat de verzekeraars, die hem nog steeds wantrouwden, nu "fascinerend" bewijs hebben gevonden.'

'Maar waarom zouden ze dat aan een plaatselijke krant geven? Ze zouden vast meteen naar de politie gaan.'

'Tja.' Annie klakte met haar tong. 'Daar zit iets in.'

Dat moest het lastige economische stuk zijn waar Dan aan had gewerkt... waar Matt hem over belde toen Dan en ik bij de Age Exchange zaten.

'Ik hoop dat zijn vriendin hem niet steunt,' hoorde ik Annie zeggen. 'Nou ja, ze kan hem altijd in haar groene jurk opzoeken in de gevangenis, als "verdomde Tinker Bell".' Ze giechelde. 'En over schoolbaljurken gesproken, Phoebe... heb je je Amerikaanse handelaar al gemaild?'

'Nee... dat moet ik doen, hè?' Ik was zo met mijn gedachten bij Monique geweest dat ik het vergeten was.

'Ja, echt,' zei Annie. 'De feestdagen komen eraan en volgens de *Vogue* zijn schoolbaljurken momenteel "in", hoe meer petticoats hoe beter.'

'Ik zal hem meteen mailen.'

Ik ging terug naar de computer en opende Outlook Express om contact op te nemen met Rick, maar die was me voor geweest. Ik klikte op zijn e-mail.

Hallo Phoebe. Ik heb laatst via de telefoon een bericht achtergelaten dat ik nog zes schoolbaljurken voor je heb, allemaal topkwaliteit en in uitstekende staat. Ik klikte op de foto's. Het waren prachtige cupcakes in kleuren die perfect waren voor de herfst: indigo, vermiljoen, mandarijn, cacao, dieppaars en ijsvogelblauw. Ik zoomde in om te kijken of de stof nergens verbleekt was en keerde toen terug naar de tekst. *Bijgesloten ook een jpg-bestand van de tassen waar ik het over had en die ik je samen met de jurken wil sturen, in één koop...*

'Verdorie,' mompelde ik. Ik wilde ze niet hebben, vooral niet nu het pond zo was gedaald ten opzichte van de dollar, maar ik besefte dat ik ze misschien wel moest kopen omdat Rick me anders niet meer de dingen zou sturen die ik wel leuk vond. 'Even kijken, dan,' zei ik mat.

De tassen waren samen gefotografeerd tegen een witte achtergrond en waren bijna allemaal uit de jaren tachtig en negentig. Ze waren nogal gewoontjes, afgezien van een erg mooie leren Gladstone-tas, waarschijnlijk uit de jaren veertig, en een elegante witte enveloptas van struisvogelleer uit begin jaren zeventig.

'Hoeveel wil hij ervoor?' mompelde ik. *De deal is 800 dollar, inclusief verzendkosten*

Ik klikte op 'Beantwoorden'. *Oké, Rick,* typte ik. *Afgesproken. Ik betaal je via Paypal zodra ik je rekening heb ontvangen. Stuur alles alsjeblieft zo snel mogelijk. Groet, Phoebe.*

'Ik heb net nog zes schoolbaljurken gekocht,' zei ik tegen Annie toen ik weer in de winkel was.

Ze kleedde een etalagepop opnieuw aan. 'Dat is goed nieuws... we raken ze vast gemakkelijk kwijt.'

'Ik heb ook twaalf tassen gekocht, waarvan ik de meeste niet wil hebben... maar ik moest ze erbij nemen.'

'Er is niet veel ruimte meer in de voorraadkamer,' zei ze terwijl ze de armen van de etalagepop terug op hun plaats duwde.

'Ik weet het, dus als ze arriveren breng ik wat ik niet wil hebben meteen naar Oxfam-Novib. Maar nu ga ik de Madame Grès opsturen.'

Ik liep het kantoortje binnen en pakte de jurk snel in vloeipapier met een wit lint eromheen en daarna in een grote luchtkussenzak. Toen draaide ik het bordje van 'Gesloten' naar 'Open' en zei: 'Tot straks, Annie.'

Mijn moeder belde toen ik de winkel uit kwam. Ze was net op haar werk. 'Ik heb besloten,' fluisterde ze.

'Wat besloten?' vroeg ik terwijl ik Montpelier Vale in liep.

'Om al die dwaze behandelingen te vergeten – al die onzin over plasmaregeneratie, resurfacing en radiofrequentie-verjonging.'

Ik keek bij een schoonheidssalon naar binnen. 'Dat is heel goed nieuws, mam.'

'Ik geloof niet dat ze enig verschil maken.'

'Dat denk ik ook,' zei ik terwijl ik de straat overstak.

'En ze zijn zó duur.'

'Inderdaad, het zou weggegooid geld zijn.'

'Precies. Daarom heb ik tot een facelift besloten.'

Ik stond meteen stil. 'Mam... doe dat nou niet.'

'Ik laat een facelift doen,' herhaalde ze zacht. Ik stond voor de sporten vliegerwinkel. 'Ik ben vreselijk down en dat zal me oppeppen. Dat is mijn cadeau aan mezelf voor mijn zestigste verjaardag, Phoebe. Ik heb al die jaren gewerkt,' vervolgde ze toen ik weer doorliep. 'Dus waarom zou ik me niet cosmetisch laten "opfrissen" als ik dat wil?'

'Zeker, mama... het is jouw leven. Maar als je er nou straks niet blij mee bent?' Ik zag mijn moeders knappe gezicht al voor me... dat misschien vreselijk strakgetrokken of vreemd bultig zou zijn.

'Ik heb onderzoek gedaan,' hoorde ik haar zeggen. 'Gisteren heb ik vrijgenomen en ben ik bij drie plastisch chirurgen geweest. Ik heb besloten dat Freddie Church het scalpel mag hanteren, in zijn kliniek in Maida Vale. Het staat gepland voor 24 november.' Ik vroeg me af of mam zich herinnerde dat dat de eerste verjaardag van Louis was. 'En probeer het me niet uit mijn hoofd te praten, lieverd, want mijn besluit staat vast. Ik heb al een aanbetaling gedaan en ik zet het door.'

'Oké,' zuchtte ik toen ik weer overstak. Protesteren had geen zin. Als mam eenmaal iets had besloten, bleef ze daarbij; bovendien had ik veel aan mijn hoofd en geen energie om ruzie te maken. 'Ik hoop alleen dat je er geen spijt van zult krijgen.'

'Vast niet. Maar vertel... hoe is het met je nieuwe vriend? Gaat dat goed?'

'Ik zie hem morgen. We gaan naar het Almeida Theatre.'

'Nou, je lijkt hem graag te mogen, dus doe niets stoms. Je bent immers al vierendertig,' zei mam terwijl ik Blackheath Grove in draaide. 'Voor je het weet ben je drieënveertig.'

'Sorry, mam, ik moet weg.' Ik klapte mijn telefoon dicht. Het postkantoor was leeg, dus was ik in twee minuten klaar. Toen ik naar buiten liep zag ik Dan glimlachend naar me toe komen. Hij had vandaag ook wel reden om te glimlachen.

'Ik keek net uit het raam en zag je.' Hij knikte naar zijn kantoor boven de jeugdbibliotheek rechts van ons.

Ik volgde zijn blik. 'Dus daar zit je... erg centraal. Gefeliciteerd, trouwens... ik heb net je primeur gelezen.'

'Het was niet mijn primeur,' antwoordde Dan, 'maar die van Matt. Ik was alleen aanwezig bij de besprekingen met de advocaten. Maar het is een fantastisch verhaal voor een lokale krant als de onze. We zijn allemaal nogal uitgelaten.'

'Ik ben razend benieuwd van wie je het hebt,' zei ik. 'Maar je kunt je bronnen zeker niet onthullen... of wel?' voegde ik er hoopvol aan toe.

Dan schudde glimlachend zijn hoofd. 'Helaas niet.'

'Ik heb wel medelijden met zijn vriendin. En ze zal haar baan wel kwijtraken.'

Dan haalde zijn schouders op. 'Ze vindt wel een andere... Ze is erg jong. Ik heb foto's van haar gezien.' Toen vroeg hij me naar Frankrijk en herinnerde hij me eraan dat ik nog met hem naar de bioscoop zou gaan. 'Je hebt morgenavond zeker geen tijd, of wel, Phoebe? Ik weet dat het kort dag is, maar ik had het druk met het artikel over Brown. We zouden naar de nieuwe film van de gebroeders Coen kunnen gaan... of gewoon ergens gaan eten.'

'Tja...' Ik keek hem aan. 'Dat had me erg leuk geleken. Maar ik... heb al iets.'

'O.' Dan glimlachte wat beteuterd. 'Maar ja, waarom zou een meisje als jij ook niet bezet zijn op een zaterdagavond?' Hij zuchtte. 'Des te stommer ben ik. Ik had je eerder moeten vragen. Dus... heb je iemand, Phoebe?'

'Nou... ik... *Dan*,' zei ik, 'je brengt me weer van mijn à propos.'

'O, sorry.' Hij haalde zijn schouders op. 'Ik lijk het niet te kunnen laten. Maar luister, heb je de uitnodiging voor de elfde gehad? Ik heb hem naar je winkel gestuurd.'

'Ja, ik heb hem gisteren gekregen.'

'Nou, je zei dat je zou komen, dus dat hoop ik maar.'

Ik keek Dan aan. 'Ja, ik kom zeker.'

Ik kon me vanmorgen moeilijk op mijn werk concentreren omdat ik steeds aan Miles moest denken en me erop verheugde met hem naar het theater te gaan. We gingen naar *Waste* van Harley Granville-Barker. Tussen de klanten door las ik online een paar kritieken, deels om me te kunnen herinneren waar het stuk precies over ging – ik had het een paar jaar geleden gezien – en deels omdat ik indruk op Miles wilde maken met scherpzinnige opmerkingen. Toen werd het echter heel druk in de winkel, zoals gewoonlijk op zaterdag. Ik verkocht mevrouw Bells 'cocoon'-jas van Guy Laroche – ik vond het bijna jammer

– en een abrikooskleurige organzazijden tuniek van Zandra Rhodes met goudkraaltjes aan de zoom. Toen wilde iemand de gele schoolbaljurk passen; dat werd de derde keer in een week tijd dat iemand hem paste. Terwijl de vrouw het pashokje in ging, keek ik gespannen naar haar figuur en ik realiseerde me dat hij waarschijnlijk zou passen. Ik trok het gordijntje voor haar dicht en hoopte in stilte dat ze hem niet mooi zou vinden. Ik hoorde het ruisen van de tule en het geluid van de rits die met een zacht gekreun dicht werd getrokken.

'Hij is geweldig!' hoorde ik haar uitroepen. De vrouw opende het gordijn en draaide voor de spiegel heen en weer. 'Hij is prachtig,' zei ze, en ze ging op haar tenen staan. 'Die petticoats en dat fonkelen.' Ze keek me stralend aan. 'Ik neem hem!'

Ik bedacht triest hoe teleurgesteld Katie zou zijn. Ik zag haar weer de foto van de jurk maken en herinnerde me hoe leuk hij haar had gestaan... tien keer mooier dan deze vrouw, die er te oud voor was, en niet slank genoeg met haar vlezige witte schouders en mollige armen.

De vrouw wendde zich tot haar vriendin. 'Vind jij hem ook niet fantastisch, Sue?'

Sue, die lang en hoekig was – een Modigliani tegenover de vlezige Rubens van haar vriendin – beet op haar onderlip en maakte zachte zuiggeluidjes. 'Nou... eerlijk gezegd, Jill, lieverd, nee. Je hebt er een te bleke huid voor, en het lijfje is te strak – kijk maar – waardoor je er aan de achterkant uitpuilt, hier...' Ze draaide haar vriendin om. Nu zag Jill ook de anderhalve centimeter vet die als deeg boven het gesteven lijfje uitstulpte.

Sue hield haar hoofd schuin. 'Ken je die puddinkjes... een bevroren citroen die gevuld is met sorbet dat er bovenaan uit lijkt te borrelen...?'

'Ja?' zei Jill.

'Nou, zo zie jij er nu uit.'

Met ingehouden adem wachtte ik op Jills reactie. Ze keek naar zichzelf en knikte toen langzaam. 'Je hebt gelijk. Het is wreed, maar waar.'

'Waar zijn beste vriendinnen anders voor?' zei Sue gemoedelijk. Ze schonk mij een schuldbewuste glimlach. 'Sorry dat u hem nu niet kunt verkopen.'

'Dat geeft niets,' zei ik opgelucht. 'Hij moet precies goed zijn, niet-waar? Ik krijg trouwens waarschijnlijk volgende week meer van deze jurken. Misschien is er daar eentje bij die wel past.'

'Dan komen we terug.'

Toen de vrouwen weg waren, hing ik de gele jurk in het rek met gereserveerde artikelen, met een briefje eraan: 'Katie'. Mijn zenuwen konden dit niet nog vaker verdragen. Daarna haalde ik boven een frambozenrode Lanvin Castillo-avondjurk uit midden jaren vijftig en hing die ervoor in de plaats.

Ik sloot de winkel om halfzes precies, ging snel naar huis om te douchen en me te verkleden en haastte me toen naar Islington om Miles te ontmoeten. Terwijl ik bijna door Almeida Street rende, zag ik hem voor het theater naar me staan uitkijken. Hij stak zijn hand op toen hij me zag.

'Sorry dat ik zo laat ben,' zei ik ademloos. De bel ging. 'Is dat de bel voor vijf minuten?'

'Nee, voor één minuut.' Hij kuste me. 'Ik was bang dat je niet zou komen.'

Ik haakte mijn arm door de zijne. 'Natuurlijk wel.' Ik vond Miles' spanning ontroerend en terwijl we naar binnen gingen vroeg ik me af of het door de veertien jaar leeftijdsverschil kwam, of dat hij altijd wat onzeker was als hij iemand graag mocht, ongeacht hoe oud die was.

'Het is een goed stuk,' zei hij ongeveer een uur later toen het licht aanging voor de pauze. We stonden op. 'Ik heb het eerder gezien, in het National Theatre. Volgens mij was dat in '91.'

'Dat klopt, want ik heb het toen ook gezien... met school.' Ik herinnerde me dat Emma naar jenever had geroken toen ze na de pauze terugkwam.

Miles lachte. 'Dan was je toen ongeveer van Roxy's leeftijd; en ik was eenendertig... een jongeman. Ik zou toen ook verliefd op je zijn geworden.'

Ik glimlachte. We liepen de foyer in en drentelden samen met iedereen naar de bar.

'Ik zal iets te drinken halen,' zei ik. 'Wat wil je hebben?'

'Een glas côtes du rhône, als ze dat hebben.'

Ik keek op het bord. 'Dat hebben ze. Ik denk dat ik de sancerre neem.' Ik ging aan de bar staan en Miles wachtte iets achter me. 'Phoebe...' hoorde ik hem even later fluisteren en ik draaide me om. Hij leek plotseling slecht op zijn gemak en zijn gezicht was rood geworden. 'Ik zie je zo buiten,' mompelde hij.

'Oké,' antwoordde ik verbijsterd.

'Alles goed?' vroeg ik toen ik hem een paar minuten later bij de ingang vond. Ik gaf hem zijn glas wijn. 'Ik dacht dat je misschien niet lekker geworden was.'

Hij schudde zijn hoofd. 'Dat is het niet, maar toen jij aan de bar stond te wachten zag ik een paar mensen die ik wilde ontlopen.'

'O?' Mijn nieuwsgierigheid was gewekt. 'Wie?' Miles gebaarde discreet met zijn hoofd naar een blonde vrouw van in de veertig met een turquoise omslagdoek en een man met zandkleurig haar in een donkere jas aan de andere kant van de foyer. 'Wie zijn dat?' vroeg ik zacht.

Miles tuitte zijn lippen. 'Ze heten Wycliffe. Hun dochter zit op Roxy's oude school.' Hij zuchtte. 'Het is geen geweldige... relatie.'

'Ik begrijp het,' zei ik, en ik herinnerde me nu dat Miles het over een 'misverstand' op St Mary's had gehad. Wat het ook was geweest, het maakte hem nog steeds van streek. Toen we de bel voor de tweede helft hoorden, gingen we terug naar onze plaatsen.

Toen we naderhand stonden te wachten om de weg over te kunnen steken naar het restaurant tegenover het theater, zag ik mevrouw Wycliffe zijdelings naar Miles kijken en toen discreet aan de mouw van haar mans jas trekken. Toen we begonnen te eten, vroeg ik Miles wat de Wycliffes hadden gedaan dat hem zo had gegriefd.

'Ze waren vreselijk tegen Roxy. Het was echt heel... onplezierig.' Zijn hand beefde toen hij zijn glas water oppakte.

'Waarom?' vroeg ik. Miles aarzelde. 'Konden de meisjes niet met elkaar overweg?'

'O, jawel.' Miles liet zijn glas zakken. 'Roxy en Clara waren zelfs beste vriendinnen. Maar kort voor de zomervakantie kregen ze... ruzie.' Ik keek Miles aan en vroeg me af waarom dat hem zo van streek had gemaakt. 'Clara raakte iets kwijt,' legde Miles uit. 'Een... gouden armband. Clara beschuldigde Roxy ervan hem te hebben gepikt.'

Miles tuitte zijn lippen weer en de spieren naast zijn mond spanden zich aan.

'O...'

'Ik wist dat het niet waar kon zijn. Ik weet dat Roxanne soms lastig is, maar zoiets zou ze nooit doen.' Hij trok zijn kraag wat losser. 'Maar goed, de school belde me en zei dat Clara en haar ouders volhielden dat Roxy die verdraaide armband had gestolen. Ik was woest en zei dat ik niet toestond dat mijn dochter valselijk werd beschuldigd. Maar de directrice gedroeg zich... schandelijk.' Ik zag een ader op Miles' slaap opzwellen toen hij dat zei.

'In welke zin?'

'In haar vooringenomenheid. Ze weigerde Roxy's versie over het gebeurde te accepteren.'

'En die was?'

Miles zuchtte. 'Zoals ik zei waren Roxanne en Clara heel goede vriendinnen geweest. Ze leenden voortdurend spullen van elkaar, zoals meisjes van die leeftijd dat doen. Ik zag het toen Clara met Pasen bij ons logeerde,' vervolgde Miles. 'Ze kwam op een ochtend naar beneden voor het ontbijt in Roxy's kleren, en ze droeg Roxy's sieraden... en andersom. De meisjes deden dat de hele tijd... dat vonden ze leuk.'

'Dus... je bedoelt dat Roxy de armband wél had?'

Miles bloosde. 'Hij lag in haar lade... maar het gaat erom dat ze hem niet had gestolen. Ik bedoel, waarom zou ze van wie dan ook iets moeten stelen als ze zelf al zoveel had? Ze legde uit dat Clara haar de armband had geleend, dat Clara enkele van haar sieraden had – wat inderdaad klopte – en dat ze voortdurend spulletjes ruilden. Daarmee had het afgedaan moeten zijn.' Miles zuchtte. 'De Wycliffes waren echter vastbesloten er een probleem van te maken en ze waren heel gemeen,' zei hij verbitterd.

'Wat deden ze dan?'

Miles ademde in en toen langzaam uit. 'Ze dreigden de politie te bellen, dus had ik geen andere keus dan hen te dreigen dat ik hun een proces zou aandoen wegens smaad als ze niet ophielden mijn dochter te belasteren.'

'En de school?'

Miles' mond was nu een rechte lijn. 'Ze kozen de kant van de Wycliffes... ongetwijfeld omdat die man een half miljoen voor hun nieuwe aula doneert. Het was om misselijk van te worden. Dus heb ik Roxy daar weggehaald. Zodra ze haar laatste examen had gedaan, stond ik haar op te wachten en nam ik haar mee naar huis. Het was míjn beslissing dat ze de school zou verlaten.'

Miles nam nog een slokje water. Ik vroeg me af wat ik kon zeggen toen de kelner onze borden kwam halen. Tegen de tijd dat hij vertrokken was en direct terugkwam met ons hoofdgerecht, was Miles niet meer zo geagiteerd. Het probleem op Roxy's oude school verdween kennelijk langzaam uit zijn gedachten en werd vergeten. Om de sfeer nog verder op te krikken, praatte ik nog wat na over het toneelstuk. Daarna vroeg Miles om de rekening. 'Ik ben met de auto,' zei hij. 'Wat betekent dat ik je naar huis kan brengen.'

'Graag.'

'Naar jouw huis,' zei Miles, 'of naar het mijne, als je wilt.' Hij keek me aan, wachtend op mijn reactie. 'Ik kan je weer een T-shirt lenen,' zei hij, 'en ik kan je een tandenborstel geven. Roxy heeft een föhn, als je die nodig mocht hebben. Ze is vanavond naar een feestje in de Cotswolds.' Dat verklaarde waarom ze hem geen twintig keer had gebeld. 'Ik ga haar morgenmiddag ophalen. Dus ik dacht dat jij en ik de ochtend samen konden doorbrengen en dan ergens gaan lunchen.' We stonden op. 'Hoe vind je dat klinken, Phoebe?'

De maître d' gaf ons onze jassen. 'Dat klinkt... geweldig.'

Miles glimlachte. 'Mooi.'

We reden door Zuid-Londen met Mozarts klarinetconcert op de cd-speler. Ik was blij dat ik met Miles meeging. Toen hij voor zijn huis stopte, keek ik naar de voortuin, die mooi was aangelegd met lage buxushaagjes en omsloten door een smeedijzeren hek. Miles opende de deur en we stapten een brede gang binnen met een hoog plafond, gelambriseerde wanden en zwart-witte marmeren vloertegels die glanzend geboend waren.

Toen Miles mijn jas aannam zag ik een grote eetkamer met wijnrode muren en een lange mahoniehouten tafel. Ik volgde hem de gang door naar de keuken met handgeschilderde kasten en granieten werkbladen die donker glansden onder de vele spotjes aan het plafond. Door de openslaande deuren kon ik nog net een groot, door bomen omringd gazon in de duisternis zien verdwijnen.

Miles pakte een fles evian uit de Amerikaanse koelkast en we liepen over de brede trap naar de eerste verdieping. Zijn slaapkamer was geel geschilderd en behangen en had een grote eigen badkamer met een vrijstaand ijzeren bad en een open haard. Daar kleedde ik me uit. 'Mag ik nu die tandenborstel?' riep ik.

Miles kwam de badkamer binnen, wierp een waarderende blik op mijn naakte gestalte en opende een kast waarin ik flessen shampoo en badschuim zag staan. 'Waar ligt-ie?' mompelde hij. 'Roxy zoekt hier altijd dingen... Aha, hebbes.' Hij gaf me een nieuwe tandenborstel. 'En een T-shirt? Ik kan er een voor je pakken.' Hij tilde mijn haren op en kuste me achter in mijn nek, en daarna op mijn schouder. 'Als je denkt dat je dat nodig hebt.'

Ik draaide me naar hem om en sloeg mijn armen om zijn middel. 'Nee,' fluisterde ik, 'dat hoeft niet.'

We werden laat wakker. Toen ik op de wekker op het nachtkastje naast me keek, sloeg Miles zijn armen om me heen en pakte hij mijn borsten vast.

'Je bent geweldig, Phoebe,' mompelde hij. 'Volgens mij word ik verliefd op je.' Hij kuste me, legde toen mijn handen boven mijn hoofd en bedreef weer de liefde met me...

'Dit bad is groot genoeg om in te zwemmen,' zei ik toen ik daar een poosje later in lag. Miles goot er nog wat badschuim bij en kwam er toen ook in. Hij ging achter me liggen en ik lag op zijn borst als op een eiland.

Na een paar minuten pakte hij mijn hand en keek ernaar. 'Je vingertoppen beginnen te rimpelen.' Hij kuste ze allemaal. 'Tijd om af te drogen.' We stapten allebei uit bad en Miles pakte een zachte witte badhanddoek van het badkamerkrukje en sloeg die om me heen. We poetsten onze tanden en toen pakte hij mijn tandenborstel en zette hem in de houder naast de zijne. 'Laat hem daar maar staan,' zei hij.

'Mijn haar.' Ik raakte het aan. 'Kan ik een föhn lenen?'

Miles sloeg een handdoek om zijn middel. 'Kom maar mee.'

We staken de overloop over. De vroege herfstzon scheen door de kamerhoge schuiframen naar binnen. Toen ik opkeek, zag ik een prachtig portret van Roxy aan de muur hangen.

'Dat is Ellen,' legde Miles uit toen we voor het schilderij stil bleven staan. 'Ik heb het laten maken voor onze verloving. Ze was toen drie-entwintig.'

'Roxy lijkt erg op haar,' zei ik. 'Hoewel...' Ik keek naar Miles. 'Ze heeft jouw neus... en jouw kin.' Ik streek er met de rug van mijn hand langs. 'En woonde je hier met Ellen?'

'Nee.' Miles opende een slaapkamerdeur waar in roze letters ROXAN-NE op stond. 'We woonden in Fulham, maar na haar dood wilde ik verhuizen. Ik kon de voortdurende herinneringen niet verdragen. En ik was uitgenodigd voor een etentje in dit huis en ik vond het prachtig. Dus toen het niet veel later te koop kwam, verleenden de eigenaren mij het recht van voorkeur. Zo...'

Roxy's kamer was reusachtig. Er lag dik wit tapijt en er stond een wit hemelbed met een roze-en-goudkleurig damasten baldakijn. Ze had een witte toilettafel waar een reeks dure gezichtscrèmes, bodylotions en diverse flesjes J'adore in verschillende maten stonden. Voor de met roze-en-goudkleurige gordijnen behangen ramen stond een chaise longue in lichtroze brokaat en op een lage tafel daarnaast lagen pakweg twintig glossy magazines te glimmen.

Ik zag een poppenhuis op een bijzettafeltje staan – een georgiaans herenhuis met een glimmend zwarte voordeur en kamerhoge schuifra-men. 'Het lijkt op dit huis,' zei ik.

'Het ís dit huis,' legde Miles uit. 'Het is een exacte kopie.' Hij opende de de voordeur en we keken naar binnen. Elk detail klopte, tot aan de kroonluchters, de werkende luiken en de koperen deurknoppen.' Ik keek naar de replica van het ijzeren bad op klauwpoten waar ik net nog in had gelegen. 'Ik heb het Roxy voor haar zevende verjaardag gegeven,' zei Miles. 'Ik dacht dat ze zich daardoor beter thuis zou voelen. Ze speelt er nog steeds mee.' Hij rechtte zijn rug. 'Maar goed... kom mee...' We kwamen in haar kleedkamer. 'Hier heeft ze haar föhn liggen.' Hij knikte naar een witte tafel, waarop een heel arsenaal ap-paraten lag om je haren mee te kappen. 'Ik ga het ontbijt voor ons maken.'

'Ik ben zo klaar.'

Ik ging aan Roxy's kaptafel zitten en keek naar de professionele föhn, de steiltang, de krultang en de Carmen-krulset, de borstels, kammen en haarspelden. Terwijl ik snel mijn haar droogde, keek ik naar de kleren aan de rails, die drie wanden besloegen. Er moesten wel honderd jurken en pakjes hangen. Links van me hing een steenrode suède Gucci-jas, die ik herkende uit de voorjaarscollectie van dit jaar. Voor me zag ik een satijnen broekpak van Matthew Williamson en een cocktailjurk van Hussein Chalayan. Er hingen vier of vijf skipakken en minstens acht lange jurken in beschermende hoezen van mousseline. Onder de kleren was een chromen rek waarop zo'n zestig paar schoenen en laarzen stonden. Langs een muur stonden een aantal sisalmanden waarin misschien wel dertig tassen zaten.

Voor mijn voeten lag de *Vogue* van deze maand. Toen ik hem opraapte viel hij open op een modespread, waar de helft van de kledingstukken was gemarkeerd met hartvormige roze Post-its. Naast een babyblauwe zijden Ralph Lauren-baljurk van 2100 pond zat een roze hartje, evenals bij een asymmetrische zwarte jurk van Zac Posen. Een roze mini-jurkje van Roberto Cavalli van 1595 pond was hetzelfde gemarkeerd, met *Controleren of Sienna Fenwick deze niet bestelt* in grote, ronde letters op het roze hart gekrabbeld. Ook bij een couture avondjapon van Christian Lacroix met glas-in-loodmotief zat een hartje. Hij kostte 3600 pond. *Alleen op speciale bestelling*, had Roxy geschreven. Ik schudde mijn hoofd en vroeg me af welke van die creaties Roxy zou krijgen.

Ik schakelde de föhn uit en legde hem precies terug waar ik hem had gepakt. Weer in haar slaapkamer bleef ik even staan om de voordeur van het poppenhuis weer dicht te doen. Daarbij zag ik twee poppetjes in de woonkamer op de bank zitten – een papa in een bruin pak en naast hem een meisje in een roze-met-wit katoenen kinderschort.

Ik liep terug naar Miles' slaapkamer, kleedde me aan en maakte me op, pakte mijn oorbellen van het groene schaaltje op de schoorsteenmantel in de badkamer en volgde de geur van koffie naar beneden.

Miles stond aan de ontbijtbar met een dienblad met toast en jam.

'De keuken is prachtig,' zei ik, 'maar hij is anders dan die in het poppenhuis.'

Miles duwde het filter van de cafetière omlaag. 'Ik heb hem vorig jaar laten veranderen... vooral omdat ik een professionele wijnopslag wilde.' Hij gebaarde met zijn hoofd naar links van mij en ik keek naar de twee grote koelkasten en het houten wijnrek, van de vloer tot het plafond, voor rode wijn. Hij pakte het dienblad op. 'We zullen een keer Chante le Merle drinken, want die vind je lekker, hè?'

Aan de muur bij de openslaande deuren hing een fotomontage met een tiental kiekjes van Roxy tijdens het skiën, paardrijden, mountainbiken en tennissen. Er was een foto bij van haar voor de Tafelberg, en eentje waarop ze op Ayers Rock stond.

'Roxy heeft het bijzonder getroffen,' zei ik toen ik naar een foto keek waarop ze achter op een jacht stond te vissen in wat me de Caribische Zee leek. 'Voor een meisje van haar leeftijd heeft ze al veel gedaan en – zoals je al zei – hééft ze heel veel.'

Miles zuchtte en zei: 'Waarschijnlijk te veel.' Ik antwoordde niet. 'Maar Roxy is mijn enige kind en ze betekent heel veel voor me. Bovendien is ze alles wat ik nog van Ellen heb.' Zijn stem stokte even. 'Ik wil gewoon dat ze zo gelukkig mogelijk is.'

'Natuurlijk,' mompelde ik. *Elle est son talon d'Achille.* Had Cecile dit bedoeld? Dat Miles Roxy te veel verwende?

Toen we op het terras stonden keek ik naar het lange, brede gazon dat aan beide kanten werd omzoomd door golvende borders met kruidachtige planten en struiken. Miles zette het dienblad op een smeedijzeren tafel. 'Wil je misschien de krant even halen? Die ligt voor de voordeur.'

Hij schonk de koffie in en ik haalde *The Sunday Times* en bracht die mee naar de tuin. Toen we in de zachte herfstzon zaten te ontbijten las Miles het eerste stuk van de krant, terwijl ik het katern over design en trends doorbladerde. Toen vouwde ik het economisch katern open om de 'Nieuwsachtergronden' eruit te halen, en daarbij zag ik de kop PHOENIX VALT. Ik keek naar het artikel, dat een halve pagina besloeg. Het had het verhaal van de *Black & Green* opgepikt en herhaalde de beschuldiging van fraude. Alleen stond er een foto bij van Keith Browns vriendin met als ondertitel KELLY MARKS: KLOKKENLUIDER. Dus zíj was de bron?

Het artikel nam aan dat Brown ooit in een dronken bui tegen zijn vriendin had opgeschept over de manier waarop hij de fraude had gepland en uitgevoerd; hij had een ontevreden werknemer als schuldige aangewezen, die een vals identiteitsbewijs bleek te hebben gehad en na de brand was verdwenen, waarschijnlijk om justitie te ontlopen. De politie had een compositiefoto laten circuleren, maar de man was nooit opgespoord en gold nog steeds als vermist. Brown had waarschijnlijk in zijn euforie over het afsluiten van een grote deal tegenover Kelly Marks gepocht dat de man niet alleen nooit had bestaan, maar dat hij zelf de brand had aangestoken. Twee weken geleden had ze 'na bij haar geweten te rade te zijn gegaan' besloten dit aan de *Black & Green* te vertellen. Het artikel bevatte een citaat van Matt, die zei dat hij, hoewel hij geen commentaar kon geven over zijn bron, achter ieder woord stond dat zijn krant over de zaak had afgedrukt.

'Wat vreemd,' zei ik zacht.

'Wat?' Ik gaf het artikel aan Miles en hij las het snel door. 'Ik weet van die zaak,' zei hij. 'Een bevriende collega van me verdedigde de verzekeringsmaatschappij tegen Browns claim. Hij zei dat hij het verhaal van Brown nooit had geloofd, maar omdat dat onmogelijk bewezen kon worden, was Star Alliance gedwongen te betalen. Brown dacht kennelijk dat hij ermee weg kon komen en werd daardoor onvoorzichtig.'

'Ik heb er nog wel aan gedacht dat het zijn vriendin zou kunnen zijn'. Ik vertelde Miles over het onaangename bezoek aan Villa Vintage. 'Maar ik zette het idee van me af... waarom zou zij hem verraden, aangezien hij zowel haar baas als haar vriend was?'

Miles haalde zijn schouders op. 'Wraak. Hij bedroog haar waarschijnlijk met een ander – dat is het meest gebruikelijke scenario – of hij probeerde haar te dumpen en ze had het in de gaten. Of misschien beloofde hij haar een promotie en gaf die toen aan iemand anders. Haar motief zal zo sterk niet zijn geweest.'

Ik herinnerde me plotseling wat Kelly Marks had gezegd toen ze de jurk betaalde:

Hij kost 275 pond. Dat was de prijs.

11

MAANDAGMORGEN BELDE IK MEVROUW BELL.

'Ik zou je graag willen zien, Phoebe,' zei ze, 'maar deze week kan het niet.'

'Is uw nicht nog steeds bij u?'

'Nee, maar de neef van mijn man heeft me uitgenodigd bij hem en zijn gezin in Dorset te komen logeren. Hij haalt me morgen op en brengt me vrijdag terug. Ik moet nu naar hen toe gaan, nu ik nog in staat ben te reizen...'

'Kan ik daarna dan naar u toe komen?'

'Natuurlijk. Ik ga nergens anders heen,' zei mevrouw Bell. 'Dus ik zou je gezelschap erg op prijs stellen als je tijd hebt.'

Ik dacht aan het formulier van het Rode Kruis dat ik nog in mijn tas had. 'Zal ik zondagmiddag dan komen?'

'Ik verheug me erop. Kom maar om vier uur.'

Ik legde de telefoon neer en keek naar de uitnodiging voor het feest van Dan op zaterdag. Die verklapte niets, alleen dat het bij hem thuis was, het adres en de tijd. Er werd niets gezegd over de schuur, die kennelijk veel meer was dan dat, dacht ik. Misschien een zomerhuis of een kantoor in de tuin. Misschien was het een speelzaal met een grote biljarttafel of een aantal gokautomaten. Of een observatorium, met een telescoop en een schuifdak. Mijn nieuwsgierigheid dwong me te gaan – en het feit dat ik was gaan genieten van de gesprekken met Dan, zijn *joie de vivre* en hartelijkheid. Ik hoopte hem ook naar het verhaal van Phoenix Land te kunnen vragen. Ik vroeg me nog steeds af waarom Browns vriendin had gedaan wat ze had gedaan.

Er stond die dag weer meer over in de krant. Kelly Marks had aan de *Independent* toegegeven dat zij de bron was, maar toen er naar haar motief werd gevraagd, weigerde ze elk commentaar.

'Het was de jurk,' zei Annie toen ze op dinsdagmorgen het meest recente artikel erover in de *Black & Green* las. Ze liet de krant zakken. 'Ik heb het je gezegd – vintagekleding kan je transformeren; ik denk dat het door de jurk kwam.'

'Wat? Bedoel je dat ze door de jurk bezeten was en dat die haar "vertelde" dat ze hem moest verklikken?'

'Nee... maar ik denk dat haar intense verlangen naar de jurk haar de kracht gaf die man – op spectaculaire wijze – te dumpen.'

Op donderdag bracht de *Mail* een artikel met de kop APPLAUS VOOR MARKS, waarin de krant Kelly prees omdat ze Brown had ontmaskerd, en andere vrouwen citeerde die hun 'onbetrouwbare' vriendjes hadden verraden. De *Express* had een artikel over fraude met brandstichting, opgehangen aan 'Keith Browns vermeende brandstichting in zijn eigen magazijn in 2002'.

'Hoe kunnen de kranten dat drukken?' vroeg ik die middag aan Miles. Hij was op weg terug naar Camberwell langs de winkel gekomen en omdat er geen klanten waren, was hij even blijven praten. 'Leidt dat niet tot vooroordelen?' vroeg ik hem.

'Het mag omdat er nog geen proces tegen Brown is aangespannen.' Hij pakte zijn BlackBerry, zette zijn bril op en begon er met zijn duimen iets op in te tikken. 'Voorlopig kunnen de kranten de nog onbewezen beschuldigingen herhalen en alles afdrukken wat ze kunnen rechtvaardigen... zoals de rol van de vriendin in de onthulling van zijn vermeende misdrijf. Als hij eenmaal in staat van beschuldiging is gesteld, moeten ze oppassen met wat ze zeggen.'

'En waarom is hij dan nog niet in staat van beschuldiging gesteld?'

Miles keek me over zijn bril heen aan. 'Omdat de verzekeraar en de politie er waarschijnlijk over redetwisten wie hem gaat aanklagen, wat natuurlijk een kostbare zaak is. Kunnen we het nu alsjeblieft over iets leukers hebben? Ik wil zaterdag naar het Opera House. Ze brengen *La Bohème* en er zijn nog een paar plaatsen vrij in de stalles, maar ik moet vandaag reserveren. Ik kan ze nu meteen bellen. Ik heb net hun nummer gevonden.' Miles begon het telefoonnummer in te toetsen, maar keek me toen perplex aan. 'Je lijkt er anders weinig zin in te hebben.'

'Jawel... althans, het klinkt fantastisch, maar ik kan niet.'

Miles' gezicht betrok. 'Waarom niet?'

'Ik heb al iets anders.'

'O.'

'Ik ga naar een feest in de buurt. Een klein feest.'

'Ik begrijp het. En wiens feest is het?'

'Een vriend van me... Dan.'

Miles staarde me aan. 'Je hebt het al eerder over hem gehad.'

'Hij werkt voor de plaatselijke krant. Hij heeft me al lang geleden uitgenodigd.'

'Ga je liever daarheen dan naar *La Bohème* in het Opera House?'

'Dat is het niet, maar ik heb gezegd dat ik zou komen en ik wil mijn belofte nakomen.'

Miles keek me onderzoekend aan. 'Ik hoop dat hij... niet meer dan een vriend is, Phoebe. Ik weet dat we elkaar nog niet heel lang kennen, maar ik zou het graag willen weten als je een andere...'

Ik schudde mijn hoofd. 'Hij is gewoon een vriend.' Ik glimlachte. 'Een nogal excentrieke vriend.'

Miles stond op. 'Nou... ik ben wel wat teleurgesteld.'

'Dat spijt me, maar we hadden toch geen plannen gemaakt voor zaterdag?'

'Dat klopt. Ik nam alleen aan...' Hij zuchtte. 'Het is al goed.' Hij pakte zijn tas op. 'Ik neem Roxy wel mee. We gaan vanmiddag haar baljurk kopen, dus als tegenprestatie kan ze met me meegaan naar de opera.'

Ik probeerde het idee te bevatten dat een uitje naar het Royal Opera House de 'prijs' zou zijn die Roxy betaalde voor het feit dat haar vader een ongelofelijk dure jurk voor haar kocht.

'Misschien kunnen we begin volgende week iets doen?' zei ik toen Miles opstond. 'Zullen we naar de Festival Hall gaan? Op dinsdag bijvoorbeeld? Ik zorg voor de kaartjes.'

Dat leek hem gerust te stellen. 'Dat lijkt me leuk.' Hij kuste me. 'Ik bel je morgen.'

Zaterdag was zoals gewoonlijk een drukke dag en hoewel ik blij was dat ik zo goed verkocht, realiseerde ik me dat ik het nauwelijks in mijn eentje kon redden. Na de lunch kwam Katie binnen. Ze zag de Lanvin Castillo-jurk op de plek hangen waar de gele cupcake-jurk had gehangen en haar gezicht betrok. Ik dacht even dat ze zou gaan huilen.

'Niets aan de hand,' zei ik snel. 'Ik heb hem voor je gereserveerd.'

'O, bedankt.' Ze legde haar hand op haar borst. 'Ik heb nu 160 pond, dus ik ben halverwege. Ik heb pauze bij Costcutters en ik wilde even komen kijken. Ik weet niet waarom, maar die jurk heeft me echt te pakken.'

Ik hoopte stipt om halfzes weg te kunnen, maar om vijf voor half kwam er nog een vrouw binnen die acht kledingstukken paste, waaronder een broekpak dat ik van een etalagepop moest halen, en toen toch niets kocht. 'Het spijt me,' zei ze terwijl ze haar jas aantrok. 'Ik denk dat ik niet in de stemming ben.' Om inmiddels vijf over zes was ik dat zelf ook niet meer.

'Geen probleem,' zei ik zo vriendelijk als ik kon. Je kunt niet prikkelbaar zijn als je een winkel runt. Ik sloot af en ging naar huis om me klaar te maken voor het feest van Dan. Hij had halfacht op de uitnodiging gezet, met het verzoek er uiterlijk om acht uur te zijn.

Het was bijna donker toen mijn taxi voor zijn huis stopte – een victoriaanse villa aan een rustige straat dicht bij Hither Green Station. Dan had zijn best gedaan, dacht ik terwijl ik de chauffeur betaalde. Hij had gekleurde lampjes in de bomen in de voortuin gehangen; hij had cateraars gehuurd; een kelner met een schort voor deed de deur open. Ik hoorde gepraat en gelach toen ik naar binnen stapte. Het was een tamelijk select gezelschap, realiseerde ik me toen ik de woonkamer binnen liep, waar een stuk of twaalf mensen waren. Dan, deze keer in een mooi donkerblauw zijden jasje, praatte met iedereen en vulde champagneglazen bij.

'Neem wat van die canapés,' hoorde ik hem zeggen. 'We eten pas wat later.' Het was dus een etentje. 'Phoebe!' zei hij hartelijk toen hij me zag. Hij plantte een kus op mijn wang. 'Ik zal je even aan iedereen voorstellen.' En Dan stelde me snel voor aan zijn vrienden: Matt en zijn vrouw Sylvia; Ellie, een verslaggeefster bij de krant, met haar vriend Mike; een paar van Dans buren en tot mijn verbazing de nogal norse vrouw van de Oxfam-Novibwinkel die, zo hoorde ik nu, Joan heette.

Joan en ik babbelden wat en ik vertelde haar dat ik tassen uit de

Verenigde Staten zou krijgen die ik waarschijnlijk naar haar zou brengen. Toen vroeg ik haar of ze ooit ouderwetse ritssluitingen – van metaal – binnenkreeg, omdat ik er zelf bijna doorheen was.

'Ik heb er pas een stel gezien,' zei ze. 'En ook een potje met oude knopen.'

'Zou je die voor me willen bewaren?'

'Natuurlijk.' Ze nipte van haar champagne. 'Heb je trouwens van *Anna Karenina* genoten?'

'Het was geweldig,' antwoordde ik, en ik vroeg me af hoe ze wist dat ik daar naartoe was geweest.

Joan pakte een canapé van een passerend dienblad. 'Dan heeft me meegenomen naar *Dr Zhivago*. Die was prachtig.'

'O.' Ik keek naar Dan. Hij zat vol verrassingen... best leuke verrassingen, bedacht ik. 'Tja... het is een fantastische film.'

'Fantastisch,' zei Joan. Ze sloot even haar ogen. 'Het was voor het eerst in vijf jaar dat ik naar de film ging... en hij heeft me naderhand ook nog mee uit eten genomen.'

'Echt waar? Wat aardig.' Ik voelde tranen in mijn ogen komen. 'Zijn jullie naar het Café Rouge gegaan?'

'O nee.' Joan keek geschokt. 'Hij nam me mee naar het Rivington.'

'Zo.'

Ik keek naar Dan. Hij tikte tegen de zijkant van zijn glas en zei dat het, aangezien iedereen er was, tijd werd voor het belangrijkste deel van de avond, en of we dus allemaal mee naar buiten wilden gaan.

De achtertuin was behoorlijk groot – pakweg twintig meter diep – en achterin stond een grote... schuur. Meer was het niet... een schuur; alleen lag er een rode loper naartoe en hing er een dik rood touw voor de deur, opgehangen aan twee metalen paaltjes. Aan de muur hing een soort plaquette die – te oordelen naar de twee gouden gordijntjes ervoor – wachtte op de officiële onthulling.

'Ik weet niet wat er in die schuur staat,' zei Ellie toen we er over het tapijt heen liepen, 'maar ik denk niet dat het een grasmaaier is.'

'Je hebt gelijk... dat is het niet,' zei Dan. Hij klapte in zijn handen. 'Nou, allemaal bedankt voor jullie komst vanavond,' zei hij terwijl we nog buiten stonden. 'En nu wil ik Joan vragen de honneurs waar te nemen...'

Joan kwam naar voren en pakte het gordijnkoordje vast. Toen Dan knikte, draaide ze zich naar ons om. 'Het is me een waar genoegen om Dans schuur te openen, en ik doop hem met plezier...' Ze trok aan het koord.

The Robinson Rio.

'The Robinson Rio,' zei Joan, naar de plaat turend. Ze wist duidelijk niets meer dan wij.

Dan hing het rode touw opzij, opende de deur en deed het licht aan. 'Treed binnen.'

'Verbijsterend,' mompelde Sylvia toen ze naar binnen stapte.

'Sodeju,' hoorde ik iemand zeggen.

Aan het plafond hing een glanzende kroonluchter boven twaalf roodfluwelen stoelen die in vier rijen van drie op een rood-met-gouden tapijt stonden. Een groot doek met gordijnen ervoor vulde de hele achterwand; voor de dichtstbijzijnde wand stond een grote, ouderwetse projector. Tegen de rechterwand hing een koningsblauw bord met witte plastic letters waarop stond: PROGRAMMA VAN DEZE WEEK: *Camille* en BINNENKORT TE ZIEN: *A Matter of Life and Death*. Aan de linkerwand hing een oude filmposter van *The Third Man*.

'Ga zitten waar je wilt,' zei Dan terwijl hij aan de projector prutste. 'Er is vloerverwarming, dus het is niet koud. *Camille* duurt maar zeventig minuten, maar wie hem niet wil zien, kan teruggaan naar het huis en nog wat te drinken pakken. We gaan eten wanneer de film is afgelopen, iets over negen.'

We namen onze plaatsen in; ik ging bij Joan en Ellie zitten. Dan sloot de deur en dimde het licht. Toen hoorden we de projector gonzen en het hypnotiserende klikken van de film die over de tandjes liep. De automatische gordijnen schoven opzij en de brullende leeuw van MGM verscheen, daarna muziek, de titelrol, en opeens waren we in negentiende-eeuws Parijs.

'Dat was geweldig,' zei Joan toen het licht weer aanging. 'Het was net als in een echte ouderwetse bioscoop... ik vond die geur van de projectorlamp altijd heerlijk.'

'Het was net als vroeger,' zei Matt achter ons.

Joan draaide zich op haar stoel om en keek hem aan. 'Jij bent veel te jong om dat te kunnen zeggen.'

'Ik bedoel dat Dan op school de filmclub runde,' legde Matt uit. 'Elke dinsdag onder lunchtijd draaide hij Laurel en Hardy, Harold Lloyd en Tom en Jerry. Ik ben blij te kunnen zeggen dat zijn beeld sindsdien wel scherper is geworden.'

'Dat was met mijn oude Universal,' zei Dan. 'Deze projector is een Bell en Howell, maar ik heb wat moderne aanpassingen gedaan... en er airconditioning in gezet. En ik heb de schuur geluiddicht gemaakt, zodat de buren niet gaan klagen.'

'Wij klagen niet,' zei een van de buren. 'We zijn hier!'

'Maar wat ben je met de bioscoop van plan?' vroeg ik Dan toen we terugliepen naar het huis.

'Ik wil hem runnen als een klassieke filmclub,' antwoordde hij toen we de grote vierkante eetkeuken binnenstapten, waar een lange grenen tafel was gedekt voor twaalf mensen. 'Ik ga elke week een film draaien en de mensen kunnen komen op basis van wie het eerst komt, het eerst maalt, met achteraf een discussie met een drankje erbij voor wie belangstelling heeft.'

'Klinkt fantastisch,' zei Mike. 'En waar zijn de films?'

'Boven, in een kamer met vochtregulering. Ik heb er door de jaren heen een paar honderd verzameld via bibliotheken die gingen sluiten, en op veilingen. Ik heb altijd al mijn eigen bioscoop gewild. De grote schuur was een van de belangrijkste pluspunten van dit huis toen ik het twee jaar geleden kocht.'

'Hoe kom je aan de stoelen?' vroeg Joan toen Dan een stoel voor haar aanschoof.

'Die heb ik vijf jaar geleden gekocht van een Odeon-bioscoop in Essex die werd gesloopt. Ik heb ze zolang opgeslagen. Zo... Ellie, waarom ga jij niet hier zitten? En Phoebe, jij hier, naast Matt en Sylvia.'

Ik ging zitten en Matt schonk een glas wijn voor me in. 'Ik herkende je natuurlijk,' zei hij, 'van het artikel dat we over je hebben geplaatst.'

'Dat stuk heeft me erg geholpen,' zei ik toen de cateraar een bord heerlijk uitziende risotto voor me neerzette. 'Dat heeft Dan fantastisch gedaan.'

'Hij lijkt een beetje chaotisch. Maar hij is een goeie vent. Je bent een goeie vent, Dan,' verklaarde Matt grinnikend.

'Bedankt, kerel!'

'Hij is een goeie vent,' herhaalde Sylvia. 'En weet je op wie je lijkt, Dan?' voegde ze eraan toe. 'Dat realiseer ik me nu net... de David van Michelangelo.'

Terwijl Dan Sylvia een dankbare kus toe blies, zag ik dat het waar was. Dat was de 'beroemde persoon' waar ik niet op had kunnen komen.

'Je bent zijn evenbeeld,' zei Sylvia. Ze hield haar hoofd schuin. 'Een knuffelige versie van hem, in elk geval,' vervolgde ze lachend.

Dan sloeg op zijn borst, die op die van een rugbyspeler leek. 'Dan kan ik maar beter gaan sporten. Zo, wie wil er iets drinken?'

Ik vouwde mijn servet open en wendde me weer tot Matt. 'De *Black & Green* doet het erg goed.'

'Het gaat onze wildste dromen te boven,' antwoordde Matt. 'Dankzij een bepaald verhaal natuurlijk.'

Ik pakte mijn vork op. 'Kun je erover praten?'

'Aangezien het allemaal al openbaar is, ja. Door de belangstelling van de nationale pers is onze oplage gestegen naar zestienduizend, wat betekent dat we winst beginnen te maken, en we krijgen dertig procent meer advertenties. We zouden een ton kwijt zijn geweest aan pr om de bekendheid te krijgen die dat ene artikel ons heeft opgeleverd.'

'Hoe ben je aan het verhaal gekomen?' vroeg ik.

Matt nam een slokje wijn. 'Kelly Marks kwam naar ons toe. Ik wist van Brown uit mijn tijd bij de *Guardian*,' vertelde hij. 'Er deden jaren geruchten over hem de ronde. Maar goed, hij stond op het punt zijn bedrijf op de beurs te brengen en hij kwam zo veel mogelijk met zijn gezicht in de kranten, toen die vrouw me zomaar opeens anoniem opbelde en zei dat ze een "goed verhaal" had over Keith Brown, en of ik daar belangstelling voor had.'

'En je had dus belangstelling,' zei Sylvia. Ze gaf me de schaal met salade en knikte naar Matt. 'Vertel Phoebe wat er gebeurde.'

Hij zette zijn glas neer. 'Nou, ik nodigde die vrouw dus uit – het was op een maandag, drie weken geleden.' Matt sloeg zijn servet open. 'Ze kwam de volgende dag onder lunchtijd. Ik realiseerde me dat ze zijn vriendin was, want ik had foto's van haar en Brown gezien. Toen ze me het verhaal vertelde, wist ik dat ik het wilde plaatsen, maar ik vertelde haar dat ik dat onmogelijk kon doen tenzij ze een gedetailleerde verklaring ondertekende waarin stond dat het de waarheid was. Ze zei dat ze dat wel wilde...' Matt pakte zijn vork op. 'En toen bedacht ik dat ik maar beter met Dan kon overleggen.'

Ik knikte, maar ik vroeg me af waarom hij met Dan zou moeten overleggen, die immers geen assistent-redacteur of zelfs maar een ervaren journalist was. Ik keek naar Dan. Hij zat met Joan te kletsen.

'Daar kon je nauwelijks omheen,' hoorde ik Sylvia zeggen, 'aangezien hij mede-eigenaar van de krant is.'

Ik keek Sylvia aan. 'Ik dacht dat Dan voor Matt werkte, dat het Matts krant was en dat hij Dan had aangenomen voor de marketing.'

'Hij doet inderdaad de marketing,' antwoordde ze. 'Maar Matt heeft hem niet in dienst genomen.' Ze leek het een amusant idee te vinden. 'Hij benaderde Dan voor financiële steun. Ze brachten allebei de helft van het startkapitaal in, dat een half miljoen bedroeg.'

'Ik... begrijp het.'

'Uiteraard moest Matt dus toestemming van Dan hebben voor het verhaal,' zei Sylvia. Daarom was Dan aanwezig geweest bij de besprekingen met de advocaat, bedacht ik.

'En Dan was er opgetogen over,' ging Matt verder terwijl hij Sylvia de Parmezaanse kaas aanreikte. 'Dus toen was het zaak dat we Kelly's ondertekende verklaring kregen. Ik vertelde haar dat we niet voor verhalen betalen, maar ze hield vol dat ze geen geld wilde. Ze leek een morele kruistocht tegen Brown te voeren, ook al bleek dat ze al meer dan een jaar van de brand op de hoogte was.'

'Er moet dus iets gebeurd zijn waardoor ze kwaad op hem was,' zei Sylvia.

Matt liet zijn vork zakken. 'Daar ging ik van uit. Hoe dan ook, ze kwam terug en we namen haar verklaring op. Maar toen het op tekenen aankwam, legde ze plotseling de pen neer, keek me aan en zei dat ze van gedachten was veranderd... dat ze wel geld wilde.'

'O.'

Matt schudde zijn hoofd. 'De moed zonk me in de schoenen. Ik dacht dat ze twintigduizend pond zou vragen of zo, en dat ze dat al die tijd van plan was geweest. Het lag op het puntje van mijn tong haar te vertellen dat we de hele zaak dan maar moesten vergeten, toen ze zei: "De prijs is 275 pond." Ik was verbijsterd. Toen zei ze het weer. "Ik wil 275 pond. Dat is de prijs." Ik keek naar Dan en hij haalde zijn schouders op en knikte. Dus ik opende de kleine kas, haalde er 275 pond uit, stopte het in een envelop en gaf haar die. Ze leek zo blij alsof ze echt twintigduizend pond had gekregen. Toen tekende ze de verklaring.'

'De envelop was roze,' zei ik, 'met Assepoester erop.'

Matt keek me verbaasd aan. 'Inderdaad. Het dochtertje van onze accountant was de dag ervoor met hem meegekomen naar kantoor. Ze had haar schrijfmap meegebracht en dat was de eerste envelop die ik zag. Ik pakte hem omdat ik haast had om de deal te sluiten. Maar hoe weet jij dat?'

Ik legde uit dat Kelly Marks naar de winkel was gekomen en de groene schoolbaljurk had gekocht die Brown twee weken eerder had geweigerd voor haar te kopen. Dan luisterde inmiddels mee naar het gesprek. 'Ik heb het je verteld, hè, Dan?' zei ik. 'Dat Kelly de korting weigerde.'

'Dat klopt. Ik kon het niet met je bespreken, maar ik probeerde het uit te vogelen terwijl ik daar zat. Oké, dacht ik, de jurk kostte 275 pond en ze heeft Matt en mij om 275 pond gevraagd, dus er moet een verband zijn... maar ik wist niet welk.'

'Ik denk dat ik het weet,' zei Sylvia. 'Ze wilde een eind maken aan de relatie met Brown, maar ze vond dat moeilijk omdat hij ook haar baas was.' Sylvia wendde zich tot mij. 'Je zei dat Brown had geweigerd de jurk voor haar te kopen. Leek ze toen van streek?'

'Heel erg,' antwoordde ik. 'Ze was in tranen.'

'Dan was dat waarschijnlijk de bekende druppel.' Sylvia haalde haar schouders op. 'Ze besloot dus een punt achter de relatie te zetten door iets te doen waarvan ze wist dat er geen weg terug was. Zijn weigering de jurk te kopen leidde tot haar daad van wraak.'

Ik vond hem prachtig. En dat wist hij...

Ik keek naar Sylvia. 'Ik vind dat wel zinnig klinken. Volgens mij was die 275 pond symbolisch. Het vertegenwoordigde voor haar de jurk, en haar vrijheid. Daarom wilde ze er niet minder voor betalen...'

Matt staarde me aan. 'Wil je zeggen dat we dit verhaal aan een van jouw jurken te danken hebben?'

Toen ik hem eenmaal had aangepast... De jurk claimde me gewoon.

Ik besefte dat Annie gelijk had gehad. 'Ja, ik denk het wel.'

Matt hief zijn glas. 'Nou, een toost op je vintage kleding, Phoebe.' Hij schudde zijn hoofd en lachte. 'Mijn god, die jurk moet haar echt te pakken hebben gehad.'

Ik knikte. 'Dat doen die jurken inderdaad,' zei ik.

Toen ik de volgende middag in de stralende herfstzon op weg was naar mevrouw Bell dacht ik aan Dan. Hij had diverse kansen gehad om me te vertellen dat hij mede-eigenaar was van de *Black & Green*, maar hij had dat niet gedaan. Misschien had hij gedacht dat het opschepperig zou klinken. Misschien had hij er zelf niet zo bij stilgestaan. Maar toen herinnerde ik me dat hij had gezegd dat Matt 'hulp' nodig had bij het opzetten van de krant – financiële hulp, kennelijk. Toch had Dan niet de indruk gewekt rijk te zijn, het tegenovergestelde bijna, met zijn kleren uit de winkel van Oxfam-Novib en zijn wat sukkelige stijl. Misschien had hij het geld geleend, dacht ik, of er een hypotheek voor genomen. In dat geval was het wel vreemd dat hij, na zoveel in de krant te hebben geïnvesteerd, er op lange termijn niet wilde blijven werken. Toen ik The Paragon in liep, vroeg ik me af wat hij wel op lange termijn zou willen doen.

Ik was tot middernacht op het feestje gebleven en toen ik mijn tas pakte, zag ik dat ik twee gemiste gesprekken van Miles had, en thuis stonden er nog twee op de voicemail. De toon van zijn stem was nonchalant, maar het was duidelijk dat hij het niet prettig had gevonden dat hij me niet kon spreken.

Ik liep het trapje van nummer 8 op en belde bij mevrouw Bell aan. Ik moest langer wachten dan gebruikelijk, maar toen hoorde ik de intercom kraken.

'Hallo, Phoebe.' Ik duwde de deur open en liep naar boven.

Ik had mevrouw Bell bijna twee weken niet gezien en de verandering was zo groot dat ik spontaan mijn armen om haar heen sloeg. Ze had gezegd dat ze zich de eerste maand nog redelijk goed zou voelen en daarna minder goed... Ze had duidelijk het 'minder goede' stadium bereikt. Ze was akelig mager, haar lichtblauwe ogen leken groter in haar ingevallen gezicht, en haar handen met de duidelijk zichtbare botten zagen er teer uit.

'Wat een prachtige bloemen,' zei ze toen ik haar de anemonen gaf die ik voor haar had meegebracht. 'Ik ben dol op die kleuren... net gebrandschilderd glas.'

'Zal ik ze in een vaas zetten?'

'Graag. En wil jij vandaag de thee zetten?'

'Natuurlijk.'

We liepen de keuken in en ik vulde de ketel, pakte de kop-en-schotels en zette ze op het dienblad. 'Ik hoop dat u niet de hele dag alleen bent geweest,' zei ik terwijl ik de bloemen in een kristallen vaas schikte.

'Nee, de wijkverpleegkundige was er vanmorgen. Ze komt nu elke dag.'

Ik deed drie scheppen assamthee in de pot. 'En hebt u van uw verblijf in Dorset genoten?'

'Heel erg. Het was heerlijk om tijd door te brengen met James en zijn vrouw. Ze hebben vanuit hun huis uitzicht op zee, dus ik heb veel voor het raam gezeten en ernaar gekeken. Zou je de bloemen op het gangtafeltje willen zetten?' vervolgde ze. 'Ik ben bang dat ik ze zou laten vallen.'

Ik zette de bloemen neer en droeg toen het dienblad naar de woonkamer. Mevrouw Bell liep moeizaam voor me uit, alsof ze pijn in haar rug had. Toen ze op haar eigen plekje in de stoel met reliëfbekleding ging zitten, was dat niet zoals gewoonlijk met haar benen over elkaar en haar handen op haar knie ineengeslagen. Ze kruiste haar benen bij de enkels en leunde achterover alsof ze erg moe was.

'Neem me de rommel niet kwalijk,' zei ze met een knikje naar de papieren op tafel. 'Ik ben oude brieven en rekeningen aan het opruimen... de wrakstukken van mijn leven,' voegde ze eraan toe toen ik haar een kop thee aangaf. 'Het is zóveel.' Ze wees naar de overvolle prullenbak naast haar stoel. 'Maar het maakt het voor James gemakkelijker. Toen hij me vorige week kwam halen, reed hij trouwens door Montpelier Vale.'

'Dus u hebt de winkel gezien?'

'Jazeker... met twee outfits van mij in de etalage! Je hebt een bont-kraag op het gabardine pakje gehangen. Dat zag er heel mooi uit.'

'Mijn assistente Annie dacht dat het leuk zou zijn voor de herfst. Ik hoop dat het u niet verdrietig maakte uw spullen daar voor het oog van de wereld te zien.'

'Integendeel... ik was blij. Ik probeerde me de vrouwen voor te stellen die ze zullen dragen.'

Ik glimlachte. Toen vroeg mevrouw Bell me naar Miles en ik vertelde haar over mijn bezoek aan zijn huis.

'Dus hij verwent zijn kleine prinsesje.'

'Inderdaad... en in vreselijke mate,' zei ik. 'Roxy krijgt altijd haar zin.'

'Tja... het is beter dan dat hij niet naar haar zou omkijken.' Dat was waar. 'En hij lijkt erg op je gesteld te zijn, Phoebe.'

'Ik doe het rustig aan, mevrouw Bell; ik ken hem amper zes weken en hij is bijna vijftien jaar ouder dan ik.'

'Ik begrijp het, maar dan ben jij wel in het voordeel.'

'Ik neem aan van wel, hoewel ik niet weet of ik wel bij iemand in het voordeel wil zijn.'

'Zijn leeftijd is niet belangrijk. Het enige wat ertoe doet is of jij hem mag en of hij je goed behandelt.'

'Ik mag hem graag, heel graag. Ik vind hem aantrekkelijk en ja, hij behandelt me goed. Hij is erg attent.' Daarna brachten we het gesprek op andere onderwerpen en even later vertelde ik mevrouw Bell over The Robinson Rio.

'Die Dan lijkt me een levenslustige man.'

'Dat klopt. Hij heeft *joie de vivre.*'

'Dat is een fantastische eigenschap, voor iedereen. Ik probeer een beetje *joie de mourir* te ontwikkelen,' voegde ze er met een ontmoedigd lachje aan toe. 'Dat valt niet mee, maar ik heb in elk geval de tijd gehad om alles op orde te brengen.' Ze knikte naar de stapel papieren. 'En om mijn familie te zien en ze adieu te zeggen.'

'Misschien is het slechts een *au revoir,*' opperde ik met een zekere ernst.

'Wie weet?' zei mevrouw Bell. Er viel een stilte. Dit was het moment. Ik pakte mijn tas.

Mevrouw Bell keek teleurgesteld. 'Je gaat toch nog niet weg, Phoebe?'

'Nee, maar... er is iets waar ik het met u over wil hebben, mevrouw Bell. Misschien is het nu niet gepast, nu u zich niet lekker voelt...' Ik opende mijn tas. 'Of misschien maakt dat het juist extra belangrijk.'

Ze zette haar kopje terug op het schoteltje. 'Wat bedoel je, Phoebe?'

Ik pakte de envelop uit mijn tas, haalde het formulier van het Rode Kruis eruit, legde het op mijn schoot en streek het glad. Ik ademde diep in. 'Mevrouw Bell, ik heb laatst op de website van het Rode Kruis gekeken. En ik denk dat als u het nog eens zou willen proberen – om erachter te komen wat er met Monique is gebeurd, bedoel ik – u dat waarschijnlijk zou kunnen.'

'O,' mompelde ze. 'Maar... hoe dan? Ik heb het al geprobeerd.'

'Ja, maar dat is erg lang geleden. En intussen is er heel veel informatie aan de archieven van het Rode Kruis toegevoegd. Het staat allemaal op hun website, vooral dat de Sovjet-Unie in 1989 een grote hoeveelheid nazidossiers aan hen heeft overgedragen die ze sinds het eind van de oorlog in bezit hadden.' Ik keek haar aan. 'Mevrouw Bell, toen u in 1945 begon te zoeken, had het Rode Kruis alleen kaartenbakken. Nu hebben ze bijna vijftig miljoen documenten over duizenden mensen die naar de concentratiekampen werden gestuurd.'

Mevrouw Bell zuchtte. 'Ik begrijp het.'

'U kunt een zoekaanvraag doen via de computer.'

Ze schudde haar hoofd. 'Ik heb geen computer.'

'Nee, maar ik wel. Het enige wat u hoeft te doen is een formulier invullen. Ik heb er hier een.' Ik gaf het formulier aan mevrouw Bell. Ze hield het met beide handen omhoog en las het met één oog dichtgeknepen. 'Ik kan het per e-mail voor u versturen en dan gaat het naar de archivarissen in Bad Arolsen in Duitsland. U zou binnen een paar weken bericht krijgen.'

'Aangezien ik niet meer heb dan een paar weken, zou dat prima uitkomen,' merkte ze wrang op.

'Ik weet dat u de tijd niet mee hebt, mevrouw Bell. Maar ik dacht dat als u te weten zou kúnnen komen wat er was gebeurd, u dat wel zou willen. Is dat niet zo?' Ik hield mijn adem in.

Mevrouw Bell liet het formulier zakken. 'Waarom zou ik dat willen weten, Phoebe? Of beter nog, waarom zou ik het nu willen weten? Waarom zou ik informatie over Monique aanvragen, alleen maar om in een officiële brief te lezen dat ze inderdaad zo vreselijk aan haar eind is gekomen als ik vermoed? Denk je dat dat me zou helpen?' Mevrouw Bell ging rechter zitten en kromp daarbij ineen van de pijn. Toen ontspande haar gezicht zich. 'Phoebe... ik moet nu rustig blijven en mijn laatste dagen onder ogen zien. Ik moet mijn spijtgevoelens achter me laten en mezelf daar niet opnieuw mee kwellen.' Ze stak het formulier omhoog. 'Dit zou me alleen maar onrust brengen. Dat moet je toch beseffen, Phoebe.'

'Dat doe ik ook, en natuurlijk wil ik u geen onrust bezorgen, mevrouw Bell, of u verdriet doen.' Ik voelde een brok in mijn keel. 'Ik wil u alleen maar helpen.'

Mevrouw Bell keek me aan. 'Wil je míj helpen, Phoebe?' zei ze. 'Weet je dat zeker?'

'Natuurlijk weet ik dat zeker.' Waarom vroeg ze dat? 'Ik denk dat ik daarom in Rochemare ben beland. Ik geloof niet dat het puur toeval was, maar dat ik er op een of andere manier heen ben geleid door het lot, het fortuin, hoe je het ook wilt noemen. En ik heb sinds die dag een gevoel over Monique dat ik niet van me af kan schudden.' Mevrouw Bell keek me nog steeds aan. 'Ik heb het overweldigende gevoel, mevrouw Bell – ik kan het niet verklaren – dat ze het misschien heeft overleefd; dat u alleen maar hebt gedacht dat ze dood was, omdat het daar naar uitzag. Maar misschien is uw vriendin door een wonder niet gestorven, is ze niet gestorven, niet... niet...' Mijn hoofd zakte naar mijn borst en er ontsnapte me een snik.

'Phoebe,' hoorde ik mevrouw Bell zacht zeggen. Ik voelde een traan in mijn mond lopen. 'Phoebe, dit gaat niet over Monique, is het wel?' Ik keek naar mijn rok. Er zat een piepklein gaatje in. 'Het gaat over Emma.' Ik keek mevrouw Bell aan. Haar gezicht was wazig. 'Je probeert Monique weer tot leven te brengen omdat Emma gestorven is,' fluisterde ze.

'Misschien... ik weet het niet.' Ik ademde huilerig in en keek toen door het raam naar buiten. 'Ik weet alleen dat ik me zo... verdrietig en verward voel.'

'Phoebe,' zei mevrouw Bell zachtaardig, 'mij helpen door te "bewij-zen" dat Monique de oorlog heeft overleefd, zal niets veranderen aan wat er met Emma is gebeurd.'

'Nee,' zei ik schor. 'Niets kan daar verandering in brengen. Niets kan daar ooit, ooit, ooit verandering in brengen.' Ik sloeg mijn handen voor mijn gezicht.

'Arm kind,' hoorde ik mevrouw Bell mompelen. 'Wat kan ik zeggen? Alleen dat je simpelweg zult moeten leren je leven te leiden zonder al te veel spijtgevoelens over iets wat niet kan worden veranderd... iets waar je hoe dan ook waarschijnlijk geen schuld aan hebt.'

Ik slikte moeizaam en keek haar toen aan. 'Het volstaat dat ik het gevoel heb dat dat wel zo is. Ik zal het mezelf altijd kwalijk blijven nemen, ik zal het altijd met me mee blijven dragen, het mijn hele leven met me meezeulen.' De gedachte alleen al maakte me moe. Ik sloot mijn ogen en hoorde het zachte suizen van de brandende haard en het gestaag tikken van de klok.

'Phoebe.' Ik hoorde mevrouw Bell zuchten. 'Je hebt nog een heel leven voor je; waarschijnlijk wel vijftig jaar... misschien zelfs meer.' Ik deed mijn ogen open. 'Je zult een manier moeten vinden om gelukkig te zijn. Of in elk geval zo gelukkig als iemand kan zijn. Hier...' Ze gaf me een zakdoekje, dat ik tegen mijn ogen drukte.

'Dat lijkt onmogelijk.'

'Nu misschien niet,' zei ze zacht. 'Maar dat komt wel.'

'U bent ook nooit over het gebeurde heen gekomen...'

'Nee, dat klopt. Maar ik heb wel geleerd het een plekje te geven, zodat het me niet overweldigde. Jij voelt je nog steeds overweldigd, Phoebe.'

Ik knikte en keek naar buiten. 'Ik ga elke dag naar mijn winkel, ik help mijn klanten en ik praat met mijn assistente Annie. Ik doe alles wat gedaan moet worden. In mijn vrije tijd spreek ik af met vrienden en zie ik Miles. Ik functioneer... ik functioneer zelfs goed. Maar onder de oppervlakte... worstel ik met mezelf.' Mijn stem stierf weg.

'Dat is niet zo vreemd, Phoebe, als je bedenkt dat wat je is overkomen pas een paar maanden geleden is gebeurd. En ik denk dat je je daarom op Monique hebt gefixeerd. Door je eigen verdriet ben je door haar geobsedeerd geraakt... alsof je denkt dat je door Monique weer tot leven te wekken, op de een of andere manier ook Emma tot leven zou kunnen wekken.'

'Maar dat kan ik niet.' Ik droogde mijn ogen. 'Dat kan ik niet.'

'Dus... we hebben het hier niet meer over, Phoebe. Alsjeblieft. Voor ons beider bestwil... niet meer.' Mevrouw Bell pakte het formulier van het Rode Kruis, scheurde het in tweeën en gooide de stukken in de prullenbak.

12

MEVROUW BELL HAD GELIJK, ZO REALISEERDE IK ME NADERHAND. IK ZAT EEN uur in mijn keuken naar de tafel te staren, met mijn kin op mijn handen leunend. Ik was inderdaad geobsedeerd geraakt door Monique. Het was een obsessie die werd gevoed door mijn verdriet en schuldgevoel. Ik schaamde me nu bij de gedachte dat ik zulke pijnlijke emoties had opgeroepen bij de frêle oude vrouw.

Ik wachtte een paar dagen en ging toen, gelouterd, terug naar mevrouw Bell. Deze keer praatten we niet over Monique of Emma, maar babbelden we over dagelijkse dingen: wat er in het nieuws was, lokale evenementen – de vuurwerkavond die binnenkort georganiseerd zou worden – en programma's die we op televisie hadden gezien.

'Iemand heeft uw blauwe mantel van zijden faille gekocht,' zei ik toen we aan een spelletje scrabble begonnen.

'Echt waar? Wie dan?'

'Een heel knap model van achter in de twintig.'

'Dan gaat hij vast naar leuke feesten,' zei mevrouw Bell terwijl ze haar letters op het rekje zette.

'Dat weet ik zeker. Ik heb haar verteld dat hij met Sean Connery heeft gedanst en dat vond ze geweldig.'

'Ik hoop dat je zelf minstens één van mijn kledingstukken zult houden,' zei mevrouw Bell.

Daar had ik nog niet aan gedacht. 'Ik vind uw gabardine pakje prachtig. Het hangt nog steeds in de etalage. Misschien houd ik dat voor mezelf... ik denk wel dat het me past.'

'Ik vind het een prettig idee dat jij het zou dragen. O, hemeltje,' zei ze. 'Ik heb zes medeklinkers. Wat kan ik daarvan maken? Aha...' Met bevende hand legde ze de letters op het speelbord. 'Zo.' Ze had het woord 'krenkt' gelegd. 'En bloeit de romance nog steeds?' vroeg ze.

Ik telde haar punten. 'Met Miles?'

Ze keek me aan. 'Ja. Wie dacht je dan dat ik bedoelde?'

'U hebt zestien punten – een goede beginscore. Ik zie Miles twee of drie keer per week. Hier...' Ik pakte mijn telefoon en liet haar een foto van Miles zien die ik in zijn tuin had gemaakt.

Ze knikte goedkeurend. 'Hij is een aantrekkelijke man. Ik vraag me af waarom hij nooit hertrouwd is,' mijmerde ze.

'Dat heb ik me ook afgevraagd,' zei ik terwijl ik mijn letters rangschikte. 'Hij zei dat er jaren geleden wel iemand was geweest op wie hij erg gesteld was. Afgelopen vrijdag gingen we eten in het Michelin-restaurant en daar vertelde hij me waarom het niet was gelukt met die vrouw, Eva. Het was omdat zij kinderen wilde.'

Mevrouw Bell keek net zo verbaasd als ik had gedaan. 'Waarom was dat een probleem?'

Ik haalde mijn schouders op. 'Miles wist niet zeker of hij nog wel meer kinderen wilde. Hij dacht dat het te moeilijk zou zijn voor Roxy.'

Mevrouw Bell streek een zilverkleurige lok haar uit haar ogen. 'Het had ook juist heel positief voor haar kunnen zijn – misschien wel het beste wat haar kon gebeuren.'

'Ik zei ook zoiets, maar Miles zei dat hij bang was geweest dat het een negatieve invloed op Roxy had kunnen hebben als er andere kinderen om zijn aandacht vroegen terwijl zij die zo hard nodig had. Haar moeder was toen pas twee jaar dood.'

Ik keek door het raam naar de tuin en dacht terug aan het gesprek.

'Ik zat er vreselijk mee in mijn maag,' had Miles gezegd toen we aan de koffie zaten. 'Het was er tijd voor. Eva was vijfendertig en we waren al meer dan een jaar samen.'

'Ik begrijp het,' zei ik. 'Dus de tijd drong.'

'Ja. Natuurlijk wilde ze weten... waar het heen zou gaan. En ik wist gewoon niet wat ik moest doen.' Hij liet zijn kopje zakken. 'Dus vroeg ik het aan Roxy.'

Ik keek Miles aan. 'Wat vroeg je aan Roxy?'

'Ik vroeg haar of ze op een dag misschien een klein broertje of zusje zou willen hebben. Ze keek me verslagen aan en barstte toen in tranen uit. Ik had het gevoel dat ik haar verraadde door er alleen maar over na te denken en dus...' Hij haalde zijn schouders op.

'Dus maakte je het uit met Eva?'

'Ik wilde Roxy beschermen tegen nog meer stress.'

Ik schudde mijn hoofd. 'Arme meid.'

'Ja... ze had al zóveel meegemaakt.'

'Ik bedoelde Eva,' zei ik zacht.

Miles ademde in. 'Ze was erg van streek. Ik hoorde dat ze vrij snel iemand anders ontmoette en inderdaad kinderen kreeg, en ik kreeg toch het gevoel...' Hij zuchtte.

'Dat je een vergissing had begaan?'

Miles aarzelde. 'Ik had gedaan wat me het beste leek voor mijn kind...'

'Arme meid,' zei mevrouw Bell toen ik haar dat allemaal had verteld.

'Bedoelt u Eva?'

'Ik bedoel Roxy... dat haar vader haar zoveel macht gaf. Dat is heel slecht voor het karakter van een kind.'

Elle est son talon d'Achille... Misschien had Cecile dát bedoeld. Dat Miles zich te zeer naar Roxy had gevoegd en haar beslissingen had laten nemen die alleen hij had horen te nemen.

Ik legde mijn letters neer. *Vrees.* 'Dat zijn er achttien.'

Mevrouw Bell gaf me de zak met letters. 'Natuurlijk vind ik het ook erg voor zijn vriendin. Maar als jíj nou kinderen zou willen, Phoebe?' Ze tuitte haar lippen. 'Ik hoop dat Miles niet weer om Roxy's mening gaat vragen!'

Ik schudde mijn hoofd. 'Hij zei dat hij het me daarom had verteld, en dat hij wilde dat ik wist dat als ik een gezin wilde, hij daar niets op tegen zou hebben. Zoals hij zei, Roxy is bijna volwassen.' Ik pakte vier nieuwe letters. 'Maar het is te vroeg om daaraan te denken, laat staan erover te praten.'

Mevrouw Bell keek me aan. 'Neem kinderen, Phoebe... als je kunt. Niet alleen om het geluk dat kinderen brengen, maar omdat ik denk dat de drukte van een gezinsleven weinig tijd overlaat om je bezig te houden met spijtgevoelens over het verleden.'

Ik knikte. 'Ik denk dat u daar gelijk in hebt. Ach... ik ben vieren-dertig, dus het kan nog best...' Als ik geluk heb, dacht ik, niet zoals de arme vrouw die de roze cupcake-jurk had gekocht. 'U bent weer aan de beurt, mevrouw Bell.'

'Ik ga vrede sluiten,' zei ze glimlachend. 'Ze tuurde naar haar letters en legde ze toen neer. 'De V ligt er al, R, E, D en E...'

'Dat is... achttien punten.'

'En vertel eens, is het druk in de winkel?'

'Het wordt erg druk nu de feestdagen dichterbij komen. Het is al gauw Kerstmis,' voegde ik eraan toe, en toen bloosde ik om mijn ge-brek aan tact.

Mevrouw Bell glimlachte flauwtjes. 'Nou, ik denk niet dat ik ca-deautjes met iemand zal uitwisselen. Maar ach... wie weet?' Ze haalde haar schouders op. 'Misschien ook wel.'

Op dinsdag kwam een vrouw van in de veertig me een aantal kleren laten zien.

'Het is allemaal lingerie,' legde ze uit toen we in mijn kantoor plaats-namen. Ze opende de kleine leren koffer. 'Het is nooit gedragen.'

In de koffer zaten prachtige nachthemden van zijde en met kant af-gezette peignoirs, mooie korsetten en jarretelgordels. Er zat een lange, vorstelijk uitziende ijsblauwe zijden onderjurk bij met een gesmokte boezem en fijn haakwerk aan de zoom.

'Die zou je aan kunnen trekken naar een feest, nietwaar?' zei de vrouw toen ik hem omhooghield.

'Inderdaad. Het zijn prachtige spullen.' Ik streek over een doorge-stikt zalmroze satijnen bedjasje. 'Ze zijn van half tot eind jaren veertig en allemaal van heel goede kwaliteit.' Ik haalde er een theerooskleu-rige, schuin geknipte zijden onderjurk met kanten inzetstukken en twee perzikkleurige satijnen beha's met bijpassende hemdbroekjes uit. 'Deze zijn van Rigby & Peller... die waren toen nog niet zolang bezig.' Bij de meeste van de kledingstukken zat het kaartje er nog aan en ze verkeerden allemaal in perfecte staat, afgezien van twee oranje vlekjes op een korset waar de metalen jarretelgespjes waren gaan roes-ten tegen de stof. 'Was dit iemands huwelijksuitzet?'

'Niet precies,' legde de vrouw uit. 'Want er is nooit een huwelijk geweest. Ze waren van mijn moeders zuster, tante Lydia. Ze is onlangs op zesentachtigjarige leeftijd overleden. Ze was een ongetrouwde tante van de oude stempel en heel erg lief. Ze was onderwijzeres op een lagere school,' vervolgde de vrouw. 'Ze had nooit belangstelling voor mode... ze droeg altijd eenvoudige, praktische kleren. Maar goed, een paar weken geleden ging ik naar Plymouth om haar huis leeg te ruimen. Ik keek haar kleerkast door en bracht het meeste naar een winkel voor het goede doel. Daarna ging ik naar haar zolder, waar ik deze koffer vond. Ik was... verbijsterd toen ik hem opende. Ik kon nauwelijks geloven dat deze spullen van haar waren geweest.'

'U bedoelt omdat ze zo mooi en sexy zijn?' De vrouw knikte. 'Is uw tante ooit verloofd geweest?'

'Nee, triest genoeg niet.' De vrouw zuchtte. 'Ik wist dat ze een teleurstelling te verwerken had gehad,' vervolgde ze, 'maar ik wist niet precies hoe het zat, behalve dat de man een Amerikaan was. Dus belde ik meteen mijn moeder – ze is drieëntachtig – en die vertelde me dat tante Lydia was gevallen voor een Amerikaanse soldaat die Walter heette en die ze in de lente van '43 had ontmoet tijdens een dansfeest in de Drill Hall in Totnes. Er waren daar toen duizenden geallieerden, die op Slapton Sands en Torcross oefenden voor de landing in Normandië.'

'Is hij daarbij gedood?'

Ze schudde haar hoofd. 'Hij overleefde het. Mijn moeder zei dat hij een knappe en erg aardige man was – ze herinnerde zich dat hij een keer haar fiets had gerepareerd en snoep en nylons voor hen meebracht. Lydia en hij zagen elkaar vaak en voor hij terugging naar de States kwam hij naar haar toe om haar te vertellen dat hij haar zou laten overkomen zodra hij "alles geregeld had". Dus Walter ging terug naar Michigan. Ze schreven elkaar en in elk van zijn brieven zei hij dat hij mijn tante "gauw" zou komen halen, maar...'

'Hij kwam nooit?'

'Nee. Het ging zo drie jaar voort, met brieven vol nieuws en met foto's van hem, zijn ouders en twee broers en de hond van het gezin. Maar in 1948 schreef hij haar dat hij getrouwd was.'

Ik haalde een wit satijnen corselet uit de koffer. 'En had uw tante deze spullen gedurende die periode vergaard?'

'Ja, voor de huwelijksreis die nooit zou plaatsvinden. Mijn moeder zei dat oma en zij haar vertelden dat ze Walter moest vergeten, maar tante Lydia bleef geloven dat hij zou komen. Ze was zo overmand door verdriet dat ze nooit naar een andere man heeft gekeken... vreselijk zonde.'

Ik knikte. 'En het is triest om naar al dit moois te kijken en te bedenken dat uw tante er nooit... plezier van heeft gehad.' Ik kon me gemakkelijk de dromen en de hoop voorstellen die tot de aankopen hadden geleid. 'En ze heeft er veel geld aan besteed... en al haar kledingbonnen ook, denk ik.'

'Dat moet wel.' De vrouw zuchtte. 'Hoe dan ook, het is jammer dat ze nooit gedragen zijn. Ik hoop dat iemand anders er een beetje... hartstocht in zal vinden.'

'Ik wil ze graag kopen.' Ik noemde een prijs en de vrouw was er tevreden mee, dus ik schreef een cheque uit en bracht de spullen naar de voorraadkamer. Omdat ze nooit gedragen waren, hing ik ze te luchten zodat ze de ietwat muffe geur zouden kwijtraken. Terwijl ik daarmee bezig was, hoorde ik de deurbel en toen een mannenstem die Annie om een handtekening vroeg.

'Post,' hoorde ik haar roepen. 'Twee grote dozen... waarschijnlijk de schoolbaljurken. Ja, ze zijn het,' zei ze toen ik naar beneden kwam. 'De afzender is Rick Diaz, New York.'

'Hij heeft er lang genoeg over gedaan,' zei ik terwijl Annie met een schaar de eerste doos openritste. Ze tilde de flappen van het deksel op en haalde de jurken er een voor een uit. De petticoats sprongen open alsof er een veer in zat.

'Ze zijn geweldig,' zei Annie. 'Kijk eens hoe dicht de onderrokken zijn... en wat een prachtige kleuren.' Ze hield de vermiljoenrode jurk omhoog. 'Deze is zo rood dat hij wel in brand lijkt te staan... en die indigokleurige lijkt op de nachtelijke hemel midden in de zomer. Deze zullen het geweldig doen, Phoebe. Ik zou er nog meer bestellen als ik jou was.'

Ik pakte de mandarijnkleurige en schudde de kreukels eruit. 'We zullen er vier aan de muur hangen, net als eerst, en twee in de etalage... de rode en de cacaobruine.' Annie opende de tweede doos, die, zoals ik al had verwacht, de tassen bevatte.

'Ik had gelijk,' zei ik toen ik ze snel bekeek. 'De meeste zijn geen vintage en in feite zelfs maar middelmatig. Die Louis Vuitton Speedy-tas is bijvoorbeeld nep.'

'Waar zie je dat aan?'

'Aan de voering... de echte heeft een bruine canvasvoering, geen grijze; en het aantal steken onder aan de hengsels klopt niet... dat moeten er precies vijf zijn. Die hoef ik niet,' zei ik terwijl ik een marineblauwe Saks-tas van halverwege de jaren negentig weglegde. 'Deze zwarte van Kenneth Cole is te tuttig, en bij deze zijn de kralen eraf... Dus nee voor die, nee, nee... en nee,' zei ik terwijl ik een tas in de stijl van Birkin met een etiket van een winkel van Loehmann erin opende. 'Ik baal ervan dat ik deze moest kopen,' zei ik. 'Maar ik neem aan dat ik Rick tevreden moet houden, omdat hij me anders niet meer de dingen stuurt die ik wél wil hebben.'

'Deze is mooi,' zei Annie terwijl ze een leren Gladstone-tas uit de jaren veertig uit de doos haalde. 'En in uitstekende staat.'

Ik bekeek de tas. 'Inderdaad... het leer is een beetje dof, maar dat kan ik wel oppoetsen en... o... deze vond ik zo mooi.' Ik haalde de witte enveloptas van struisvogelleer eruit. 'Die is erg elegant. Misschien hou ik deze zelf wel.' Ik stak de tas onder mijn arm en bekeek mezelf in de spiegel. 'Ik leg ze voorlopig maar in de voorraadkamer.'

'En wat doen we met de gele cupcake-jurk?' vroeg Annie terwijl ze de nieuwe schoolbaljurken op gecapitonneerde hangertjes hing. 'Hij hangt nog steeds aan het rek met gereserveerde kleding... hoe staat het er voor met Katie?'

'Ik heb haar al veertien dagen niet gezien.'

'Wanneer is het bal?'

'Over tien dagen, dus het kan nog...'

Maar er verstreek nog een week zonder dat Katie langskwam of belde. De woensdag voor het bal bedacht ik dat ik eigenlijk contact met haar moest opnemen. Terwijl ik een reusachtige pompoen in de etalage legde – mijn enige concessie aan Halloween – realiseerde ik me dat ik haar telefoonnummer of achternaam niet wist. Ik sprak een bericht in op de voicemail van Costcutters met het verzoek haar te vragen of ze mij wilde bellen, maar op vrijdag had ik nog niets gehoord, dus hing ik de jurk na de lunch terug aan de muur, naast de mandarijnkleurige, de paarse en de ijsvogelblauwe. De indigokleurige was al verkocht.

Terwijl ik de rokken opschudde vroeg ik me af of Katie een goedkopere jurk had gevonden die ze net zo mooi vond; of dat ze misschien niet meer naar het bal zou gaan. Toen dacht ik aan de jurk die Roxy zou dragen, de avondjapon van Christian Lacroix met glas-in-loodmotief uit de nieuwe collectie die in de *Vogue* had gestaan en die 3600 pond kostte.

'Dat is een onthutsend bedrag,' had ik tegen Miles gezegd toen we de dag nadat hij hem voor haar had gekocht in mijn keuken zaten. Het was de eerste keer dat hij bij mij thuis kwam. Ik had een paar biefstukjes gebakken en hij had een fles heerlijke Chante le Merle meegebracht. Ik had twee glazen op en voelde me ontspannen. 'Drieduizend zeshonderd pond,' zei ik ongelovig.

Miles nam een slok wijn. 'Het is inderdaad een hoop geld. Maar wat kon ik zeggen?'

'Wat dacht je van: "Hij is veel te duur"?' stelde ik luchtig voor.

Miles schudde zijn hoofd. 'Zo gemakkelijk is het niet.'

'O nee?' Ik vroeg me plotseling af of Roxy ooit wel het woord 'nee' te horen kreeg.

Miles liet zijn vork zakken. 'Roxy had haar zinnen gezet op die jurk... en dit is haar eerste echte liefdadigheidsbal. De media zullen er verslag van doen en ze denkt dat ze misschien gefotografeerd zal worden. Plus dat er een prijs is voor de best geklede gast en dus...' zei hij zuchtend, 'heb ik ja gezegd.'

'En hoeft ze daar helemaal niets voor terug te doen?'

'Zoals de auto wassen of onkruid plukken?'

'Ja. Dat soort dingen, of gewoon extra haar best doen op school?'

'Zo ga ik niet te werk,' zei Miles. 'Roxy weet hoeveel hij kost en ze is dankbaar dat ik hem voor haar koop... dat is voor mij voldoende. En het schoolgeld is een stuk minder nu ze niet meer op kostschool zit, dus ik misgun het haar niet. En bovendien was ik bij Christie's ook bereid een hoop geld uit te geven, weet je nog?'

Ik rolde met mijn ogen. 'Hoe zou ik dat kunnen vergeten?' Terwijl ik Miles wat salade gaf, dacht ik aan de prachtige witte jurk van zijdejersey met zijn sleep van chiffon. Ik vroeg me af of ik hem ooit zou dragen. 'Maar wil je dan niet dat Roxy het gevoel heeft dat ze de jurk heeft verdiend... of er in elk geval iets aan heeft bijgedragen?'

Miles haalde weer zijn schouders op. 'Niet in het bijzonder. Nee. Wat heeft dat voor zin?'

'Nou... waar het om gaat...' zei ik, en ik nam een slokje wijn, 'is dat Roxy alles maar in haar schoot geworpen krijgt, zonder dat ze er iets voor hoeft te doen. Alsof ze altijd alles kan krijgen wat ze wil hebben.'

Miles staarde me aan. 'Wat bedoel je daar verdorie mee?'

Ik kromp ineen bij zijn toon. 'Ik bedoelde dat kinderen een drijfveer nodig hebben. Dat is alles.'

'O.' Miles' gezicht was weer ontspannen. 'Ja. Natuurlijk.'

Toen vertelde ik hem over Katie en de gele schoolbaljurk.

Hij nam een slok wijn. 'Daar heb ik deze preek zeker aan te danken?'

'Misschien wel. Ik vind het bewonderenswaardig wat Katie doet.'

'Dat is het ook. Maar Roxy verkeert in een andere situatie. Ik voel me er niet schuldig over dat ik zoveel aan haar uitgeef, omdat ik... daartoe in staat ben. Bovendien geef ik ook gul aan goede doelen, dus ik spring niet alleen maar zelfzuchtig met mijn geld om. Maar ik heb het recht om wat de belastingdienst voor me overlaat, uit te geven zoals ik dat wil. En ik kies ervoor het grotendeels aan mijn gezin te besteden... en dat betekent dus aan Roxy.'

'Tja...' Ik haalde mijn schouders op. 'Ze is jouw kind.'

Miles speelde met zijn wijnglas. 'Dat klopt. Ik zorg al tien jaar in mijn eentje voor haar en dat is geen gemakkelijke taak. En ik heb er een hekel aan als mensen me vertellen dat ik het niet goed doe.'

Dus was het ook anderen opgevallen dat Miles Roxy zo verwende, dacht ik toen ik op zaterdagochtend naar de winkel liep. Anderzijds kon dat je onmogelijk niet opvallen. Ik opende de deur en vroeg me af of, als Miles en ik ooit een baby zouden krijgen, hij het met dat kind hetzelfde aan zou pakken. Ik besloot dat ik dat niet zou toestaan. Toen vroeg ik me af hoe ons eventuele gezinsleven eruit zou zien. Roxy's houding tegenover mij zou mettertijd wel verbeteren en zo niet... ze is zestien, hield ik mezelf voor terwijl ik mijn jas uittrok. Ze zal algauw haar eigen weg kiezen.

Ik draaide het bordje aan de deur om van 'Gesloten' naar 'Open' en wenste dat ik iemand had om me te helpen, omdat de zaterdag altijd mijn drukste dag was. Ik had het er met Annie over gehad, maar ze zei toen dat ze in de weekends liever niet werkte, omdat ze dan meestal naar Brighton ging. Ik had het idee om het aan mam te vragen terzijde geschoven omdat ze geen belangstelling had voor vintage. Bovendien werkte ze al fulltime en had ze ook tijd nodig om te ontspannen.

Ik had alleen al in het eerste uur acht klanten. Ik verkocht de paarse schoolbaljurk en een regenjas van Burberry uit het rek met herenkleding. Toen kwam er een man binnen die een cadeautje zocht voor zijn vrouw en enkele stukken van de lingerie van tante Lydia kocht. Daarna was het even rustiger, dus ik leunde tegen de toonbank. Kinderen fietsten en renden voorbij en speelden met vliegers. Er liepen mensen te joggen en achter de kinderwagen te wandelen. Ik keek naar de lucht waaraan grote witte stapelwolken en neerdalende regenwolken hingen, met heel ver daarboven vederwolken. Ik rekte mijn hals uit en zag vliegtuigen glanzen in de zon terwijl ze hun sporen achterlieten tegen het blauw. Lager leek een grote, van onderen verlichte wolk met vreemd gladde randen als een ruimteschip boven de Heath te hangen. Ik dacht aan het vuurwerk dat deze hemel over een week zou vullen. Ik vond het vuurwerk in Blackheath prachtig en zou er graag met Miles naartoe gaan. Opeens hoorde ik de bel rinkelen.

Het was Katie. Ze bloosde toen ze binnenstapte, keek naar de muur en zag de gele jurk tussen de nieuwe schoolbaljurken hangen. 'Dus je hebt hem teruggehangen,' zei ze moedeloos.

'Ja... ik kon hem niet langer apart houden.'

'Ik begrijp het. En ik vind het echt heel jammer.'

'Dus... je wilt hem niet meer?'

Ze slaakte een gefrustreerde zucht. 'Jawel, maar mijn mobiele telefoon is vorige week gestolen en mam zei dat ik de nieuwe zelf moest betalen omdat ik onvoorzichtig was geweest. Toen werden twee afspraken om te babysitten afgezegd, omdat de vrouw er niet bij stil had gestaan dat het vakantie was en ze nu weg zijn; en ik ben ontslagen bij Costcutters omdat ik alleen maar voor iemand inviel. Dus ik ben bang dat ik de jurk niet kan kopen, omdat ik 100 pond tekortkom.' Ze haalde haar schouders op. 'Ik heb het steeds uitgesteld om het je te vertellen, omdat ik hoopte dat zich nog iets zou voordoen.'

'Dat is heel jammer... maar wat trek je dan aan?'

Katie haalde weer haar schouders op. 'Ik weet het niet. Ik heb een baljurk, maar die heb ik al jaren.' Ze trok een grimas. 'Hij is van appelgroen gevlamd polyester.'

'O, dat klinkt...'

'Afschuwelijk? Dat is hij ook... er zou eigenlijk een bijpassend kotszakje bij moeten zitten. Misschien hol ik wel naar Next om daar te gaan kijken, maar ik heb eigenlijk te lang gewacht. Ik zal waarschijnlijk toch niet naar het bal gaan.' Ze rolde met haar ogen. 'Het is gewoon... te moeilijk.'

'Hangt er hier iets anders, iets goedkopers, dat je leuk zou vinden?'

'Tja... misschien.' Katie keek het rek met avondkleding door, maar schudde haar hoofd. 'Ik kan niets vinden.'

'Dus je hebt 175 pond verdiend?' Ze knikte. Ik keek naar de jurk. 'En je wilt hem écht hebben?'

Katie tuurde ernaar. 'Ik vind hem geweldig. Ik droom ervan. Het ergste aan het verlies van mijn telefoon was dat ik de foto van de jurk kwijtraakte.'

'Daarmee is mijn vraag beantwoord. Luister eens... je mag hem voor 175 pond hebben.'

'Echt waar?' Katie was op haar tenen gaan staan van blijdschap. 'Maar je kunt hem vast wel voor de volle prijs verkopen.'

'Dat zou best kunnen. Maar ik verkoop hem veel liever aan jou... als je hem tenminste echt graag wilt hebben. Het is nog steeds een hoop geld – in elk geval voor de meeste zestienjarigen – dus je moet het wel zeker weten.'

'Ik weet het heel zeker,' zei Katie.

'Wil je eerst je moeder even bellen?' Ik knikte naar de telefoon op de toonbank.

'Nee, ze vindt hem ook prachtig – ik heb haar de foto laten zien. Ze zei dat ze hem niet voor me kon kopen, maar ze heeft me wel 30 pond gegeven, wat erg lief van haar was.'

'Goed dan.' Ik haalde de jurk van de muur. 'Hij is van jou.'

Katie klapte in haar handen. 'Bedankt!' Ze opende haar tas en haalde haar bankpas eruit.

'Heb je al schoenen?' vroeg ik terwijl ze haar pincode intoetste.

'Mam heeft een paar gele leren pumps met open hiel en ik heb een halsketting van gele glazen bloemen... en een paar glimmende haarspelden.'

'Dat klinkt perfect. Heb je een stola?'

'Nee, die heb ik niet.'

'Wacht even.' Ik pakte een citroengele avondstola van organza waar zilverdraadjes doorheen liepen en hield hem bij de jurk. 'Deze past er wel bij... maar ik wil hem naderhand graag terug.'

'Natuurlijk breng ik hem terug. Dankjewel.'

Ik stopte de stola bij de cupcake-jurk in de tas en gaf die aan Katie. 'Veel plezier met de jurk, en op het bal.'

'Een angstige avond voor de dinosaurussen in het Natural History Museum in Londen,' zei de presentator van Sky News de volgende morgen. Miles had de tv in de keuken aanstaan en we zaten er tijdens het ontbijt half en half naar te kijken. 'Duizend tieners streken in het museum neer voor het Butterfly Ball ten bate van de Teenage Leukaemia Trust. Het evenement in avondkleding werd gesponsord door Chrysalis en gepresenteerd door de immer jeugdige Ant en Dec. De feestvierders, onder wie prinses Beatrice' – daarbij zagen we prinses Beatrice naar de camera lachen terwijl ze in een orchideeroze zijden jurk door het museum flaneerde – 'genoten van champagne en canapés, dansten op de muziek van de band de Bootleg Beatles en werden vermaakt door de cast van het toneelstuk *High School Musical*. Er werden iPhones, digitale camera's en designerartikelen verloot, evenals een reis naar New York inclusief kaartjes voor de Amerikaanse première van *Quantum of Solace*. Er werd in totaal 65.000 pond ingezameld.'

'Ik ben benieuwd of we Roxy te zien krijgen,' zei Miles terwijl we naar het scherm tuurden.

Ze lag nog in bed bij te komen. Ze was net voor één uur thuisgebracht door de moeder van een vriendin. Miles had op haar gewacht, maar ik was naar bed gegaan.

'Heb je Roxy verteld dat ik hier zou zijn?' vroeg ik Miles terwijl ik marmelade op een cracker smeerde. 'Dat zou je doen,' voegde ik er wat ongerust aan toe.

'Ik vrees van niet. Ze was erg moe, ze is meteen gaan slapen.'

'Ik hoop dat ze er geen probleem mee heeft.'

'O... ik weet zeker van niet.'

Op dat moment verscheen Roxy in haar duifgrijze kasjmieren ochtendjas en roze konijnensloffen. Mijn knieën begonnen te knikken en ik duwde ze tegen de onderkant van de tafel. Toen herinnerde ik mezelf eraan dat ik twee keer zo oud was als zij.

'Dag, lieverd.' Miles glimlachte naar Roxy, die me aankeek met een blik van schaamteloze, gemaakte verbazing. 'Je kent Phoebe toch nog wel, schat?'

'Hallo, Roxy.' Mijn hart bonkte nerveus. 'Hoe was het bal?'

Ze liep naar de koelkast. 'Oké.'

'Ik ken een paar kinderen die er ook heen gingen,' zei ik.

'Boeiend,' antwoordde ze terwijl ze het sinaasappelsap uit de koelkast pakte.

'Waren er veel van je vrienden en vriendinnen?' vroeg Miles terwijl hij haar een glas aangaf.

'Ja... een paar.' Ze hees zich moeizaam op een kruk aan de ontbijtbar en schonk sinaasappelsap in. 'Sienna Fenwick, Lucy Coutts, Ivo Smythson, Izzy Halford, Milo Debenham, Tiggy Thornton... o, en die goeie ouwe Casper – von Schellenberg, niet von Eulenberg.' Ze gaapte met wijd open mond. 'Ik kwam Peaches Geldof tegen op het toilet. Ze is echt cool.' Roxy pakte een stuk toast van het rekje.

'En was Clara er ook?' vroeg Miles.

Roxy pakte haar mes op. 'Ja, die was er. Ik heb haar genegeerd. Kreng,' voegde ze er als terloops aan toe terwijl ze boter op haar toast smeerde.

Miles zuchtte. 'Maar heb je het afgezien daarvan naar je zin gehad?'

'Jazeker... tot een of andere idioot mijn jurk verpestte.'

'Een of andere idioot verpestte je jurk?' zei ik haar na.

Roxy keek me kalm aan. 'Dat zeg ik toch net.'

'Roxanne!' Mijn hart maakte een sprongetje. Miles ging Roxy berispen voor haar onbeschoftheid, en dat werd hoog tijd. 'Die jurk was vreselijk duur. Dat had je niet mogen laten gebeuren, lieverd.' Mijn stemming daalde weer.

Roxy brieste. 'Het was niet míjn schuld. Die stomme griet ging erop staan toen iedereen naar boven ging voor de verkiezing van de best geklede gast. Een scheur achter in mijn jurk was bepaald geen pluspunt.'

'Ik kan hem wel voor je laten repareren,' zei ik. 'Als je hem wilt laten zien.'

Ze haalde haar schouders op. 'Ik stuur hem wel terug naar Lacroix.'

'Dat kost een hoop geld. Ik breng hem met plezier naar mijn naaister... ze is briljant.'

'Kunnen we gaan tennissen, pap?' vroeg Roxy.

'Of ik kan hem zelf voor je maken, als het niet te ingewikkeld is.'

'Ik wil echt graag gaan tennissen.' Ze nam nog een stuk toast van het rekje.

'Heb je je huiswerk al gemaakt?' vroeg Miles.

'We hebben herfstvakantie, pap. Ik heb geen huiswerk.'

'Maar ik dacht dat je nog een opstel moest schrijven voor aardrijkskunde. Dat je eigenlijk al vóór de vakantie had moeten doen.'

'O ja...' Roxy duwde een door de slaap verfomfaaide blonde lok achter haar oor. 'Dat kost niet veel tijd... misschien kun je me helpen.'

Hij zuchtte met een air van overdreven verdraagzaamheid. 'Goed dan... en daarna kunnen we gaan tennissen.' Hij keek mij aan. 'Ga je mee, Phoebe?'

Roxy brak de toast in tweeën. 'Je kunt niet tennissen met z'n drieen.' Ik keek Miles aan en wachtte tot hij Roxy zou berispen, maar dat deed hij niet. Ik beet op mijn lip. 'Bovendien wil ik mijn service oefenen, dus je moet ballen voor me opgooien, pap.'

'Phoebe?' zei Miles. 'Wil je ook gaan tennissen?'

'Laat maar,' zei ik zacht. 'Ik denk dat ik zo terugga. Ik heb nog van alles te doen.'

'Weet je het zeker?' vroeg Miles.

'Ja, dank je.' Ik pakte mijn tas. Stap voor stap, dacht ik. Het was voor nu genoeg dat Roxy wist dat ik was blijven slapen...

Op maandagmorgen vroeg ik Annie even naar de bank te gaan om wat contant geld voor de kassa te halen. Ze kwam terug met een exemplaar van de *Evening Standard*. 'Heb je dit gezien?'

Op de middenpagina's was een hele spread gewijd aan het bal, met een foto van de best geklede gast, een meisje in een soort futuristische crinoline die ze zelf had gemaakt met cirkels van elkaar overlappend zilverkleurig leer... hij was prachtig. Er stond ook een groepsfoto in van twee jongens en twee meisjes, van wie Katie er één was. Ze werd geciteerd met de tekst dat *haar jurk was gekocht bij Villa Vintage in Blackheath, waar je fantastische vintage jurken kunt krijgen voor betaalbare prijzen.*

'Dankjewel, Katie!'

Annie glimlachte. 'Het is geweldige pr. Dus ze is toch naar het bal gegaan.'

'Het had weinig gescheeld of ze was thuisgebleven.' Ik vertelde Annie wat er was gebeurd.

'Nou, je hebt die 100 pond wel terugverdiend, Phoebe... met rente,' voegde ze eraan toe terwijl ze haar jas in het kantoor hing. 'En, staat er vandaag nog iets te gebeuren waar ik van moet weten?'

'Ik ga in Sydenham naar een collectie kleding kijken. Die vrouw gaat in Spanje van haar pensioen genieten en doet het merendeel van haar spullen weg. Ik ben ongeveer twee uur weg.'

Het werd uiteindelijk bijna vier uur, omdat ik mevrouw Price – een vrouw van ergens in de zestig – maar niet stil kon krijgen. Ze bleef maar praten terwijl ze het ene na het andere kledingstuk uit de kast haalde en tot in het kleinste detail uitlegde waar haar eerste echtgenoot dit en haar derde echtgenoot dat voor haar had gekocht, en waarom haar tweede echtgenoot het niet had kunnen verdragen haar in weer een ander kledingstuk te zien, en hoe lastig mannen waren als het om kleren ging.

'U had moeten dragen wat u zelf mooi vond,' zei ik plagend.

'Was het maar zo gemakkelijk geweest.' Ze zuchtte. 'Maar nu ik weer ga scheiden, ga ik dat wel doen.'

Ik kocht tien kledingstukken, waaronder twee erg mooie cocktail-jurken van Oscar de la Renta, een zwarte zijden baljurk van Nina Ricci met witte zijden rozen op de schouder en een ivoorkleurige crêpejurk met geschulpte randen, die Marc Bohan voor Dior had ontworpen. Ik gaf mevrouw Price een cheque en sprak af de kleren een week later te komen halen.

Op weg terug naar Blackheath maakte ik me er zorgen over of ik wel genoeg ruimte zou hebben om ze op te slaan. De voorraadkamer begon uit te puilen.

'Je kunt de tassen wegdoen die je van Rick hebt gekocht,' zei Annie toen ik het probleem met haar besprak.

'Je hebt gelijk.'

Ik ging naar boven, vond de doos met Ricks tassen en haalde er de tien uit die ik niet wilde hebben. Ik haalde een vulpotlood uit de tas van Saks en een paar bonnetjes van Neiman Marcus uit de imitatie-Louis Vuitton Speedy. Ik keek in de tas van Kenneth Cole en wist niet eens zeker of ik die wel naar de winkel van Oxfam-Novib kon brengen, omdat er een grote vlek in de voering zat, die was veroorzaakt door een lekkende pen. Ik deed de tassen in drie grote draagtassen en keek naar de twee die ik wel wilde houden.

Ik pakte de Gladstone-tas. Die kon meteen de winkel in. Het leer was van een prachtige cognackleur, aan de onderkant een beetje geschaafd, maar niet al te erg. Ik poetste het leer snel even op en pakte toen de witte enveloptas van struisvogelleer. Die was van een elegante eenvoud, zag er smetteloos uit en was kennelijk erg weinig gebruikt. Ik controleerde of de sluiting goed werkte, maar toen ik de flap optilde, zag ik dat er iets in de tas zat... een foldertje, of nee, een programmaboekje ergens voor. Ik haalde het eruit en vouwde het open. Het was voor een recital van kamermuziek, op 15 mei 1975 gegeven door het Grazioso String Quartet in de Massey Hall in Toronto. Dus de tas kwam oorspronkelijk uit Canada, en kennelijk zag die er nog zo perfect uit omdat hij sinds die avond niet meer was gebruikt.

Het programma was erg eenvoudig afgedrukt in zwart-wit. Op de voorkant stond een abstracte afbeelding van de vier instrumenten. Op de achterkant stond een groepsfoto van de spelers: drie mannen en een vrouw, die achter in de dertig tot midden veertig leken. Ik las dat ze tijdens de eerste helft van het concert Delius en Szymanowski hadden gespeeld en na de pauze Mendelssohn en Bruch. Er was een alinea aan de groep gewijd, waarin te lezen was dat ze sinds 1954 samen speelden en dat dit recital deel uitmaakte van een nationale tournee. Daarna richtte ik mijn aandacht op de binnenkant van het programmaboekje, waar biografieën stonden van de spelers. Ik las hun namen: Reuben Keller, Jim Cresswell, Hector Levine en Miriam Lipietzka...

Het voelde aan of de lucht uit mijn longen werd geperst.

Miriam. Miriam... Lipietzka. De naam schiet me net weer te binnen.

Ik haalde weer adem, snel nu, terwijl ik het gezicht bestudeerde dat bij de naam hoorde. Ze was een ietwat streng kijkende vrouw van halverwege de veertig met donker haar. Het concert had plaatsgehad in 1975, dus moest ze nu ongeveer... tachtig zijn. Het programmaboekje trilde in mijn hand toen ik haar biografie las.

Miriam Lipietzka (eerste violiste) studeerde van 1946 tot 1949 aan het Conservatoire de Musique in Montreal onder leiding van Joachim Sicotte. Daarna zat ze vijf jaar bij het Montreal Symphony Orchestra alvorens samen met haar echtgenoot Hector Levine (cello) het Grazioso Quartet op te richten. Mevrouw Lipietzka geeft regelmatig recitals en masterclasses aan de Universiteit van Toronto, waar het Grazioso String Quartet resideert.

Ik viel in mijn haast bijna van de trap.

'Voorzichtig,' zei Annie. 'Alles goed?' voegde ze eraan toe toen ik langs haar heen stoof om bij de computer te komen.

'Met mij wel. Ik ben wel even bezig.' Ik sloot de deur, ging zitten en typte 'Miriam Lipietzka + viool' in bij Google.

Ze moet het zijn, dacht ik bij mezelf toen de resultaten geladen werden. 'Schiet op,' zei ik tegen het beeldscherm. Daar waren alle verwijzingen naar Miriam Lipietzka – verbonden aan het Grazioso String Quartet – naar recensies over hun concerten in Canadese kranten, naar opnamen die ze hadden gemaakt en naar namen van jonge violisten die les van haar hadden gehad. Ik had echter een gedetailleerdere biografie van haar nodig. Ik klikte op de link naar de 'Encyclopedia of Music in Canada'. Daar verscheen haar pagina. Mijn ogen verslonden de woorden.

Miriam Lipietzka, onderscheiden violiste, vioollerares en oprichtster van het Grazioso Quartet. Lipietzka werd op 18 juli 1929 geboren in de Oekraïne...

Ze wás het. Geen twijfel mogelijk.

Ze verhuisde in 1933 met haar familie naar Parijs. Ze emigreerde in oktober 1945 naar Canada, waar ze werd ontdekt door Joachim Sicotte, wiens protegee ze werd... beurs aan het Montreal Conservatoire... vijf jaar bij het MSO, waarmee ze nationale en internationale tournees maakte. De optredens van haar leven heeft mevrouw Lipietzka echter vast en zeker gegeven tijdens de oorlog, toen ze als meisje van dertien in het vrouwenorkest van Auschwitz speelde.

'O...'

Lipietzka was een van de jongsten van dat orkest met veertig leden, waartoe ook Anita Lasker-Wallfisch en Fania Fénelon behoorden, en die gedirigeerd werden door Gustav Mahlers nicht, Alma Rosé.

Ze was dus inderdaad dezelfde persoon en ze leefde kennelijk nog, want er werd niets over haar dood vermeld, en het artikel was onlangs nog geüpdatet. Maar hoe kon ik met haar in contact komen? Ik keerde terug naar de resultaten van Google. Het Grazioso Quartet had een opname van Beethovens late kwartetten gemaakt onder het Delos-label... misschien kon ik haar via die weg vinden. Toen ik het echter opzocht, zag ik dat het label allang niet meer bestond. Dus klikte ik op de website van de Universiteit van Toronto en ging ik vandaar naar hun muziekfaculteit. Ik belde het telefoonnummer dat op de contactpagina stond. Hij ging vijf keer over voor er werd opgenomen.

'Goedemorgen... muziekfaculteit, met Carol, wat kan ik voor u doen?'

Bijna onverstaanbaar in mijn opwinding legde ik uit dat ik in contact probeerde te komen met de violiste Miriam Lipietzka. Ik zei dat ik wist dat ze in de jaren zeventig les had gegeven aan de universiteit, maar dat ik verder geen informatie over haar had en hoopte dat de universiteit me zou kunnen helpen.

'Tja, ik ben hier nieuw,' zei Carol, 'dus ik zal nadere inlichtingen moeten vragen en dan neem ik weer contact met u op. Mag ik uw nummer?'

Ik gaf haar mijn gewone en mijn mobiele telefoonnummer. 'Wanneer denkt u dat u me terug kunt bellen?'

'Zodra ik kan.'

Ik legde de telefoon neer en was er zeker van dat iemand daar haar kende. Ze was misschien maar een paar telefoontjes van me verwijderd. Monique en zij hadden waarschijnlijk tegelijk in Auschwitz gezeten, redeneerde ik. Ze hadden misschien contact met elkaar gehad in het kamp en daarna... als er een 'daarna' was geweest voor Monique.

Het besef dat ik per se te weten moest zien te komen hoe het haar vergaan was overviel me met hernieuwde hevigheid. Misschien was wat ik gevoeld had toch geen obsessie geweest. Het lot had me via een verkeerde afslag naar Rochemare gebracht. En nu had het lot me weer dicht bij Monique gebracht, via een concertprogramma dat al vijfendertig jaar in een klein wit handtasje zat. Ik kon het gevoel niet van me afzetten dat ik op de een of andere manier naar haar toe werd geleid.

Ik huiverde onwillekeurig.

'Is alles goed met je, Phoebe?' hoorde ik Annie vragen. 'Je lijkt vandaag een beetje... opgewonden. Niet je gebruikelijke kalme zelf.'

'Het gaat prima, Annie, dank je.' Ik verlangde ernaar haar in vertrouwen te nemen. 'Ik voel me... prima.' Ik probeerde wat afleiding te zoeken door vragen over de artikelen op de website te beantwoorden. Het was inmiddels vijf uur, een uur sinds ik Carol had gesproken.

De bel boven de deur rinkelde en Katie kwam binnen, in haar schooluniform.

'Geweldige foto van je in de *Standard*,' riep Annie.

'En uitstekende reclame voor de winkel,' voegde ik daaraan toe. 'Dank je.'

'Het was het minste wat ik kon doen... en bovendien is het waar.' Katie opende haar rugzak en haalde er een draagtas uit. 'Maar goed, ik kom deze even terugbrengen.' Ze haalde er de gele stola uit, netjes opgevouwen.

'Hou hem maar,' zei ik, nog steeds opgetogen over de gebeurtenissen van het laatste uur. 'Veel plezier ermee.'

'Echt waar?' Katie keek me verbaasd aan. 'Nou... dank je... alweer! Ik zal je nog "mijn goede fee" moeten gaan noemen,' voegde ze eraan toe terwijl ze de stola terug in haar tas deed.

'En, hoe was het bal?' vroeg Annie.

'Het was geweldig. Op één ding na.' Katie trok een grimas. 'Ik ben erin geslaagd iemands jurk te vernielen.'

'Wat is er gebeurd?' vroeg ik, denkend aan een elleboogstoot tegen een glas rode wijn.

'Het was niet echt mijn schuld, hoor,' antwoordde ze mat. 'Ik liep de trap op, vlak achter dat meisje. Ze droeg een veelkleurige zijden jurk met slepen van chiffon. Hij was echt prachtig. Maar ze bleef pardoes stilstaan om met iemand te praten en ik moet mijn voet op haar zoom hebben gezet, want toen ze weer doorliep klonk er een hard scheurend geluid.'

'Oeps!' zei Annie.

'Ik vond het afschuwelijk, maar voor ik zelfs maar de kans kreeg "sorry" te zeggen begon ze tegen me uit te vallen.' Ik voelde mijn maag samentrekken. 'Ze zei dat haar jurk uit de nieuwe collectie van Christian Lacroix kwam en dat die haar vader 3600 pond had gekost en dat ik zou moeten betalen voor de reparatie... als hij al te repareren zou zijn.'

'Dat is hij vast en zeker,' zei ik. Ik was niet van plan haar te vertellen dat ik de eigenares van de jurk kende en de schade had gezien – Miles had me de kapotte jurk laten zien – en dat ik de jurk zelf had kunnen repareren.

Katie tuitte haar lippen. 'Daarna stampte ze weg en de rest van de avond heb ik haar ontlopen. Afgezien daarvan was het een sprookje... dus bedankt, Phoebe. Maar ik kom af en toe nog wel binnenvallen... ik geniet er gewoon van naar de kleren te kijken. Misschien kan ik je een handje helpen,' zei ze hartelijk.

'Wat?'

'Als je ooit ergens hulp bij nodig hebt, bel me dan maar.' Ze schreef haar mobiele nummer op een stukje papier en gaf dat aan mij.

Ik glimlachte. 'Misschien houd ik je daar wel aan.'

'Het is bijna halfzes,' zei Annie. 'Zal ik de kas opmaken?'

'Ja, graag... en als je het bordje zou willen omdraaien.' De telefoon ging. 'Ik neem hem wel in het kantoortje.' Ik deed de deur dicht en nam op. 'Villa Vintage,' zei ik gespannen.

'Met Carol van de muziekfaculteit van de Universiteit van Toronto. Spreek ik met Phoebe?'

Mijn hart ging tekeer. 'Ja, daar spreekt u mee. Fijn dat u me terugbelt.'

'Ik heb wat informatie over mevrouw Lipietzka.' De adrenaline gierde door mijn aderen. 'Er is me verteld dat ze hier sinds eind jaren tachtig niet meer werkt. Maar er werkt iemand aan de faculteit die nog contact met haar heeft... een voormalige leerling van haar, Luke Kramer. Helaas is hij nu met ouderschapsverlof.'

Mijn stemming daalde. 'Kunt u hem bellen?'

'Nee, hij heeft gevraagd geen contact met hem op te nemen.' Ik slaakte een gefrustreerde zucht. 'Maar mocht hij zelf bellen, dan zal ik hem over uw informatieverzoek vertellen. Intussen zult u gewoon moeten afwachten. Hij komt overigens maandag weer terug.'

'En is er niemand anders die...?'

'Nee, het spijt me. Zoals ik zei, u zult gewoon moeten afwachten.'

13

TOEN IK DE VOLGENDE MORGEN MET DE ONGEWENSTE TASSEN NAAR DE
winkel van Oxfam-Novib wandelde, had ik spijt dat ik ze niet meteen
had gecontroleerd. Dan zou ik Luke Kramer niet zijn misgelopen. Ik
vroeg me af hoe ik een week wachttijd moest doorkomen.
'Hallo, Phoebe,' zei Joan toen ik de deur openduwde. Ze keek over
de *Black & Green.* 'Heb je wat voor ons meegebracht?'
'Ja... een aantal niet bijzonder mooie tassen.'
'Als nieuw,' zei ze toen ik haar de draagtassen overhandigde. 'Dat
moeten we hier tegenwoordig zeggen. Niet tweedehands, maar als
nieuw.' Ze rolde met haar ogen. 'Maar goed, het blijft toch beter dan
"afgedankt", nietwaar? Wil je die ritsen en knopen nog hebben?'
'Graag.'
Joan rommelde even onder de toonbank en vond ze: een stuk of
tien metalen ritssluitingen in diverse kleuren en een grote pot met
verschillende knopen. Onderin zag ik knoopjes in de vorm van vlieg-
tuigjes, teddybeertjes en lieveheersbeestjes. Ze deden me aan de ves-
ten denken die mam voor me breide toen ik klein was.
'Je bent donderdag een goede film misgelopen,' zei Joan. 'Dat is
vierenhalf pond.' Ik opende mijn tas. '*Key Largo* uit 1948, met Bogart
en Bacall. Een film noir-achtig melodrama waarin een terugkerende
oorlogsveteraan ten strijde trekt tegen gangsters op de Florida Keys.
We hebben naderhand leuk gepraat, met natuurlijk verwijzingen
naar *To Have and Have Not,* met zijn sfeer van naoorlogse wanhoop.
Ik geloof dat Dan had gehoopt dat je ook zou komen,' voegde Joan eraan toe toen ik haar een briefje van tien gaf.
'Een andere keer. Ik heb het de laatste tijd... nogal druk gehad.'

'Veel aan je hoofd?' Ik knikte. 'Net als Dan. De krant sponsort de hotdogkraam tijdens het vuurwerk zaterdagavond, en daarvoor moet hij veertigduizend worstjes zien te regelen. Ga jij erheen?'

'Ja, ik verheug me erop.'

Joan had de *Black & Green* op de toonbank gelegd. Ik keek ernaar; op de voorkant stond een stuk over het vuurwerk en onderaan op pagina twee een omkaderd stukje dat meldde dat de oplage van de krant was gestegen naar 20.000 – het dubbele van waarmee ze waren begonnen. Ik vond het een leuke gedachte dat ik daar een kleine bijdrage aan had geleverd, al was het indirect; de *Black & Green* had mij immers ook geholpen. Als Dan me niet had geïnterviewd, had ik mevrouw Bell niet ontmoet en ik voelde dat haar vriendschap me ergens heen leidde. Ik wist niet waarheen, maar het was belangrijk. Ik voelde gewoon een constante onverbiddelijke trekkracht.

Op vrijdagavond ging ik weer naar haar toe. Ze zag er heel teer uit en hield haar hand beschermend op haar buik, die duidelijk gezwollen was.

'Heb je een goede week gehad, Phoebe?' vroeg ze. Mevrouw Bells stem was duidelijk zwakker. Ik keek op de tuin neer, waar de bomen hun bladeren langzaam in diagonale banen lieten vallen. De treurwilg was geel en dor.

'Het was een interessante week,' antwoordde ik, maar ik zei niet dat ik het programmaboekje had gevonden. Zoals mevrouw Bell had gezegd moest ze rustig blijven.

'En ga je naar het vuurwerk?'

'Ja, met Miles. Ik verheug me erop. Ik hoop dat u niet te veel last zult hebben van het lawaai,' zei ik terwijl ik thee inschonk.

'Nee, ik hou van vuurwerk. Ik kan er door mijn slaapkamerraam naar kijken.' Ze zuchtte. 'Het zal wel de laatste keer zijn.'

Mevrouw Bell leek plotseling erg moe, dus ik praatte voornamelijk. Ik vertelde over Annie, en over haar acteerwerk, en dat ze hoopte zelf een stuk te kunnen schrijven en spelen. Toen vertelde ik mevrouw Bell over het bal en de jurk van Roxy. Ze sperde haar ogen open van verbazing en schudde haar hoofd. Toen ik vertelde dat Katie op de zoom van de jurk was gaan staan begon mevrouw Bell te lachen en vervolgens kromp ze ineen.

'Niet lachen als het pijn doet.' Ik legde mijn hand op de hare.

'Dat was de pijn wel waard,' zei ze zacht. 'Ik moet bekennen dat ik niet erg van dat meisje gecharmeerd ben, afgaande op wat ik tot dusver van haar weet.'

'Tja, Roxy is niet gemakkelijk... ze is zelfs verdraaid moeilijk,' zei ik opeens, blij om eens lucht te kunnen geven aan mijn negatieve emoties. 'Ze is vreselijk onbeschoft tegen me, mevrouw Bell. Ik was gisteravond weer bij Miles en elke keer als ik iets tegen Roxy zei, negeerde ze me volledig. En als ik iets tegen hem zei, begon ze er gewoon doorheen te praten, alsof ik niet aanwezig was.'

Mevrouw Bell ging moeizaam verzitten in haar stoel. 'Ik hoop dat Miles haar heeft berispt voor haar onbeleefde gedrag.' Ik slaakte een diepe zucht. 'Heeft hij dat gedaan?' vroeg ze, me aankijkend.

'Niet echt... Hij zei dat het tot een ruzie zou hebben geleid en dat hij er een hekel aan heeft om ruzie te maken met Roxy. Hij blijft dan nog dagen van streek.'

'Ik begrijp het.' Mevrouw Bell sloeg haar handen in elkaar. 'Dan ben ik bang dat jij degene bent die van streek zult raken.'

Ik beet op mijn onderlip. 'Het is inderdaad een beetje moeilijk, maar ik weet zeker dat Roxy uiteindelijk wel zal bijdraaien. Ze is immers ook pas zestien, nietwaar. En ze is al die tijd alleen geweest met haar vader, dus het ligt voor de hand dat het in het begin wat moeilijk zal zijn, of niet?'

'Ik neem aan dat dat precies is wat Miles tegen je zei.'

'Ja, dat klopt.' Ik zuchtte weer. 'Hij zegt dat ik medeleven voor Roxy zou moeten voelen.'

'Tja...' zei mevrouw Bell zacht, 'gezien de manier waarop ze is opgevoed, denk ik inderdaad dat hij gelijk heeft.'

Op zaterdagochtend belde ik Miles tussen de klanten door om het over het vuurwerk te hebben. 'Het begint om acht uur, dus hoe laat ben je bij me?' Door het raam van de winkel zag ik dat de dranghekken werden geplaatst en de tenten voor hapjes en drankjes werden opgezet; in de verte werd met planken en oude meubels een grote stapel opgebouwd voor het vreugdevuur.

'We komen om ongeveer kwart over zeven naar je toe,' hoorde

ik Miles zeggen. Roxy kwam dus ook mee. 'Vind je het goed als we Roxy's vriendin Allegra meebrengen?'

'Natuurlijk is dat goed.' Dat zou het zelfs gemakkelijker maken, bedacht ik. 'Je kunt niet met de auto komen,' zei ik, 'de straten rondom de Heath worden straks afgesloten.'

'Ik weet het,' zei Miles. 'We komen met de trein.'

Toen ik aan het eind van de dag thuiskwam, had mijn vader een bericht ingesproken op de voicemail om me aan Louis' verjaardag op 24 november te herinneren. 'Ik dacht dat we misschien in Hyde Park konden gaan spelen en daarna ergens gaan lunchen. Gewoon jij, ik en Louis,' had pap er tactvol aan toegevoegd. 'Ruth is die dag naar Suffolk voor filmopnamen.'

Ik zette Radio 4 op voor het nieuws van zes uur. Ze hadden weer iets te melden over de kredietcrisis. Opeens hoorde ik dat Guy werd geïntroduceerd en ik zette de radio uit. Als ik hem hoorde praten zou het net zijn of hij hier bij me in de kamer was.

Ik legde de canapés die ik op weg naar huis had gekocht op een lage temperatuur in de oven en ging me klaarmaken. Om tien over zeven belde Miles. Allegra kon achteraf toch niet mee, en nu wilde Roxy ook niet meer. 'En daardoor zit ik een beetje met een probleem,' zei hij bezorgd.

'Waarom? Roxy is zestien! Als ze niet mee wil kan ze toch wel een paar uur alleen thuisblijven?'

'Ze zegt dat ze niet alleen wíl zijn.'

'Dan moet ze maar met jou mee naar Blackheath komen, want dat heb jij afgesproken!'

Ik hoorde Miles zuchten. 'Ze laat zich niet gemakkelijk overhalen. Ik heb het al geprobeerd.'

'Miles, ik had me op deze avond verheugd.'

'Ik weet het... Luister eens, ik zorg wel dat ze meegaat. We zien je straks.'

Om twintig voor acht waren ze er nog niet, dus belde ik Miles en zei ik dat als ze er om tien voor acht niet waren, ik naar Villa Vintage zou lopen en hen daar wel zou ontmoeten. Om vijf voor acht trok ik, inmiddels behoorlijk droefgeestig, mijn jas aan en voegde me bij de andere laatkomers die zich naar de Heath haastten.

Terwijl we door Tranquil Vale liepen zagen we de laserstralen al door de lucht schieten, en de abrikooskleurige gloed van het vreugdevuur. Ik stond tegen de winkel aan geleund toen de muziek van de feestmarkt op de Heath werd overstemd door het geluid van de grote menigte die aftelde.

'Vier... drie... twee... één...'

WOESJ!! BOEM!! KNAL!!

De vuurpijlen explodeerden tegen de avondlucht als gigantische gloeiende bloesems. Waarom moest Roxy altijd zo moeilijk doen, en waarom was Miles zo zwak?

PANG!!! PANG-PANG!!! *PANG!!!* Toen er meer chrysanten opbloeiden en weer vervaagden dacht ik aan mevrouw Bell, die door haar raam toekeek.

FFT... FFT...FFT... Daar gingen de Romeinse kaarsen, als noodsignalen, een kleurenspel van roze en groen achter zich aan trekkend.

RAK-A-TAK-A-TAK!! BOEM!!! Zilverkleurige fonteinen stortten een regen van vonken uit die tot blauw, groen en geel verkleurden.

Mijn telefoon begon te trillen. Ik deed mijn oorstukje in en hield mijn hand over mijn andere oor.

'Het spijt me, Phoebe,' hoorde ik Miles zeggen.

Ik beet op mijn lip. 'Ik neem aan dat je niet meer komt.'

'Roxy ging vreselijk tekeer. Ik heb geprobeerd haar over te halen om mee te gaan, maar ze weigerde. En nú zegt ze dat ik wel alleen kan gaan als ik dat wil, maar dat is zeker al te laat.'

ZIP!!! ZIP!!! WHIE-IE-IE... Kleine witte vuurpijlen schoten gillend en fluitend alle richtingen uit. Overal hing een scherpe rooklucht.

'Ja, het is te laat,' zei ik kil. 'Je bent het misgelopen.' Ik klapte mijn telefoon dicht.

BOEM!! RAK-A-TAK-A-TAK!!! BOE-OEM!!

Er volgde een laatste supernova-explosie, waarvan de veelkleurige sintels nog even fonkelden en toen uitdoofden. De lucht was leeg, afgezien van wolken lichte rook.

Ik had geen zin om naar huis te gaan, dus stak ik de straat over en stortte me in de menigte, waar kinderen bij waren die met lichtsabels en sterretjes zwaaiden.

Een paar seconden later belde Miles weer. 'Het spijt me van van-

277

avond, Phoebe,' hoorde ik hem zeggen. 'Het was niet mijn bedoeling je teleur te stellen.'

Ik huiverde door de kilte. 'Nou, je hebt me anders wel teleurgesteld.'

'Het was heel moeilijk.'

'Echt waar?' Ik rook de geur van gebakken uien. Rechts van me zag ik het groen-met-zwarte logo van de *Black & Green* op een van onderen verlichte tent. 'Hoe dan ook, ik ga nu met mijn vriend Dan praten.' Ik beëindigde het gesprek en slingerde tussen de mensen door. Als Miles het gevoel had dat hij gestraft werd, vond ik dat prima.

Ik voelde mijn telefoon weer trillen en nam met tegenzin op. 'Doe alsjeblieft niet zo,' zei Miles. 'Het was niet mijn schuld. Roxy kan soms een grote uitdaging vormen.'

'Een uitdaging?' Ik weerstond de aandrang om hem een betere beschrijving voor het gedrag van zijn dochter te geven.

'Tieners zijn buitengewoon egocentrisch,' voegde Miles eraan toe. 'Ze denken dat de hele wereld om hen draait.'

'Zo zijn ze niet allemaal, Miles.' Ik dacht aan Katie. 'Roxy had vandaag moeten doen wat jíj wilde... god weet dat je genoeg voor haar doet. Een week geleden droeg ze een jurk die 3600 pond had gekost.'

'Ja... nou.' Ik hoorde hem zuchten. 'Dat is waar.'

'Een jurk die ik zo vriendelijk ben geweest voor haar te repareren!'

'Luister... ik weet het, en het spijt me, Phoebe.'

'Kunnen we er nu over ophouden?' Ik wilde niet dat mensen me in het openbaar ruzie zagen maken. Ik drukte op het knopje om het gesprek te beëindigen en zette toen mijn capuchon op tegen de toenemende regen.

Toen ik dichter bij de reusachtige tent kwam, zag ik cateraars in *Black & Green*-schorten bezig hotdogs te maken, geholpen door Sylvia, Ellie, Matt en Dan, die de ketchup erop spoot. Ik vroeg me af wat voor kleur die voor hem zou hebben... waarschijnlijk groen. Hij zag me en zwaaide. Hij zag er zo groot, solide, vriendelijk en vertroostend uit dat ik opeens naar een van zijn omhelzingen verlangde. Ik ging naast de rij staan, zodat ik met hem kon praten.

Hij keek me indringend aan. 'Is alles goed met je, Phoebe?'

'Ja... het gaat wel.'

Hij kneep nog wat ketchup op een hotdog en gaf die aan de volgende klant. 'Je lijkt een beetje van streek.'

'Niet... echt.'

'Luister eens, zullen we wat gaan drinken?' Hij knikte naar de biertent.

'Je hebt het veel te druk, Dan,' protesteerde ik. 'Je hebt geen tijd.'

'Voor jou wel, Phoebe,' protesteerde hij. 'Hier, Ellie.' Hij gaf de ketchupfles aan Ellie. 'Jij hebt nu even ketchupdienst, lieverd. Kom mee, Phoebe.'

Opnieuw voelde ik mijn telefoon trillen en ik deed mijn oorstukje in. Het was Miles weer en hij klonk radeloos. 'Luister nou, ik heb toch al gezegd hoezeer het me spijt, Phoebe, dus straf me alsjeblieft niet.'

'Dat doe ik niet,' fluisterde ik in het microfoontje terwijl Dan de tent uit kwam. 'Ik heb nu alleen even geen zin om met je te praten, dus hou alsjeblieft op met bellen.' Ik drukte het rode knopje in.

Dan had mijn hand vastgepakt en trok me door de nog steeds drukke menigte naar de biertent. 'Waar heb je zin in?'

'Eh... een Stella, maar luister eens, laat mij ze maar gaan halen.' Hij stond echter al aan de bar en kwam snel terug met de flesjes. Als door een wonder kwam er vlak bij ons een tafeltje vrij, zodat we konden gaan zitten.

Dan trok zijn stoel naar me toe en keek me aan. 'Nou... wat is er aan de hand?'

'Niets,' zei ik met een zucht, maar Dan keek me sceptisch aan. 'Oké dan... Ik had afgesproken mijn... vriend hier te ontmoeten, met zijn dochter. Ik had me erop verheugd, maar toen weigerde zij mee te gaan en dus kwam hij ook niet, hoewel ze zestien is en best alleen thuis had kunnen blijven.'

'O jee... dat heeft je avond dus aardig verpest?' Ik knikte. 'Maar waarom wilde ze niet mee?'

'Omdat ze het leuk vindt onze afspraakjes te versjteren, en haar vader gaf daaraan toe, omdat, nou ja, omdat hij haar altijd haar zin geeft.'

'Ik begrijp het. Dus het kind is daar de baas?' Ik glimlachte flauwtjes. 'Hoelang ken je die man?'

'Een paar maanden. Ik mag hem graag... maar zijn dochter maakt het allemaal erg moeilijk.'

'Aha. Tja... dat zal niet meevallen.'

'Nee, maar laten we erover ophouden.' Ik keek naar Dans schort. 'Dat ziet er mooi uit.'

Hij keek omlaag. 'Dank je. Ik dacht dat de sponsoring ons profiel nog wat verder zou verbeteren, omdat dit zo'n groot evenement is. Daarom heb ik wat "bedrijfskleding" besteld. Ik heb ook paraplu's laten maken met het logo van *Black & Green*... ik zal je er een geven.'

'Dan...' Ik dronk van mijn bier. 'Je hebt me nooit verteld dat je eigenaar van de krant bent.'

Hij haalde zijn schouders op. 'Dat ben ik ook niet... althans, maar voor de helft. En waarom zou ik je dat vertellen?'

'Ik weet het niet. Omdat... nou ja, waarom niet?' Ik liet mijn flesje Stella zakken. 'Dus je koopt niet zo vaak kranten?'

Hij schudde zijn hoofd. 'Nooit eerder gedaan, en ik denk ook niet dat ik het nog eens zal doen. Het was puur vanwege mijn vriendschap met Matt.'

'Wat fantastisch dat je dat kon doen,' zei ik. Ik vroeg me af hoe hij aan het benodigde kwart miljoen was gekomen, maar ik wist dat ik hem dat niet zomaar kon vragen.

Dan nam een slok bier. 'Dat was allemaal dankzij mijn grootmoeder. Zij is degene die het mogelijk heeft gemaakt.'

'Je grootmoeder?' vroeg ik. 'De grootmoeder die je de puntenslijper heeft nagelaten?'

'Ja, die... oma Robinson. Zonder haar had ik het nooit gekund. Het was heel onverwachts, want wat er gebeurde was namelijk...'

'O, neem me niet kwalijk, Dan.' Mijn telefoon trilde weer. De beltoon was nauwelijks hoorbaar boven het lawaai en gepraat. Ik deed mijn oorstukje in en drukte op het groene knopje, erop voorbereid dat het Miles weer zou zijn.

Het nummer op het schermpje was echter niet dat van hem. Het had een Noord-Amerikaanse code.

'Kan ik Phoebe Swift spreken, alstublieft?' zei een mannenstem.

'Ja, daar spreekt u mee.'

'Met Luke Kramer van de Universiteit van Toronto.' Ik voelde een golf adrenaline door me heen gaan. 'Mijn collega Carol zegt dat u me wil spreken?'

'Dat klopt,' zei ik opgetogen. 'Ik wil u inderdaad graag spreken.' Ik stond op. 'Maar ik ben buiten en het is hier erg rumoerig. Ik moet eerst naar huis. Kunt u me tien minuten de tijd geven om terug te rennen? Dan bel ik u daar vandaan terug.'

'Natuurlijk.'

'Dat leek een belangrijk telefoongesprek,' zei Dan toen ik mijn telefoon wegstopte.

'Het is inderdaad belangrijk.' Ik was opeens buitengewoon vrolijk.

'Heel belangrijk. In feite is het zelfs...'

'Een kwestie van leven of dood?' onderbrak Dan licht spottend.

Ik keek hem aan. 'Dat zou je inderdaad kunnen zeggen, ja.' Ik deed mijn sjaal om. 'Dus ik moet nu helaas gaan, maar bedankt dat je me hebt opgevrolijkt.' Ik omhelsde hem.

Voor één keer was Dan degene die werd overdonderd. 'Graag gedaan. Ik, eh... bel je wel,' zei hij beduusd. 'Is dat goed?'

'Ja, doe dat.' Ik zwaaide naar hem en vertrok.

Ik rende naar huis, nam de telefoon mee naar de keukentafel en koos het nummer. 'Spreek ik met meneer Kramer?' vroeg ik ademloos.

'Hallo, Phoebe... ja, met Luke.'

'Gefeliciteerd nog met de baby.'

'Bedankt. Ik ben nog een beetje in shock... ze is onze eerste. Maar goed, ik begrijp van mijn collega Carol dat je in contact wilt worden gebracht met Miriam Lipietzka.'

'Ja, dat klopt.'

'Mag ik, aangezien ik dat verzoek aan Miriam moet overbrengen, vragen waarom?'

Ik legde het in grote lijnen uit. 'Denk je dat ze met me wil praten?' vroeg ik ten slotte.

Het bleef even stil. 'Ik weet het niet, maar ik zie haar morgen, dus ik zal haar doorgeven wat je me hebt verteld. Laat me even de relevante namen opschrijven. Je vriendin heet dus mevrouw Thérèse Bell.'

'Ja. Haar meisjesnaam was Laurent.'

'Thérèse... Laurent,' herhaalde hij. 'En de gemeenschappelijke vriendin die ze hadden was Monique... Richelieu, zei je?'

'Ja. Hoewel ze geboren is als Monika Richter.'

'Richter... Dus het heeft allemaal te maken met wat er in de oorlog is gebeurd.'

'Ja. Monique zat ook in Auschwitz, vanaf augustus 1943. Ik probeer erachter te komen wat er met haar is gebeurd, en toen ik Miriams naam op het programmaboekje zag staan, dacht ik dat zij het misschien zou weten... of in elk geval iets zou weten.'

'Nou, ik zal het er met haar over hebben. Ik wil je echter wel zeggen dat ik Miriam al dertig jaar ken en dat ze zelden over haar ervaringen in de oorlog spreekt, omdat de herinneringen kennelijk erg pijnlijk zijn. Bovendien heeft ze misschien geen idee wat er met die vriendin... Monique is gebeurd.'

'Ik begrijp het, Luke, maar vraag het haar alsjeblieft.'

'Hoe was het vuurwerk?' vroeg Annie toen ze op maandag arriveerde voor haar werk. 'Ik was naar Brighton, dus ik heb het niet gezien.'

'Het was nogal teleurstellend.' Ik vertelde haar niet waarom.

Annie wierp me een nieuwsgierige blik toe. 'Dat is jammer.'

Toen reed ik naar Sydenham om de kleren op te halen die ik van de babbelzieke mevrouw Price had gekocht. Ze kletste er weer vrolijk op los en toen zag ik plotseling dat ze onnatuurlijke 'open' ogen en een te strakke kaaklijn had, en handen die tien jaar ouder waren dan haar gezicht. Het idee dat mam er zo uit zou gaan zien, stemde me somber.

Toen ik omstreeks lunchtijd terugreed naar de winkel ging mijn telefoon. Ik reed snel een zijstraatje in en parkeerde daar. Ik voelde een brok in mijn maag toen ik de code van Toronto herkende.

'Hallo Phoebe,' zei Luke. Dus hij had met haar gesproken. 'Ik ben bang dat er gisteren een probleem was toen ik bij Miriam op bezoek ging.'

Ik zette me schrap. 'Wil ze er niet over praten?'

'Dat heb ik niet gevraagd, want toen ik daar aankwam, zag ik dat ze niet in orde was. Ze heeft geregeld zware luchtweginfecties, vooral in de herfst. Dat is ten dele een gevolg van wat ze heeft doorgemaakt. De dokter heeft haar antibiotica gegeven en ze moet rusten, dus ik vrees dat ik het niet over je telefoontje heb gehad.'

'Nee, natuurlijk niet.' Ik voelde een steek van teleurstelling. 'Nou, bedankt dat je het me hebt laten weten. Misschien als ze weer beter is...?' Mijn stem stierf weg.

'Misschien... maar voorlopig vind ik dat ik het niet tegen haar moet zeggen.'

Voorlopig, dacht ik en ik keek in de achteruitkijkspiegel en reed weg. Dat kan een week duren of een maand... of voor altijd.

Toen ik terugkwam in de winkel, zag ik tot mijn verbazing Miles op de sofa met Annie zitten kletsen, die bezorgd naar hem glimlachte alsof ze zich realiseerde dat zich tussen ons een probleem had voorgedaan.

'Phoebe.' Miles stond op. 'Ik had gehoopt dat je even een kop thee met me zou willen gaan drinken.'

'Ja... eh... laat me even deze koffers in het kantoortje zetten, dan gaan we naar het Moon Daisy Café. Ik ben over een halfuur terug, Annie.'

Ze glimlachte naar ons. 'Prima.'

Het was druk in het café, dus Miles en ik gingen aan een van de lege tafeltjes buiten zitten – het was in de zon net warm genoeg en het bood ons bovendien wat privacy.

'Het spijt me van zaterdag,' begon Miles. Hij zette zijn kraag op. 'Ik had mijn poot stijf moeten houden tegenover Roxy; ik weet dat ik te veel aan haar toegeef. Dat is niet goed.'

Ik keek hem aan. 'Ik heb inderdaad veel moeite met Roxy. Je hebt gezien hoe vijandig ze tegenover mij is, en ze vindt elke keer weer een manier om onze afspraakjes te verpesten.'

Miles zuchtte. 'Ze ziet je als een bedreiging. Ze is de afgelopen tien jaar het middelpunt van mijn leven geweest, dus in zekere zin is het wel te begrijpen.' Hij zweeg even toen Pippa onze thee bracht. 'Ik heb gisteren echter uitvoerig met haar gesproken. Ik heb gezegd dat ik erg boos op haar was over zaterdag. Ik heb gezegd dat ze alles voor me betekent, maar dat ze mij ook mijn geluk moet gunnen. Ik vertelde haar hoe belangrijk je voor me bent geworden en dat ik je niet kwijt wil raken.' Ik was geschokt toen ik zag dat er tranen in

Miles' ogen schitterden. 'Dus...' Ik zag hem slikken en toen pakte hij mijn hand vast. 'Ik wil het graag weer goedmaken met je, Phoebe. Ik heb Roxy uitgelegd dat je mijn vriendin bent en dat dat betekent dat je soms bij ons zult zijn en dat ze omwille van mij aardig tegen je moet zijn.'

Ik voelde mijn weerzin plotseling uit me wegvloeien. 'Bedankt dat je dat hebt gezegd, Miles. Ik... wil echt graag goed met Roxy overweg kunnen,' zei ik.

'Dat weet ik. En ja, ze kan een beetje lastig zijn, maar in haar hart is ze een goede, fatsoenlijke meid.' Miles weefde zijn vingers tussen de mijne. 'Dus ik hoop dat je er nu een beter gevoel over hebt, Phoebe... dat is erg belangrijk voor me.'

Ik keek hem aan. 'Het voelt inderdaad beter,' zei ik glimlachend. 'Veel beter,' voegde ik er zacht aan toe.

Miles boog voorover en kuste me. 'Mooi zo.'

Wat Miles tegen Roxy had gezegd leek inderdaad verschil te maken. Als ik haar aansprak, reageerde ze, maar verder negeerde ze me. Ik verwelkomde die neutraliteit. Die betekende een verbetering.

Intussen had ik nog niets van Luke gehoord. Na een week liet ik een bericht voor hem achter, maar hij reageerde niet. Ik nam aan dat Miriam nog steeds ziek was of, als ze beter was, niet met me wilde praten. Ik zei er niets over tegen mevrouw Bell toen ik naar haar toe ging. Ze had duidelijk meer pijn dan tevoren en ze vertelde me dat ze nu een morfinepleister droeg.

Louis' eerste verjaardag naderde – samen met mijn moeders facelift. Ik maakte me er nog steeds zorgen over en dat vertelde ik haar ook toen ze op dinsdag bij me kwam eten.

'Ik herhaal dat je er nog steeds heel aantrekkelijk uitziet en het niet nodig hebt.' Ik schonk haar een glas wijn in. 'En als er nou iets misgaat?'

'Freddie Church heeft al wel duizend van deze... procedures uitgevoerd,' zei ze fijngevoelig, 'zonder ook maar één fatale afloop.'

'Dat vind ik niet de meest gloedvolle aanbeveling.'

Mam opende haar tas en haalde haar agenda eruit. 'Ik heb jou opgegeven als naaste verwant, dus je moet weten waar ik ben. Ik ga naar de Lexingtonkliniek in Maida Vale.' Ze bladerde door. 'Hier is het nummer... De operatie begint om halfvijf en ik moet er om halftwaalf 's ochtends zijn voor de preanesthesie. Ik moet vier dagen blijven, dus ik hoop dat je me komt opzoeken.'

'Heb je het iemand op je werk verteld?'

Mam schudde haar hoofd. 'John denkt dat ik twee weken naar Frankrijk ga. En ik ben niet van plan het een van mijn vriendinnen te vertellen.' Ze stopte haar agenda weer in haar tas en klapte die dicht. 'Het is privé.'

'Dat zal het niet meer zijn als ze allemaal zien dat je er plotseling vijftien jaar jonger uitziet – of erger, dat je eruitziet als iemand ánders!'

'Dat gaat niet gebeuren. Ik zie er straks fantastisch uit.' Mam duwde met haar vingers tegen haar kaaklijn. 'Het is maar een kleine lift. De truc is dat je jezelf een nieuw kapsel aanmeet om de aandacht ervan af te leiden.'

'Misschien is dat alles wat je nodig hebt... een nieuw kapsel.' En wat nieuwe make-up, dacht ik. Ze droeg weer die vreselijke koraalrode lippenstift. 'Mam, ik heb hier helemaal geen goed gevoel over... wil je het alsjeblieft afzeggen?'

'Phoebe, ik heb al een aanbetaling van 4000 pond gedaan – de helft van het totaalbedrag –, dus ik zeg helemaal niets af.'

Ik werd op Louis' verjaardag met een akelig voorgevoel wakker. Ik liet Annie weten dat ik de hele dag weg zou zijn en ik nam toen de trein voor mijn afspraak met pap. Tijdens de rit over het traject van de Circle Line las ik de *Independent*, waarin tot mijn verbazing een artikel stond over het feit dat de eigenaar van die krant, Trinity Mirror, in onderhandeling was om de *Black & Green* over te nemen. Toen ik op station Notting Hill Gate de trap op liep, vroeg ik me af of dit goed of slecht nieuws was voor Dan en Matt.

Het was heerlijk zonnig en het voelde verbazingwekkend zacht aan voor eind november toen ik door Bayswater Road liep. Ik had afgesproken om pap net voor tien uur bij de ingang Orme Gate van Kensington Gardens te ontmoeten. Toen ik daar om vijf voor tien arriveerde zag ik hem aan komen lopen met de buggy. Ik had verwacht dat Louis zoals gewoonlijk naar me zou zwaaien, maar vandaag schonk hij me alleen een verlegen glimlachje.

'Hallo, jarige job!' Ik boog voorover om over zijn appelwangetjes te aaien. Zijn gezicht voelde warm aan. 'Loopt hij al?' vroeg ik aan pap toen we het park in liepen.

'Nog niet, maar het scheelt niet veel meer. Hij zit bij Gymboree nog bij de "Gevorderde Kruipers" en ik wil niets overhaasten.'

'Natuurlijk niet.'

'Maar hij is bij Monkey Music net wel een niveau gestegen.'

'Dat is mooi.' Ik hield mijn draagtas omhoog. 'Ik heb een xylofoon voor hem.'

'O, hij zal het heerlijk vinden daarop te hameren.'

Het geluid van het windklokkenspel dreef vanaf de Prinses Diana-speeltuin over het gras naar ons toe. Toen we de bocht in het pad namen, dook het piratenschip voor ons op, alsof het over het gras zeilde.

'De speeltuin ziet er verlaten uit,' zei ik.

'Dat komt omdat hij pas rond tien uur opengaat. Ik kom hier vaak rond deze tijd op maandagmorgen, omdat het dan altijd zo lekker rustig is. We zijn er bijna, Louis,' zei mijn vader zacht. 'Gewoonlijk probeert hij vanaf dit punt al uit alle macht uit de buggy te komen, nietwaar, lieve jongen? Maar hij is vandaag een beetje moe.'

De speeltuinbeheerder maakte de poort open, pap haalde Louis uit de buggy en we zetten hem op een van de schommels. Hij leek het fijn te vinden om daar zomaar rustig te zitten en zich te laten duwen. Op een gegeven moment legde hij zijn hoofd tegen de ketting en deed hij zijn ogen dicht.

'Hij lijkt wel erg moe, pap.'

'We hebben een gebroken nacht gehad... hij was om de een of andere reden een beetje huilerig... waarschijnlijk omdat Ruth er niet was. Ze is aan het filmen in Suffolk, maar ze komt rond lunchtijd naar huis. Laten we nu eens kijken of je wilt staan, Louis.' Pap tilde hem van de schommel en zette hem neer, maar Louis stak meteen zijn armpjes uit om te worden opgetild, dus droeg ik hem de speeltuin rond, ging met hem de houten hutten in en zette hem op de glijbaan, waarna pap hem beneden opving. Ik moest echter telkens aan mam denken. Als ze nou niet goed op de narcose reageerde? Ik keek op de torenklok – het was tien over halfelf. Ze zou inmiddels al halverwege zijn. Ze had gezegd dat ze met de taxi zou gaan.

Pap ving Louis weer op toen hij van de glijbaan gleed. 'Hij lijkt echt slaperig vandaag, nietwaar, lieverd?' Pap knuffelde hem. 'Je wilde eigenlijk je bedje niet uit.' Louis begon plotseling te huilen. 'Niet huilen, schatje.' Pap aaide hem over zijn wang. 'Je hoeft niet te huilen.'

'Denk je dat er iets mis is?'

Pap voelde aan zijn voorhoofd. 'Hij heeft wel een beetje verhoging.'

'Het viel me op dat hij het warm had toen ik hem een zoen gaf.'

'Het is een halve graad hoger dan normaal, schat ik, maar volgens mij is er niets aan de hand. Laten we hem weer op de schommel zetten... dat vind hij leuk.'

Dat deden we dus, en het leek Louis even op te vrolijken. Hij hield op met huilen, maar bleef lusteloos zitten, zijn oogjes weer dicht en met bungelende beentjes.

'Ik zal hem wat kinderparacetamol geven,' zei pap. 'Kun je hem er even af halen, Phoebe?'

Toen ik dat deed, schoof Louis' groene jasje omhoog en mijn hart sloeg een slag over. Zijn buik zat onder de rode plekjes.

'Pap, heb je die uitslag al gezien?'

'Ik weet het... hij heeft de laatste tijd een beetje last van eczeem.'

'Ik geloof niet dat dit eczeem is.' Ik voelde aan Louis' huid. 'Deze plekjes zijn vlak, net kleine speldenprikjes... en zijn handen zijn ijskoud.' Ik keek naar Louis. Zijn wangen waren rood, maar zijn mond leek een beetje blauw. 'Pap, volgens mij voelt hij zich niet helemaal goed.'

Pap keek naar Louis' buik en haalde toen de luiertas van de achterkant van de buggy en pakte het flesje vloeibare kinderparacetamol eruit. 'Dit zal wel helpen. Het is goed om de temperatuur te verlagen. Wil je hem even vasthouden, Phoebe?' We gingen aan een van de picknicktafels zitten en ik hield Louis dicht tegen me aan terwijl pap het roze medicijn op de lepel goot. Toen hield ik Louis' hoofdje iets achterover. 'Brave jongen,' zei pap terwijl hij het medicijn in zijn mondje liet lopen. 'Normaal is het een hele strijd, maar vandaag doet hij het heel goed. Goed zo, manneke...'

Louis trok plotseling een grimas en spuugde alles uit. Pap maakte hem schoon en ik voelde aan Louis' voorhoofd. Dat brandde nu en hij stootte een schelle jammerkreet uit.

'Pap, denk je dat het iets ernstigs is?'

Hij kromp ineen. 'We hebben een glas nodig,' zei hij zacht. 'Geef me een glas, Phoebe.'

Ik holde naar de cafetaria en vroeg om een glas, maar de vrouw zei dat het gebruik van glas niet was toegestaan in de speeltuin. Ik begon in paniek te raken. 'Pap... heb je een glazen potje bij je?'

Hij keek me aan. 'Er zit een potje bessenpudding in de luiertas. Gebruik dat maar.'

Ik haalde het eruit, rende naar het toilet, spoelde de paarse pudding uit het potje en trok zoveel van het etiket af als ik kon met mijn trillende vingers. Toen ik weer naar buiten kwam, keek ik om me heen of er misschien iemand was die ons kon helpen, maar de speeltuin was nog bijna verlaten, afgezien van een paar mensen helemaal aan de andere kant.

Pap hield Louis vast terwijl ik het glas tegen zijn buik drukte. Louis kromp ineen omdat het glas zo koud was en begon hard te huilen. De tranen rolden over zijn wangen.

'Hoe moet ik dit doen, pap?'

'Moet je het er niet gewoon tegenaan drukken en kijken of de plekjes dan verbleken?'

Ik probeerde het opnieuw. 'Het is moeilijk te zien of ze verbleken of niet.' Pap probeerde iemand te bellen met zijn mobiele telefoon. 'Wie ben je aan het bellen? Ruth?'

'Nee, onze huisarts. Verdorie, het nummer is in gesprek.'

'De huisartsenpost heeft een hulplijn. Je kunt het nummer opvragen bij Inlichtingen.' Louis had zijn ogen nu halfdicht en draaide zijn hoofd weg van het zonlicht alsof hij daar last van had. Ik drukte het potje weer tegen zijn buik, maar het glas van de bodem was te dik om er goed doorheen te kunnen kijken. Ik zag dat pap nog steeds aan de telefoon was.

'Waarom nemen ze nou niet op?' kreunde hij. 'Toe nou...'

Mijn mobiele telefoon ging over. Ik drukte het groene knopje in. 'Mam!' zei ik met een zucht.

'Lieverd, ik dacht, laat ik je maar even bellen,' zei ze meteen. 'Ik ben nu eigenlijk toch wel wat zenuwachtig...'

'Mam...'

'Ik ben bijna bij de kliniek en er ligt nu toch wel een steen op mijn maag, moet ik zeggen...'

'Mam! Ik ben met pap en Louis in de Diana-speeltuin. Het gaat helemaal niet goed met Louis. Hij heeft kleine vlekjes op zijn buik en hij huilt en hij heeft verhoging en hij verdraagt geen licht en is slaperig en heeft overgegeven en ik probeer die test met dat glas te doen, maar ik weet niet hoe het moet.'

'Duw de zijkant van het glas direct tegen zijn huid,' zei ze. 'Doe je dat?'

'Ja, nu wel, maar ik zie het nog steeds niet goed.'

'Probeer het nog eens, maar het moet de zijkant zijn.'

'Het punt is dat het een potje is en dat een deel van het etiket er nog op zit, dus ik kan niet zien of de vlekjes verbleken of niet, en Louis is erg van streek.' Hij had zijn hoofd achterover gegooid en slaakte weer een hoge, jammerende kreet. 'Dit is allemaal in minder dan een uur komen opzetten.'

'Hoe houdt je vader zich eronder?' vroeg mam.

'Niet al te best, als ik eerlijk moet zijn,' zei ik zacht.

Pap probeerde nog steeds zijn huisarts te bereiken. 'Waarom neemt er nou niemand op?' hoorde ik hem mompelen.

'Hij kan zijn huisarts niet te pakken krijgen...'

'Stop!' hoorde ik mam ineens zeggen. Waar had ze het over? 'En wilt u hier rechtsaf gaan en daar de parkeerplaats op?' Toen hoorde ik het portier van de taxi opengaan en daarna mams haastige voetstappen over het beton. 'Ik kom eraan, Phoebe,' zei ze.

'Wat bedoel je?'

'Zet de baby in de kinderwagen, verlaat nu meteen de speeltuin en loop terug naar Bayswater Road. Ik kom je tegemoet.'

Ik zette Louis vast in de buggy en duwde hem samen met pap de speeltuin uit. Ons afvragend wat er aan de hand was, liepen we snel naar de uitgang van het park. Daar kwam mam naar ons toe lopen...

nee, rennen. Ze merkte pap nauwelijks op omdat ze zich op Louis concentreerde. 'Geef me het potje, Phoebe.'

Ze trok Louis' truitje omhoog en drukte het glas tegen zijn buik. 'Het is moeilijk te zien,' zei ze. 'En soms verbleken de vlekjes en is het toch meningitis.' Ze voelde aan zijn voorhoofd. 'Hij heeft het erg heet.' Ze zette zijn mutsje af en knoopte zijn jas open. 'Arm klein ding.'

'We gaan wel naar mijn huisarts,' zei pap. 'Die zit op Colville Square.'

'Nee,' zei mam. 'We gaan meteen naar het ziekenhuis. Mijn taxi staat iets verderop te wachten.' We renden erheen en ik zette de buggy achterin. 'De plannen zijn veranderd... naar het St Mary's, alstublieft,' zei mam tegen de taxichauffeur terwijl ze instapte. 'De ingang voor spoedeisende hulp, zo snel mogelijk.'

We waren er binnen vijf minuten en stapten uit. Mam betaalde de chauffeur en we renden naar binnen. Ze praatte met de receptioniste en even later zaten we in de wachtkamer van de afdeling spoedeisende hulp voor kinderen tussen de kinderen met gebroken armen en snijwondjes in hun vinger. Pap deed zijn best Louis te kalmeren, die nog steeds ontroostbaar huilde. Er kwam een verpleegster, die Louis snel onderzocht en daarna zijn temperatuur opnam en toen zei dat we meteen door konden lopen. Ik merkte dat ze snel liep. De dokter die ons op stond te wachten zei dat we niet alle drie mee naar binnen mochten. Hij dacht dat ik Louis' moeder was, maar ik legde uit dat ik zijn zus was en pap vroeg of mam met hem mee naar binnen wilde gaan. Mam gaf me haar weekendtas. Ik nam die net als Louis' buggy en de xylofoon mee terug naar de wachtkamer en ging zitten wachten...

Het wachten leek een eeuwigheid te duren. Ik zat op mijn blauwe plastic stoel en luisterde naar het gonzen en bonken van de frisdrankautomaat, het zachte gepraat van de andere mensen en het onophoudelijke gekwetter van de aan de muur gemonteerde televisie. Ik keek ernaar en zag dat het nieuws van één uur net begon. Louis was al anderhalf uur binnen. Dat betekende vast dat hij meningitis had. Ik probeerde te slikken, maar er stak een mes in mijn keel. Ik keek naar zijn lege buggy en voelde dat mijn ogen volliepen met tranen. Ik was van streek geweest toen hij geboren werd, ik had hem de eerste acht weken helemaal niet gezien en nu ik van hem was gaan houden, ging hij dood.

Ik hoorde plotseling een baby schreeuwen. Ervan overtuigd dat het Louis was liep ik naar het raampje van de receptioniste en vroeg aan haar of ze wist wat er aan de hand was. Ze liep weg en kwam even later terug om te zeggen dat ze Louis nog nader aan het onderzoeken waren om te kijken of een ruggenmergpunctie noodzakelijk was. Ik zag hem voor me, met zijn kleine lijfje aangesloten op allerlei draden en slangen. Ik pakte een tijdschrift op en probeerde te lezen, maar de woorden en foto's bewogen en werden wazig. Toen keek ik op en zag ik mam naar me toe komen lopen. Ze leek van streek. Alstublieft, God.

Ze schonk me een waterige glimlach. 'Het is in orde met hem.' Ik werd overspoeld door opluchting. 'Het is een virusinfectie. Die komen vaak heel snel opzetten. Ze houden hem vannacht hier, maar het komt helemaal goed, Phoebe.' Ik zag dat ze slikte. Toen haalde ze een pakje papieren zakdoekjes uit haar zak en gaf mij er een. 'Ik ga nu naar huis.'

'Weet Ruth het al?'

'Ja. Ze zal zo wel hier zijn.'

Ik gaf mam haar tas. 'Dus je gaat niet naar Maida Vale,' zei ik zacht.

Ze schudde haar hoofd. 'Het is te laat. Maar ik ben blij dat ik hier was.' Ze omhelsde me en liep toen het ziekenhuis uit.

Een verpleegkundige vertelde me waar de kinderafdeling was. Ik ging met de lift naar boven en trof pap op een stoel bij het achterste kinderbed aan, waarin Louis met een autootje zat te spelen. Hij leek weer min of meer zichzelf, afgezien van het verband om zijn hand, waar ze het infuus hadden aangelegd. Zijn kleur leek weer normaal, afgezien van...

'Wat is dat?' vroeg ik. 'Op zijn wang?'

'Wat is wat?' vroeg pap.

'Op zijn wang... daar?' Ik tuurde naar Louis en realiseerde me toen wat het was... de volmaakte afdruk van een koraalrode kus.

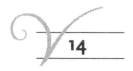

14

HET KOSTTE ME EEN DAG OM OVER HET TRAUMA VAN DE ZIEKENHUIS-opname van Louis heen te komen. Ik belde mam om te vragen hoe het met haar was.

'Het gaat goed met me,' zei ze zacht. 'Het was een... vreemde situatie, op z'n zachtst gezegd. Hoe is het met je vader?'

'Hij is niet blij. Hij krijgt het zwaar te verduren van Ruth.'

'Waarom?'

'Ze is woedend omdat hij niet wist dat je meteen naar het ziekenhuis moet gaan als je meningitis vermoedt.'

'Dan zou ze zelf wat meer verantwoordelijkheid voor Louis moeten nemen! Je vader is tweeënzestig,' vervolgde mam. 'Hij doet zijn best, maar zijn instinct was gewoon... verkeerd. Louis heeft professionele zorg nodig. Je vader is geen kinderjuf, hij is archeoloog.'

'Dat is waar... ook al krijgt hij geen werk. Maar hoe zit het nu met jouw behandeling, mam? Wanneer gaat dat gebeuren?'

Mam aarzelde. 'Dat... weet ik nog niet zeker.'

Twee dagen later kwam Miles me bij de winkel ophalen en nam hij me mee naar zijn huis. Omdat ik me wat vies voelde, nam ik snel een bad en ging daarna naar beneden om het eten klaar te maken. Tijdens het eten praatten we over wat er met Louis was gebeurd.

'Godzijdank was je moeder zo dichtbij.'

'Ja, dat was inderdaad een geluk.' Ik had Miles niet verteld waarheen ze op weg was geweest. 'Haar moederinstincten kwamen weer naar boven.'

'Maar wat een bizarre ontmoeting zo, voor je ouders.'

'Inderdaad. Het was de eerste keer dat ze elkaar zagen sinds pap weg is gegaan. Ik geloof dat ze er allebei nogal van onder de indruk waren.'

'Nou... het is in elk geval goed afgelopen.' Miles schonk een glas witte wijn voor me in. 'En je zei dat je het erg druk hebt gehad in de winkel.'

'Het was een gekkenhuis... onder andere door een leuk citaat over de winkel in de *Evening Standard*.' Ik besloot Miles niet te vertellen dat het bewuste citaat van het meisje kwam dat op Roxy's jurk was gaan staan. 'Dus dat heeft me klanten gebracht, en er zijn wat Amerikanen geweest die kleren wilden kopen voor Thanksgiving.'

'Wanneer is dat? Morgen?'

'Ja. Er was een ware run op "wiggle-dresses", strak aansluitende jurken... allemaal erg retro.'

'Mooi.' Miles hief zijn glas. 'Dus alles gaat goed?'

'Daar lijkt het wel op.'

Alleen had ik niets meer van Luke gehoord. Omdat er inmiddels twee weken waren verstreken, nam ik aan dat Miriam Lipietzka over mijn verzoek had gehoord en dat haar antwoord, om wat voor reden dan ook, nee luidde.

Na het avondeten gingen Miles en ik in de woonkamer tv zitten kijken. Toen het nieuws van tien uur begon, hoorden we de voordeur opengaan. Roxy was uit geweest met een vriendin. Miles liep naar de gang om even met haar te praten.

Ik hoorde haar geeuwen. 'Ik ga naar bed.'

'Oké, lieverd, maar denk erom dat ik je morgen al vroeg wegbreng, omdat ik een ontbijtbespreking heb. We gaan om zeven uur weg. Phoebe sluit wel af als ze wat later weggaat dan wij.'

'Oké. Trusten, pap.'

'Welterusten, Roxy,' riep ik.

'Welterusten.'

Miles en ik bleven nog ongeveer een uur op, keken naar de helft van *Newsnight* en gingen toen naar bed, waar we in elkaars armen gingen liggen. Ik voelde me prettig bij hem nu de problemen met Roxy minder werden en voor het eerst kon ik me een leven met hem samen voorstellen.

De volgende morgen was ik me er vaag van bewust dat Miles door de slaapkamer rondliep. Ik hoorde hem op de overloop tegen Roxy praten, rook toen de geur van geroosterd brood en hoorde daarna vaag het geluid van de voordeur die dichtviel.

Ik nam een douche en droogde mijn haren met een föhn die Miles nu voor mij in zijn slaapkamer had liggen. Daarna ging ik terug naar de badkamer om mijn tanden te poetsen en me op te maken. Ik liep naar de schoorsteenmantel om mijn ring met de smaragd te pakken, die ik daar de vorige avond had neergelegd. Ik keek naar het groene schaaltje waar ik hem in had gelegd. Er lagen een paar manchetknopen van Miles in, twee knopen en een boekje lucifers, maar verder niets.

Mijn eerste reactie was dat Miles hem op een veiliger plek had neergelegd. Ik geloofde niet dat hij dat gedaan zou hebben zonder het mij te vertellen, maar hij lag nergens anders, ook niet op de vloer, waarvan ik inmiddels elke centimeter had gecontroleerd. Ik merkte dat mijn ademhaling versneld raakte door de spanning omdat ik hem niet kon vinden.

Ik ging op het badkamerkrukje zitten en overdacht nog eens goed wat ik de vorige avond had gedaan. Ik was met Miles mee naar huis gekomen en omdat het de hele dag zo druk was geweest, had ik een bad genomen. Toen had ik de ring afgedaan en hem op het groene schaaltje gelegd, waar ik altijd mijn sieraden op legde als ik bij Miles bleef slapen. Ik had besloten hem niet weer aan te doen. Ik zou gaan koken en had hem daarom op het schaaltje laten liggen toen ik naar beneden ging.

Ik keek op mijn horloge, het was kwart voor acht. Ik zou al snel de trein naar Blackheath moeten nemen, maar ik was inmiddels in paniek over mijn ring en besloot Miles te bellen. Hij zat weliswaar in de auto, maar hij had een bluetooth-headset. 'Miles?' zei ik toen er werd opgenomen.

'Met Roxanne. Pap heeft me gevraagd om op te nemen omdat hij zijn headset is vergeten.'

'Wil je hem dan iets vragen, alsjeblieft?'

'Wat?'

'Wil je tegen hem zeggen dat ik mijn ring met smaragd gisteravond in zijn badkamer heb laten liggen, in een schaaltje op de schoorsteenmantel, en dat hij er nu niet meer ligt, dus dat ik me afvraag of hij hem ergens anders neer heeft gelegd.'

'Ik heb hem niet gezien,' zei ze.

'Wil je het aan je vader vragen?' herhaalde ik. Mijn hart ging tekeer.

'Pap, Phoebe zegt dat ze haar ring met de smaragd niet kan vinden; ze zegt dat ze hem in je badkamer op het groene schaaltje heeft gelegd en vraagt of je hem ergens anders neer hebt gelegd.'

'Nee, natuurlijk heb ik dat niet gedaan,' hoorde ik hem zeggen. 'Dat zou ik nooit doen.'

'Heb je het gehoord?' vroeg Roxy. 'Pap heeft hem niet aangeraakt. Niemand heeft hem aangeraakt. Je zult hem wel kwijtgeraakt zijn.'

'Nee, dat ben ik niet. Ik weet zeker dat hij daar lag, dus... als hij me straks zou willen bellen... ik...'

De verbinding was verbroken.

Ik was zo met mijn gedachten bij mijn ring dat ik bijna vergat het alarm in te schakelen. Ik gooide de sleutel door de brievenbus, liep naar Denmark Hill, nam de trein naar Blackheath en liep rechtstreeks naar de winkel.

Toen Miles me belde zei hij dat hij me die avond wel zou helpen de ring te zoeken. Hij was vast gevallen, zei hij. Dat was de enig mogelijke verklaring.

Die avond reed ik naar Camberwell.

'Waar had je hem nou neergelegd?' vroeg Miles toen we in zijn badkamer stonden.

'Hier, op dit schaaltje...'

Toen drong het opeens tot me door. Ik was die ochtend te gestrest geweest om het in de gaten te hebben, maar Roxy had tegen Miles gezegd dat ik de ring op 'het groene schaaltje' had gelegd. Ik had haar echter niet verteld dat het om het groene schaaltje ging... ik had 'een schaaltje' gezegd. Er stonden er drie, in verschillende kleuren. Ik kreeg een akelig, draaierig gevoel en ik moest mijn hand op de schoorsteenmantel leggen voor steun.

'Ik heb hem hier neergelegd,' zei ik weer. 'Ik had snel een bad genomen en besloten hem niet weer aan te doen omdat ik zou koken. Toen ik hem vanmorgen weer aan wilde doen was hij weg.'

Miles keek naar het groene schaaltje. 'Weet je zeker dat je hem hier neer had gelegd? Want ik herinner me niet dat ik hem gisteravond heb zien liggen toen ik mijn manchetknopen uit deed.'

Ik voelde mijn maag samentrekken. 'Ik weet het heel zeker... ik heb hem rond halfzeven daar neergelegd.' Er viel een ongemakkelijke stilte. 'Miles...' Mijn mond leek zo droog te zijn geworden als vloeipapier. 'Miles... het spijt me... maar ik kan niet anders dan me afvragen...'

Hij keek me aan. 'Ik weet wat je denkt, en het antwoord is nee.'

Ik voelde mijn gezicht warm worden. 'Maar Roxy was de enige andere persoon in huis. Denk je dat er een kans bestaat dat zij hem heeft gepakt?'

'Waarom zou ze?'

'Bij vergissing,' zei ik wanhopig. 'Of misschien alleen om... hem te bekijken, en misschien heeft ze daarna vergeten hem terug te leggen.' Ik keek hem indringend en met bonkend hart aan. 'Miles, alsjeblieft... wil je het haar vragen?'

'Nee, dat doe ik niet. Ik heb Roxanne tegen je horen zeggen dat ze je ring niet had gezien en zo is het, en niet anders.' Ik vertelde Miles dat Roxy leek te weten dat het bewuste schaaltje groen was.

'Nou...' Hij gooide zijn handen in de lucht. 'Ze weet dat er een groen schaaltje staat omdat ze hier wel eens komt.'

'Maar er staan ook een blauw en een rood schaaltje. Hoe wist Roxy dat ik hem op het groene schaaltje had gelegd zonder dat ik haar dat had verteld?'

'Omdat ze weet dat ik mijn manchetknopen altijd op het groene schaaltje leg, dus ze moet hebben aangenomen dat jij je ring ook daar neer had gelegd... of misschien was het een simpel geval van associatie, omdat smaragden ook groen zijn.' Hij haalde zijn schouders op. 'Ik weet het echt niet... ik weet alleen zeker dat Roxy je ring niet heeft gepakt.'

Mijn hart ging tekeer. 'Hoe kun je dat nou zeker weten?'

Miles keek me aan alsof ik hem geslagen had. 'Omdat ze in haar hart een goede, fatsoenlijke meid is. Ze zou nooit iets verkeerds doen. Dat heb ik je al eerder verteld, Phoebe.'

'Ja, dat klopt... je zegt dat zelfs heel vaak, Miles. Ik weet niet goed waarom.'

Miles' gezicht was rood geworden. 'Omdat het waar is. En kom nou, zeg,' hij haalde zijn hand door zijn haar, 'je hebt gezien wat Roxy allemaal heeft. Ze heeft niets nodig wat van iemand anders is.'

Ik slaakte een gefrustreerde zucht. 'Miles,' zei ik zacht, 'wil je alsjeblieft in haar kamer gaan kijken, want ík kan dat niet doen.'

'Natuurlijk kun je dat niet doen! En ik doe het ook niet.' Er verschenen tranen van frustratie in mijn ogen. 'Ik wil gewoon mijn ring terug. En ik denk dat Roxy hier gisteravond binnen is geweest en hem heeft gepakt. Een andere verklaring is er niet. Miles, wil je alsjeblieft gaan kijken?'

'Nee.' Ik zag de ader in zijn slaap opzwellen. 'En ik vind het niet juist dat je me dat vraagt.'

'En ik vind het niet juist dat jij het weigert! Vooral omdat je weet dat Roxy een uur voor ons naar bed is gegaan en ze dus tijd genoeg had om hier naar binnen te gaan... en je hebt zelf gezegd dat ze hier wel vaker komt...'

'Ja, om shampoo te pakken, maar niet om de sieraden van mijn vriendin te stelen.'

'Miles, iemand heeft mijn ring van dat schaaltje gepakt.'

Hij staarde me aan. 'Je hebt geen bewijs dat het Roxanne is geweest. Je bent hem waarschijnlijk gewoon ergens verloren en nu geef je haar de schuld.'

'Ik ben hem niet verloren.' Ik voelde dat mijn ogen zich vulden met tranen. 'Ik wéét wat ik ermee heb gedaan. Ik probeer gewoon te begrijpen...'

'En ík probeer mijn kind te beschermen tegen jouw leugens!'

Ik voelde mijn mond openvallen. 'Ik lieg niet,' zei ik zacht. 'Mijn ring lag daar en vanmorgen was hij weg. Jij hebt hem niet gepakt en er was maar één andere persoon in dit huis aanwezig.'

'Ik wil dit niet hebben!' beet Miles me toe. 'Ik wil niet hebben dat mijn dochter wordt beschuldigd.' Hij was zo kwaad dat de aderen in zijn hals als kabels boven op de huid leken te liggen. 'Ik wilde het de vorige keer niet hebben, en ik wil het nu ook niet hebben! Want dat is wat je doet, Phoebe, net als Carla en haar afschuwelijke ouders.' Hij haalde een vinger onder zijn kraag door. 'Ze beschuldigden haar ook, met net zo weinig rechtvaardiging.'

'Miles... die gouden armband werd in Roxy's la gevonden.'

Zijn ogen schoten vuur. 'En daar was een volmaakt redelijke verklaring voor.'

'O, echt?'

'Ja! Echt.'

'Miles,' zei ik, mezelf dwingend om kalm te blijven. 'We kunnen dit uitzoeken nu Roxy niet thuis is. Ik begrijp dat ze nog erg jong is en dat ze misschien in de verleiding is gekomen mijn ring op te pakken en vervolgens vergeten heeft hem terug te leggen, maar ga alsjeblieft in haar kamer kijken.' Hij liep de badkamer uit. Mooi, dacht ik, hij gaat kijken. Mijn hart zonk me echter in de schoenen toen hij in plaats daarvan naar beneden ging. 'Ik ben heel erg van streek,' zei ik moedeloos toen ik achter hem aan de keuken in liep.

'Ik ook... en weet je wat?' Hij opende de deur van de wijnkast. 'Misschien ben je je ring niet eens verloren.' Miles haalde een fles uit een van de houten rekken.

'Wat bedoel je daarmee?'

Hij rommelde in een la en vond de kurkentrekker. 'Misschien heb je hem gewoon zelf en loop je dit te verzinnen.'

'Maar... waarom zou ik dat doen?'

'Om je op Roxy te wreken, omdat ze af en toe wat lastig tegen je doet?'

Ik keek Miles woedend aan. 'Dan zou ik wel gek moeten zijn. En ik wil me helemaal niet op haar wreken... ik wil goed met haar overweg kunnen. Miles, ik denk dat de ring in haar kamer ligt, dus het enige wat je hoeft te doen is hem gaan zoeken en dan praten we er verder niet meer over.'

Miles tuitte zijn lippen. 'Hij ligt niet in Roxy's kamer, Phoebe, omdat ze geen dingen van anderen wegpakt. Mijn dochter steelt niet. Ze is géén dief... dat heb ik tegen hén gezegd en dat zeg ik nu tegen jóú! Roxy is géén dief... dat is ze niet, niet, NIET...' Miles gooide plotseling de fles op de grond en die spatte op de tegels uit elkaar. Ik keek naar de verspreide groene scherven, naar de groter wordende rode plas en naar het mooie etiket met de merel, dat in tweeën was gescheurd.

Miles stond tegen het aanrecht geleund, zijn handen voor zijn gezicht. 'Ga alsjeblieft weg,' zei hij schor. 'Wil je alsjeblieft weggaan, Phoebe... ik kan gewoon niet...'

Ik stapte vreemd kalm tussen de groene scherven door, pakte mijn jas en das en liep het huis uit.

Ik bleef nog even in de auto zitten en probeerde mijn zenuwen te kalmeren voordat ik durfde te rijden. Toen startte ik met nog steeds bevende handen de auto. Ik zag een vlekje rode wijn op mijn manchet. *Roxy draagt het altijd bij zich...* Er was gewoon geen andere verklaring. *Ze heeft een acuut besef van 'niet-hebben'.* Miles had haar zóveel gegeven, hij had haar alles maar gewoon in de schoot geworpen alsof, ja, alsof ze alles mocht pakken wat ze zag. *Wat bedoel je daarmee?* En dus had ze het idee dat ze het recht had... het recht om de armband van een vriendin te pakken, om jurken te krijgen die duizenden ponden kostten, om rustig te blijven zitten terwijl anderen zich uitsloofden, om een kostbare ring weg te pakken die ze had zien liggen. Waarom zou ze aarzelen om iets weg te pakken als haar nooit iets werd geweigerd? Maar de manier waarop Miles had gereageerd... Niets had me daarop voor kunnen bereiden. Nu begreep ik het. *Elle est son talon d'Achille.* Miles kon simpelweg niet accepteren dat Roxy ook maar iets verkeerds zou kunnen doen.

Toen ik mijn voordeur opende, stortte een vertraagde schok zich in golven over me heen. Ik ging aan de keukentafel zitten, liet mijn tranen komen en hapte huilerig naar adem. Terwijl ik een tissue tegen mijn ogen drukte, drong het tot me door dat er bij de buren gasten arriveerden. Het stel naast me leek een feestje te hebben. Ik herinnerde me dat ze uit Boston kwamen. Het was waarschijnlijk een Thanksgiving-diner.

Ik realiseerde me dat de telefoon ging. Ik liet hem rinkelen omdat ik wist dat het Miles moest zijn. Hij belde op om te zeggen dat hij er spijt van had... dat hij zich afschuwelijk had gedragen en dat hij net in Roxy's kamer was gaan kijken en daar inderdaad mijn ring had gevonden, en of ik hem alsjeblieft wilde vergeven? De telefoon ging nog steeds over. Ik wilde dat hij ophield, maar dat deed hij niet. Ik was waarschijnlijk vergeten de voicemail in te schakelen.

Ik liep naar de gang en nam op zonder iets te zeggen.

'Hallo?' klonk de stem van een oude vrouw.

'Ja?'

'Spreek ik met Phoebe Swift?' Heel even dacht ik dat het mevrouw Bell was, maar toen realiseerde ik me dat het Franse accent een Noord-Amerikaanse intonatie had. 'Mag ik Phoebe Swift, alstublieft?' hoorde ik.

'Ja... u spreekt met Phoebe. Sorry... met wie spreek ik?'

'Mijn naam is Miriam Lipietzka...'

Ik liet me op de stoel in de gang zakken. 'Mevrouw Lipietzka?' Ik leunde met mijn hoofd tegen de muur.

'Luke Kramer vertelde me...' Ik hoorde dat ze wat benauwd klonk en dat haar ademhaling een beetje rochelde terwijl ze sprak. 'Luke Kramer vertelde me dat je me wilde spreken.'

'Ja,' zei ik zacht. 'Dat klopt... ik wil u heel graag spreken. Ik ging er al van uit dat het niet meer zou gebeuren. Ik wist dat u ziek was.'

'O ja, maar nu ben ik weer beter, min of meer. En daarom ben ik nu klaar om...' Ze zweeg even en ik hoorde haar zuchten. 'Luke legde me uit waarom u had gebeld. Ik moet zeggen dat het een periode van mijn leven is waar ik zelden met iemand over praat. Maar toen ik die namen weer hoorde, die me zó vertrouwd waren, wist ik dat ik wel moest reageren. Daarom vertelde ik Luke dat ik je zou bellen als ik daar klaar voor was. En nu voel ik me er klaar voor...'

'Mevrouw Lipietzka...'

'Zeg alsjeblieft Miriam.'

'Miriam, ik zal je zo terugbellen. Het is een internationale verbinding.'

'Dat zou erg vriendelijk zijn, aangezien ik van een muzikantenpensioen moet leven.'

Ik pakte een blocnote en schreef het nummer op. Nadat ik had opgehangen schreef ik nog snel een paar vragen op die ik Miriam wilde stellen, opdat ik ze zeker niet zou vergeten. Even later had ik mezelf weer onder controle en koos ik het nummer.

'Dus... je kent Thérèse Laurent?' begon Miriam.

'Ja. Ze woont bij me in de buurt en ze is een goede vriendin geworden. Na de oorlog is ze naar Londen verhuisd.'

'Aha. Nou, ik heb haar nooit ontmoet, maar ik had altijd het gevoel dat ik haar kende door wat ik over haar las in de brieven die Monique me uit Avignon stuurde. Ze zei dat ze vriendschap had gesloten met een meisje dat Thérèse heette en dat ze samen veel plezier hadden. Ik herinner me dat ik zelfs een beetje jaloers was.'

'Thérèse vertelde dat zij een beetje jaloers op jou was omdat Monique zo vaak over jou praatte.'

'Tja, Monique en ik hadden een erg hechte band. We leerden elkaar kennen toen ze in 1936 op onze kleine school in de Rue des Hospitaliers in Le Marais kwam... de Joodse wijk. Ze kwam uit Mannheim en sprak nauwelijks een woord Frans, dus ik vertaalde alles voor haar.'

'En je kwam zelf uit de Oekraïne?'

'Ja, uit Kiev, maar mijn familie vertrok naar Parijs om aan het communisme te ontsnappen toen ik vier was. Ik herinner me Moniques ouders, Lena en Emil, nog heel goed. Ik zie ze voor me alsof het gisteren was,' voegde ze er verrast aan toe. 'Ik herinner me dat de tweeling werd geboren. Moniques moeder was daarna een hele tijd ziek en ik weet nog dat Monique, die toen pas acht was, voor het hele gezin moest koken. Haar moeder vertelde vanuit het bed precies wat ze moest doen.' Miriam zweeg even. 'Ze kan toen niet geweten hebben wat voor groot geschenk ze haar dochter daar feitelijk mee gaf.' Ik vroeg me af wat Miriam daarmee bedoelde, maar ik wilde haar niet onderbreken. Ze zou dit moeilijke verhaal op haar eigen manier vertellen en ik zou mijn ongeduld moeten beteugelen.

'Moniques familie woonde net als de mijne aan de Rue des Rosiers, dus we zagen elkaar heel vaak. Ik was intens verdrietig toen ze naar de Provence verhuisden. Ik weet nog dat ik bittere tranen huilde en tegen mijn ouders zei dat wij ook daarheen moesten verhuizen, maar ze leken zich minder zorgen over de situatie te maken dan de ouders van Monique. Mijn vader had zijn baan nog – hij was ambtenaar op het ministerie van Onderwijs. In grote lijnen hadden we een goed leven, tot de dingen begonnen te veranderen.' Ik hoorde Miriam hoesten en ze pauzeerde even om wat water te drinken. 'Eind 1941 werd mijn vader ontslagen – het aantal Joden dat voor de regering werkte werd teruggeschroefd. Daarna werd er een avondklok ingesteld. En op 7 juni 1942 kregen we te horen dat er een bevel was uitgegeven dat alle Joden in het bezette gebied de gele ster moesten dragen. Mijn moeder naaide hem op het linkerpand van mijn jas, zoals geïnstrueerd, en ik herinner me dat we op straat werden nagekeken en dat ik dat vreselijk vond. Op 15 juli 1942 stond ik met mijn vader uit het raam te kijken toen hij plotseling zei: "Daar zijn ze," en de politie kwam binnen en nam ons mee...'

Miriam beschreef nu dat ze naar Drancy werd gebracht, waar ze een maand moest wachten voordat ze met haar ouders en haar zusje Lilianne op transport werd gesteld. Ik vroeg haar of ze bang was geweest.

'Niet echt,' antwoordde ze. 'Er was ons verteld dat we naar een werkkamp werden gebracht en we koesterden geen argwaan omdat we daar met een passagierstrein heen reisden... niet in de veewagens die ze later gingen gebruiken. We arriveerden na twee dagen in Auschwitz. Ik herinner me nog dat ik een band een levendige mars van Lehár hoorde spelen toen we op de kale vlakte uitstapten. En we troostten elkaar en zeiden dat het niet zo erg kon zijn als er muziek werd gespeeld. Maar tegelijk was er overal dat prikkeldraad waar stroom op stond. Een officier van de ss had de leiding. Hij zat op een stoel, met één voet op een kruk en zijn geweer op schoot. Wanneer de mensen hem passeerden wees hij met zijn duim welke kant ze op moesten – links of rechts. We konden niet weten dat ons lot werd bezegeld door de beweging van de duim van die man. Lilianne was pas tien, maar een vrouw zei mijn moeder dat ze haar een hoofddoek om moest doen, zodat ze wat ouder leek. Mijn moeder was verbaasd over het advies, maar volgde het toch op... en redde daarmee Liliannes leven. Toen moesten we onze waardevolle spullen in grote dozen leggen. Ik moest mijn viool afgeven en ik begreep niet waarom; ik herinner me dat mijn moeder huilde toen ze haar trouwring en het gouden medaillon met foto's van haar ouders in de doos legde. Toen werden we gescheiden van mijn vader, die naar de mannenbarakken werd gebracht, terwijl wij naar de vrouwenbarakken gingen.' Terwijl Miriam weer wat water dronk, keek ik naar mijn haastig gemaakte, maar wel leesbare aantekeningen. Ik zou ze later wel uitschrijven.

Miriam zweeg nog even. 'De volgende dag werden we tewerkgesteld. We moesten sloten graven. Dat deed ik drie maanden lang en 's avonds kroop ik naar mijn bed. We lagen dicht op elkaar, met z'n drieën op die vreselijk dunne stromatrasjes. Ik troostte mezelf door mijn vingerzetting voor de viool te "oefenen" op een denkbeeldige greep. Toen hoorde ik op een dag toevallig twee bewaaksters praten. Een van hen had het over Mozarts eerste vioolconcert; ze zei dat ze dat zo mooi vond. Voor ik het in de gaten had zei ik: "Dat kan ik spelen." Die vrouw keek me indringend aan en ik dacht dat ze me zou slaan, of erger nog, omdat ik haar zonder toestemming had aangesproken. Mijn hart lag op mijn tong. Maar tot mijn verbazing verscheen er een verheugde glimlach op haar gezicht en vroeg ze me of ik het echt kon spelen. Ik zei dat ik het het voorgaande jaar had geleerd en dat ik het voor publiek had gespeeld. En dus werd ik naar Alma Rosé gestuurd.'

'Dus zo kwam je bij het vrouwenorkest terecht?'

'Ze noemden het wel "vrouwenorkest", maar we waren nog maar meisjes, meest tieners. Alma Rosé haalde een viool voor me uit het reusachtige pakhuis waar alle waardevolle spullen van iedereen die in het kamp was aangekomen waren opgeslagen alvorens die naar Duitsland werden gestuurd. Het pakhuis stond bekend als "Canada", omdat het zo vol rijkdom lag.'

'En hoe zat het met Monique?' vroeg ik nu.

'Nou, ik heb Monique weer ontmoet doordat het orkest bij de poort stond te spelen wanneer de werktroepen 's ochtends vertrokken en wanneer ze 's avonds terugkwamen. En we speelden ook wanneer de nieuwe transporten arriveerden, zodat de uitgeputte, verbijsterde mensen de muziek van Chopin en Schumann hoorden en zich daardoor niet zouden realiseren dat ze in feite aan de poort van de hel stonden. Op een dag, vroeg in augustus 1943, stond ik weer bij de poort te spelen toen de trein arriveerde en ik herkende Monique tussen de nieuw aangekomenen.'

'Hoe voelde je je?'

'Opgetogen en daarna doodsbang dat ze niet door de selectie zou komen, maar godzijdank werd ze naar rechts gestuurd – de kant van de levenden. Een paar dagen later zag ik haar weer. Zoals bij iedereen was haar hoofd kaalgeschoren en ze was erg mager. Ze droeg niet de blauw-met-wit gestreepte kleding die de meeste gevangenen droegen, maar een lange goudkleurige avondjurk, die vast en zeker uit "Canada" kwam, en een paar herenschoenen die haar veel te groot waren. Misschien was er op dat moment geen gevangenenuniform voor haar beschikbaar, of misschien hadden ze het voor de "lol" gedaan. Maar daar liep ze dus in die prachtige satijnen jurk stenen te sjouwen voor de wegenbouw. Het orkest liep voorbij op weg terug naar ons blok en opeens keek Monique op en zag me.'

'Kon je met haar praten?'

'Nee, maar ik slaagde erin haar een boodschap door te geven en drie dagen later ontmoetten we elkaar bij haar blok. Tegen die tijd droeg ze wel de blauw-met-wit gestreepte jurk die de vrouwelijke gevangenen droegen, met een hoofddoek en houten klompen. De muzikanten kregen meer voedsel dan de andere gevangenen, dus gaf ik haar een stuk brood, dat ze onder haar arm verborg. We praatten maar even met elkaar. Ze vroeg me of ik haar ouders en broertjes had gezien, maar dat had ik niet. Ze informeerde ook naar mijn familie. Ik vertelde haar dat mijn vader drie maanden na onze komst aan tyfus was overleden en dat mijn moeder en Lilianne naar Ravensbrück waren overgebracht om in een wapenfabriek te werken. Ik zou hen pas na de oorlog weer zien. Het was dus een immense troost dat Monique daar was, maar tegelijk stond ik grote angsten om haar uit, want haar leven was veel zwaarder dan het mijne. Het werk dat ze deed was erg inspannend en ze kreeg maar weinig voedsel, dat ook nog slecht was. En iedereen wist wat er gebeurde met gevangenen die te zwak werden om te werken.' Ik hoorde Miriams stem stokken. Even later ademde ze in. 'En dus begon ik dingen voor Monique te bewaren. Soms een wortel; soms een beetje honing. Ik weet nog dat ik haar een keer een kleine aardappel gaf, en ze was zo blij dat ze moest huilen toen ze die zag. Wanneer er nieuwe gevangenen arriveerden, ging Monique altijd naar de poort als ze kon, omdat ze wist dat ik daar moest spelen en het haar troost schonk om bij me in de buurt te zijn.'

Ik hoorde Miriam slikken. 'En toen – ik weet het nog goed, in februari 1944 – zag ik Monique daar een keer staan. We waren net even opgehouden met spelen. Toen ging een van de hoger geplaatste bewaaksters, dat mens – we noemden haar "het beest"...' Miriam zweeg even. 'Ze ging naar Monique toe, pakte haar bij haar arm, eiste te horen wat ze daar stond te "lummelen", en zei dat ze onmiddellijk met haar mee moest komen. Monique begon te huilen en ik zag haar over mijn bladmuziek heen naar me kijken alsof ze dacht dat ik haar kon helpen.' Miriams stem stokte weer. 'Maar ik moest weer verder spelen. En terwijl Monique werd meegesleurd speelden wij de "Tritsch Tratsch Polka" van Strauss, zo'n levendig en mooi stuk... Ik heb het daarna nooit meer kunnen spelen of er zelfs maar naar kunnen luisteren...'

Terwijl Miriam verder vertelde, tuurde ik door het raam naar buiten en keek ik naar mijn hand. Wat was het verlies van een ring vergeleken bij wat ik nu hoorde? Miriams stem haperde weer en ik hoorde een onderdrukte snik. Daarna vertelde ze haar verhaal tot het einde en namen we afscheid van elkaar. Terwijl ik de telefoon neerlegde klonken door de muur heen de geluiden van mijn buren, die lachten, praatten en dank zegden.

'Heb je nadat het gebeurd is nog iets van Miles gehoord?' vroeg mevrouw Bell me de zondagmiddag daarna. Ik had haar zojuist verteld wat zich in Camberwell had voorgedaan.

'Nee, dat heb ik niet,' antwoordde ik. 'En dat verwacht ik ook niet, tenzij het is om me te zeggen dat hij mijn ring heeft gevonden.'

'Arme man,' mompelde mevrouw Bell. Ze streek de lichtgroene sjaal van mohair glad die ze nu altijd over haar schoot had liggen. 'Het riep kennelijk de herinnering op aan wat er op de school van zijn dochter was gebeurd.' Ze keek me aan. 'Denk je dat er enige hoop is op verzoening?'

Ik schudde mijn hoofd. 'Hij was bijna krankzinnig van woede. Misschien kun je als je lang genoeg met iemand samen bent een daverende ruzie zo nu en dan wel overleven, maar ik ken Miles amper drie maanden en ik ben er zeer door geschokt. Bovendien klopte zijn hele houding tegenover wat er was gebeurd niet.'

'Misschien heeft Roxy de ring alleen maar weggenomen om een conflict tussen jou en Miles te veroorzaken.'

'Daar heb ik ook aan gedacht en ik heb besloten dat ze dat beslist als een bonus zou zien, maar ik denk dat ze hem heeft weggepakt omdat ze nu eenmaal dingen wegpakt.'

'Maar je moet hem terugkrijgen...'

Ik draaide mijn handpalmen naar boven. 'Wat kan ik doen? Ik kan niet bewijzen dat Roxy hem heeft gestolen en zelfs als ik dat wel zou kunnen, zou het nog altijd... verschrikkelijk zijn. Dat zou ik niet aankunnen.'

'Maar Miles kan het hier toch niet zomaar bij laten,' zei mevrouw Bell. 'Hij moet de ring zoeken.'

'Ik geloof niet dat hij dat zal doen, omdat hij hem dan waarschijnlijk zou vinden, en dat zou een eind maken aan zijn mythe over Roxy.'

Mevrouw Bell schudde haar hoofd. 'Dit is een erg bittere pil voor je, Phoebe.'

'Dat is het zeker, maar ik zal moeten proberen het los te laten. Ik weet ook dat je veel waardevoller dingen kwijt kunt raken dan een ring, hoe dierbaar die je ook is.'

'Waarom zeg je dat? Phoebe...' Mevrouw Bell keek me strak aan. 'Je hebt tranen in je ogen.' Ze pakte mijn hand vast. 'Waarom?'

Ik slaakte een zucht. 'Alles is in orde met me...' Het zou niet juist zijn om mevrouw Bell te vertellen wat ik wist. Ik stond op. 'Maar ik moet nu gaan. Is er nog iets wat ik voor u kan doen?'

'Nee.' Ze keek op de klok. 'De wijkverpleegkundige komt zo.' Ze nam mijn hand tussen de hare. 'Ik hoop dat je gauw terugkomt, Phoebe. Ik vind het heel fijn als je er bent.'

Ik boog voorover om haar te kussen. 'Dat doe ik.'

Die maandag bracht Annie een exemplaar van de *Guardian* mee. Ze liet me een kleine aankondiging zien over de verkoop van de *Black & Green* aan Trinity Mirror voor 1,5 miljoen pond. 'Denk je dat dat goed nieuws voor hen is?' vroeg ik.

'Het is in elk geval goed nieuws voor de eigenaren van de krant,' antwoordde Annie, 'want die verdienen eraan. Maar het is misschien niet zo goed voor het personeel, omdat het mogelijk is dat het nieuwe management iedereen ontslaat.'

Ik besloot Dan ernaar te vragen... misschien ging ik wel naar zijn volgende filmvertoning.

Annie trok haar jas uit. 'Moeten we geen kerstversiering ophangen?' zei ze. 'Het is immers al 1 december.'

Ik keek haar wezenloos aan. Ik was zozeer met andere dingen bezig geweest dat ik daar helemaal niet aan had gedacht. 'We moeten inderdaad iets ophangen – maar wel alleen vintage.'

'Papieren slingers,' opperde Annie terwijl ze de winkel rondkeek. 'Zilver- en goudkleurige. Ik loop wel even bij John Lewis binnen wanneer ik naar Tottenham Court Road ga voor mijn auditie. We moeten ook wat hulst ophangen... dat breng ik wel mee van de bloemist bij het station. En we hebben kerstverlichting nodig.'

'Mijn moeder heeft nog heel mooie oude,' zei ik. 'Elegante gouden en witte engelen en sterren. Ik zal haar vragen of we die mogen lenen.'

'Natuurlijk mag je die lenen,' zei mam toen ik haar een paar minuten later belde. 'Weet je wat? Ik zoek ze nu meteen even op en dan breng ik ze wel. Ik heb op het moment toch niet echt veel te doen.' Mam had besloten te blijven doen alsof ze op vakantie was.

Ze kwam een uur later binnen met een grote kartonnen doos in haar armen, en we hingen de snoeren met lampjes langs de voorkant van de winkel.

'Ze zijn prachtig,' zei Annie toen we ze aandeden.

'Ze zijn nog van mijn ouders geweest,' legde mijn moeder uit. 'Ze hebben ze begin jaren vijftig gekocht toen ik nog heel klein was. Er zit een nieuwe stekker aan, maar verder zijn ze nog prima. Ze zien er voor hun leeftijd zelfs goed uit.'

'Neem me niet kwalijk als ik te persoonlijk word, mevrouw Swift,' zei Annie, 'maar dat geldt ook voor u. Ik weet dat ik u pas een paar keer heb gezien, maar u ziet er op het moment fantastisch uit. Hebt u misschien een nieuw kapsel of zo?'

'Nee.' Mam keek blij maar verbaasd toen ze op haar blonde krullen klopte. 'Dat is nog precies hetzelfde.'

'Nou...' zei Annie, en ze haalde haar schouders op, 'u ziet er goed uit.' Ze ging haar jas pakken. 'Ik kan nu maar beter gaan, Phoebe.'

'Natuurlijk,' zei ik. 'Waar is het deze keer voor?'

'Kindertheater.' Ze rolde met haar ogen. '*Lama's in pyjama's*.'

'Ik had je toch verteld dat Annie actrice is, hè, mam?'

'Ja, dat had je verteld.'

'Maar ik heb er genoeg van,' zei Annie. Ze pakte haar tas. 'Ik wil echt mijn eigen show gaan schrijven. Ik bekijk op het moment een paar verhalen.'

Ik wilde dat ik haar het verhaal kon vertellen dat ik kende...

Toen Annie weg was, begon mam tussen de rekken te snuffelen. 'Deze kleren zijn echt mooi. Het idee om vintage te dragen stond me altijd tegen, hè, Phoebe? Ik stond er erg afwijzend tegenover.'

'Dat klopt. Waarom pas je niet gewoon iets aan?'

Mam glimlachte. 'Goed dan. Ik vind deze erg leuk.' Ze pakte een doorknoopjurk van Jacques Fath uit de jaren vijftig met een motief van kleine palmbomen uit het rek en ging ermee het pashokje in. Even later schoof ze het bedrukte katoenen gordijn weer opzij.

'Hij staat je erg leuk, mam. Je bent slank, dus je kunt dat model heel goed hebben... het staat heel elegant.'

Mam keek met iets van opgetogen verbazing naar haar spiegelbeeld. 'Het ziet er inderdaad leuk uit.' Ze voelde aan een mouw. 'En de stof is erg... interessant.'

Ze bekeek zichzelf nog eens en trok toen het gordijn weer dicht. 'Maar ik ga nu niets kopen.'

Omdat het rustig was in de winkel bleef mam een praatje maken. 'Weet je, Phoebe,' zei ze terwijl ze op de sofa ging zitten. 'Ik denk niet dat ik nog naar Freddie Church ga.'

Ik slaakte een zucht van verlichting. 'Dat lijkt mij een heel goede beslissing.'

'Zelfs met een korting van vijfentwintig procent kost het nog altijd 6000 pond. Ik zou het me wel kunnen veroorloven, nét, maar op de een of andere manier lijkt het me nu zonde van het geld.'

'In jouw geval zou het dat zeker zijn, mam, ja.'

Mam keek me aan. 'Ik neig nu toch wat meer naar jouw standpunt, Phoebe.'

'Waarom?' vroeg ik, al wist ik dat wel.

'Het is sinds vorige week,' antwoordde ze zacht. 'Sinds ik Louis heb ontmoet.' Ze schudde verbaasd haar hoofd. 'Een deel van mijn verbittering en verdriet is gewoon... verdwenen.'

Ik leunde tegen de toonbank aan. 'En hoe vond je het om pap weer te zien?'

'Tja...' Mam zuchtte. 'Dat voelde eigenlijk ook wel goed. Misschien omdat ik zo ontroerd was door zijn liefde voor Louis kon ik niet kwaad op hem zijn. Op de een of andere manier ziet alles er... beter uit.' Ik zag opeens wat Annie ook al had gezien. Mam zag er inderdaad anders uit; haar gelaatstrekken hadden zich ontspannen en ze leek knapper en ja, zelfs jonger. 'Ik zou Louis graag weer willen zien,' voegde ze er zacht aan toe.

'En waarom ook niet? Misschien kun je af en toe met pap gaan lunchen.'

Mam knikte langzaam. 'Dat zei hij ook al toen ik wegging. Of misschien kan ik meegaan als jij bij hem op bezoek gaat. We zouden allemaal samen met Louis naar het park kunnen gaan... als Ruth er geen bezwaar tegen heeft.'

'Die heeft het zo druk met haar werk dat ik betwijfel of het haar iets kan schelen. Bovendien is ze je dankbaar voor wat je hebt gedaan. Denk maar aan de leuke brief die ze je heeft gestuurd.'

'Ja, maar dat wil niet zeggen dat ze het fijn zou vinden als je vader en ik elkaar zien.'

'Ik weet het niet... ik denk dat het wel in orde zou zijn.'

'Nou ja...' Mam slaakte een zucht. 'We zullen zien. En hoe staat het met Miles?' Ik vertelde mam wat er was gebeurd. Haar gezicht betrok. 'Mijn vader heeft die ring aan mijn moeder gegeven toen ik geboren werd; mijn moeder gaf hem aan mij toen ik dertig werd, en op je eenentwintigste verjaardag heb ik hem aan jou gegeven, Phoebe.' Mam schudde haar hoofd. 'Dat is... hartverscheurend.' Ze tuitte haar lippen. 'Die man moet wel erg op een dwaalspoor zitten... in elk geval als vader.'

'Ik moet zeggen dat hij er met Roxy inderdaad niet veel van terecht brengt.'

'Is er geen enkele manier waarop je de ring terug zou kunnen krijgen?'

'Nee, dus ik probeer er maar niet aan te denken.'

Mam tuurde weer uit het raam. 'Daar heb je die man,' zei ze.

'Welke man?'

'Die forse, slecht geklede man met dat krulhaar.' Ik volgde haar blik en zag Dan aan de overkant van de straat lopen. Hij stak over en kwam naar ons toe. 'Anderzijds hou ik wel van krulhaar bij een man. Dat is ongebruikelijk.'

'Ja.' Ik glimlachte. 'Dat heb je al vaker gezegd.'

Dan duwde de deur van Villa Vintage open. 'Hoi, Dan,' zei ik. 'Dit is mijn moeder.'

'Echt waar?' Hij schonk mam een verbaasde blik. 'Niet je oudere zus?'

Mam bulderde van het lachen en zag er plotseling stralend uit. Dat was de enige facelift die ze nodig had... een lach.

Ze stond op van de sofa. 'Ik moet gaan, Phoebe. Ik heb met Betty van de bridgeclub afgesproken voor de lunch, om halfeen. Erg leuk om je weer te zien, Dan.' Ze zwaaide naar ons en verdween.

Dan begon in het rek met herenkleding te snuffelen.

'Zoek je iets speciaals?' vroeg ik hem glimlachend.

'Niet echt. Ik meende alleen dat ik hier maar wat geld moest komen uitgeven omdat ik het gevoel heb dat ik mijn fortuin aan deze winkel te danken heb.'

'Dat is misschien een beetje overdreven, Dan.'

'Niet veel.' Hij haalde een jasje uit het rek. 'Dit is mooi... fantastische kleur.' Hij tuurde ernaar. 'Het is smaakvol lichtgroen, ja toch?'

'Nee, het is roze... Versace.'

'Aha.' Hij hing het jasje terug.

'Dit zou je wel goed staan.' Ik hield een duifgrijs kasjmieren jack van Brooks Brothers omhoog. 'Het past bij je ogen. En het zou ruim genoeg moeten zijn op je borst. Het is maat 52.'

Dan paste het aan en keek waarderend naar zijn spiegelbeeld. 'Ik neem het,' zei hij blij. 'En ik had gehoopt dat je met me zou willen gaan lunchen om het te vieren.'

'Dat zou ik graag willen, Dan, maar ik sluit nooit tijdens lunchtijd.'

'Nou, waarom doe je dan niet eens één keer iets wat je anders nooit doet? We blijven maar een uurtje weg. En we kunnen naar wijnlokaal Chapters gaan, dan blijven we in de buurt.'

Ik pakte mijn tas. 'Goed dan... omdat het nu toch rustig is. Waarom niet?' Ik draaide het bordje voor de deur op 'Gesloten' en deed de deur op slot.

Toen Dan en ik voorbij de kerk liepen, vertelde hij me over de verkoop van de *Black & Green*. 'Het is fantastisch voor ons,' zei hij. 'Het is precies waar Matt en ik op hadden gehoopt: we wilden dat de krant een succes werd, zodat we hem konden verkopen en we ons geld terug zouden verdienen, hopelijk met rente.'

'Ik neem aan dat dat gelukt is?'

Hij grinnikte. 'We hebben onze inzet meer dan verdubbeld. We hadden geen van beiden verwacht dat het zo snel al zou gebeuren, maar de primeur over Phoenix heeft ons goed op de kaart gezet.' We stapten bij Chapters All Day Dining binnen en kregen een tafeltje bij het raam toegewezen. Dan bestelde twee glazen champagne.

'Wat gaat er nu met de krant gebeuren?' vroeg ik.

Hij pakte het menu op. 'Niet veel, omdat Trinity Mirror alles wil laten zoals het is. Matt blijft aan als redacteur en behoudt een klein aandeel. En het idee is om ook in andere wijken in Zuid-Londen soortgelijke kranten te gaan verspreiden. Iedereen blijft, behalve ik.'

'Waarom? Je vond het toch leuk?'

'Jazeker, maar nu heb ik de kans te gaan doen wat ik altijd al heb willen doen.'

'Wat is dat dan?'

'Mijn eigen bioscoop openen.'

'Maar dat heb je al gedaan.'

'Ik bedoel een echte bioscoop, waar natuurlijk nieuw uitgekomen films te zien zullen zijn, maar waar evenveel aandacht is voor klassieke films, waaronder ongebruikelijke films die je bijna nergens kunt zien, zoals, weet ik veel, *Peter Ibbetson*, een film met Gary Cooper uit 1934, of Fassbinders *Die bitteren Tränen der Petra von Kant*. Het zou zoiets zijn als de British Film Industry in het klein, met gesprekken en discussies.' De ober bracht onze champagne.

'En met moderne projectiemiddelen, neem ik aan?'

Hij knikte. 'De Bell en Howell is gewoon voor de lol. Ik wil na de kerst op zoek gaan naar een gebouw.' We gaven onze bestelling op.

'Ik ben blij voor je, Dan.' Ik hief mijn glas. 'Gefeliciteerd. Je hebt een behoorlijk risico genomen.'

'Dat klopt... maar ik kende Matt heel goed en ik vertrouwde erop dat hij een goede krant zou kunnen maken; en daarna hadden we die gigantische meevaller. Dus een toost op Villa Vintage.' Dan hief ook zijn glas. 'Dank je, Phoebe.'

'Dan...' zei ik even later. 'Ik ben nog ergens nieuwsgierig naar: die avond van het vuurwerk vertelde je over je grootmoeder... dat je dankzij haar in staat was geweest in de krant te investeren...'

'Dat klopt, maar jij moest weg. Nou, ik geloof dat ik je al had verteld dat ze me behalve de zilveren puntenslijper een tamelijk lelijk schilderij had nagelaten.'

'Ja.'

'Het was zo'n afschuwelijk semi-abstract ding dat ze al vijfendertig jaar op het toilet had hangen.'

'Je zei dat je daar een beetje teleurgesteld over was.'

'Dat is waar. Maar een paar weken later haalde ik het bruine papier eraf waarin het was verpakt en tegen de achterkant zat een brief van oma aan mij. Ze schreef dat ze wist dat ik het altijd een afschuwelijk schilderij had gevonden, maar dat ze dacht dat het misschien iets waard zou zijn. Dus ging ik ermee naar Christie's en toen kwam ik erachter dat het was gemaakt door Erik Anselm. Zelfs dat had ik niet geweten, omdat de handtekening onleesbaar was.'

'Ik heb van Erik Anselm gehoord,' zei ik toen de ober onze borden met vispastei kwam brengen.

'Hij was een jongere tijdgenoot van Rauschenberg en Twombly. De vrouw bij Christie's was erg opgetogen toen ze het zag en ze zei dat Erik Anselm net opnieuw ontdekt werd en dat het schilderij misschien wel 300.000 pond waard zou zijn...' Dus daar was het geld vandaan gekomen. 'Maar het werd verkocht voor 800.000 pond.'

'Lieve hemel. Dus je grootmoeder had je toch heel rijk bedeeld.'

Dan pakte zijn vork op. 'Buitengewoon rijk.'

'Verzamelde ze kunst?'

'Nee, ze was vroedvrouw. Ze zei dat ze het schilderij begin jaren zeventig had gekregen van een dankbare echtgenoot na een buitengewoon hachelijke bevalling.'

Ik hief mijn glas opnieuw. 'Nou, op oma Robinson dan maar.'

Dan glimlachte. 'Ik drink vaak op haar. Ze was bovendien een schat. Ik heb een deel van het geld gebruikt om mijn huis te kopen,' vervolgde hij toen we aan onze pastei begonnen. 'Toen vertelde Matt me dat hij moeite had om het kapitaal bij elkaar te krijgen dat hij nodig had om de *Black & Green* te starten. Ik had hem over mijn meevaller verteld en hij vroeg of ik bereid zou zijn in zijn krant te investeren, dus ik dacht er even over na en besloot toen er voor te gaan.'

Ik glimlachte. 'Een goede beslissing.'

Dan knikte. 'Dat was het zeker. Maar goed... het is erg leuk om hier met je te zitten, Phoebe. Ik heb je de laatste tijd nauwelijks te zien gekregen.'

'Tja, ik had nogal veel aan mijn hoofd, Dan. Maar nu gaat het prima met me.' Ik liet mijn vork zakken. 'Mag ik je iets vertellen?' Hij knikte. 'Ik vind je krulhaar leuk.'

'Echt waar?'

'Ja. Het is ongebruikelijk.' Ik keek op mijn horloge. 'Maar nu moet ik gaan, mijn uur is om. Bedankt voor de lunch.'

'Het was fijn om het samen met jou te vieren, Phoebe. Heb je zin om nog eens naar een film te gaan?'

'Jazeker. Draait er binnenkort iets goeds in de Robinson Rio?'

'*A Matter of Life and Death.*'

Ik keek Dan aan. 'Dat klinkt... geweldig.'

Dus reed ik die donderdag naar Hither Green. De schuur was vol en Dan gaf me een korte inleiding bij de film. Hij zei dat het een klassieke fantasyfilm, romantische film en rechtbankfilm in één was, waarin een gevechtspiloot uit de Tweede Wereldoorlog de dood een loer draait. 'Peter Carter is gedwongen zonder parachute uit zijn brandende vliegtuig te springen en hij overleeft het op wonderlijke wijze,' legde Dan uit, 'alleen om erachter te komen dat dit door een hemelse blunder komt die op het punt staat rechtgezet te worden. Hij wil blijven leven om bij de vrouw te zijn van wie hij houdt en hij bepleit zijn zaak voor de hemelse raad van beroep. Maar zal hij winnen?' vervolgde Dan. 'En is wat hij ziet de werkelijkheid of niet meer dan een hallucinatie, veroorzaakt door zijn verwondingen? Dat mag jij beslissen.'

Hij dimde het licht en de gordijnen schoven open.

Na afloop bleven enkelen van ons eten en napraten over de film en de manier waarop Powell en Pressburger zowel zwart-wit als kleur hadden gebruikt. 'Het feit dat de hemel monochroom is en de aarde in kleur, is bedoeld om de triomf van het leven over de dood te bevestigen,' zei Dan, 'iets wat het naoorlogse publiek waarschijnlijk heel goed aanvoelde.'

Het was een leuke avond geweest en toen ik terug naar huis reed, voelde ik me opgewekter dan ik me in dagen had gevoeld.

De volgende morgen kwam mam binnen en zei dat ze had besloten de doorknoopjurk van Jacques Fath toch te kopen. 'Betty vertelde me dat Jim en zij op de tweeëntwintigste een kerstborrel geven, dus ik wil graag een nieuwe outfit... een nieuwe oude outfit,' corrigeerde ze zichzelf.

'Oud is het nieuwe nieuw,' merkte Annie opgewekt op.

Mam pakte het mapje met haar creditcard, maar ik vond het geen prettig idee om geld van haar aan te nemen. 'Zie het maar als een vroeg verjaardagscadeau,' zei ik.

Mam schudde haar hoofd. 'Dit is je bron van inkomsten, Phoebe. Je hebt er vreselijk hard voor gewerkt en bovendien is mijn verjaardag pas over zes weken.' Ze pakte haar Visa-kaart. 'Hij kost 250 pond, is het niet?'

'Oké, maar je krijgt wel twintig procent korting. Dan wordt het 200 pond.'

'Dat is een koopje.'

'Dat doet me eraan denken,' zei Annie. 'Houden we uitverkoop in januari? De mensen vragen daar al naar.'

'Ik denk dat we dat maar moeten doen,' antwoordde ik terwijl ik de jurk van mam opvouwde en in een draagtas van Villa Vintage stopte. 'Iedereen doet het, en dan raken we ook wat extra voorraad kwijt.' Ik gaf mam haar tas.

'We zouden een preview-avond kunnen organiseren,' opperde Annie. 'Het allemaal een beetje opkloppen. Ik vind dat we manieren moeten zoeken om wat extra reclame voor de zaak te maken,' voegde ze eraan toe terwijl ze de handschoenen netjes legde. Het ontroerde me altijd dat Annie er zo mee bezig was om Villa Vintage tot een succes te maken.

'Ik wéét wat je zou moeten doen,' zei mam. 'Je zou een vintage modeshow moeten organiseren, waarbij Phoebe informatie geeft over elk kledingstuk. Dat heb ik bedacht toen ik je op de radio hoorde. Je zou over de stijl van het kledingstuk kunnen vertellen, over de sociale context van het tijdperk, iets over de ontwerper... je weet er immers heel veel van, lieverd.'

'Dat mag ook wel, na twaalf jaar in het vak.' Ik keek mam aan. 'Maar ik vind het een goed idee.'

'Je zou tien pond per persoon kunnen vragen, zodat je de mensen een glas wijn kunt aanbieden,' zei Annie, 'en bekendmaken dat ze de entreeprijs terugkrijgen als ze naderhand iets in de winkel kopen. Dat krijgt wel publiciteit van de plaatselijke pers. Je zou het in de Blackheath Halls kunnen doen.'

Ik dacht aan de grote zaal daar, met de houten lambrisering, het tongewelf en het brede podium. 'Dat is wel een erg grote ruimte.'

Annie haalde haar schouders op. 'Ik weet zeker dat je hem vol krijgt. Het zou een gelegenheid zijn om op een leuke manier wat over de geschiedenis van de mode te weten te komen.'

'Ik zou modellen moeten huren... dat is duur.'

'Vraag je klanten om het te doen,' stelde Annie voor. 'Ze zullen zich waarschijnlijk gevleid voelen, en dat zou gewoon leuk zijn. Ze kunnen de kleren showen die ze al hebben gekocht, en iets van de huidige voorraad.'

Ik keek Annie aan. 'Je hebt gelijk.' Ik zag de vier cupcake-jurken al over de catwalk zwieren. 'En de opbrengst kunnen we aan een goed doel schenken.'

'Doe het, Phoebe,' zei mijn moeder, 'we helpen je allemaal.' Met nog een zwaai naar Annie en mij vertrok ze.

Ik stond er wat aantekeningen over te maken en ik had iemand van Blackheath Halls gebeld om te informeren wat het kostte om de grote zaal te huren, toen de telefoon ging.

Ik nam op. 'Villa Vintage.'

'Spreek ik met Phoebe?'

'Ja.'

'Phoebe... je spreekt met Sue Rix. Ik ben de verpleegkundige die voor mevrouw Bell zorgt. Ik ben vanochtend bij haar en ze heeft me gevraagd je te bellen...'

'Is alles in orde met haar?' vroeg ik snel.

'Tja... die vraag is moeilijk te beantwoorden. Ze is buitengewoon geagiteerd. Ze blijft maar zeggen dat ze wil dat je naar haar toe komt...

het liefst meteen. Ik heb haar gewaarschuwd dat je dat misschien niet kunt.'

Ik keek naar Annie. 'Ik heb vandaag hulp in de winkel, dus dat kan wel. Ik kom er meteen aan.' Ik huiverde even van bezorgdheid toen ik mijn tas pakte. 'Ik ben een poosje weg, Annie.' Ze knikte. Daarna verliet ik de winkel en liep ik met een verwachtingsvol bonkend hart naar The Paragon.

Toen ik daar aankwam, deed Sue de deur voor me open.

'Hoe is het met mevrouw Bell?' vroeg ik toen ik naar binnen ging.

'Ze is verbijsterd,' antwoordde Sue. 'En erg emotioneel. Dat is ongeveer een uur geleden begonnen.'

Ik wilde de woonkamer in lopen, maar Sue wees naar de slaapkamer.

Mevrouw Bell lag in bed, met haar hoofd op het kussen. Ik had haar nog niet eerder in bed zien liggen en hoewel ik wist hoe ziek ze was, was het een schok voor me om te zien hoe mager ze onder de dekens leek.

'Phoebe... eindelijk!' Mevrouw Bell glimlachte opgelucht. In haar hand had ze een vel papier... een brief. Ik keek ernaar en mijn hart ging tekeer. 'Ik wil dat je me deze brief voorleest. Sue heeft wel aangeboden het te doen, maar het moet door niemand anders dan jou gebeuren.'

Ik trok een stoel bij naast haar bed. 'Kunt u hem zelf niet lezen, mevrouw Bell? Hebt u last van uw ogen?'

'Nee, nee... ik kan hem wel lezen. Ik heb hem al zeker twintig keer gelezen sinds hij is bezorgd. Maar nu moet jij hem voorlezen, Phoebe. Alsjeblieft...' Mevrouw Bell gaf me het crèmekleurige vel papier, dat aan beide kanten met weinig regelafstand vol getypt was. De brief kwam van een adres in Pasadena, Californië.

Beste Thérèse, las ik. *Ik hoop dat je me vergeeft dat ik je als vreemde schrijf... al ben ik ook weer niet echt een vreemde. Mijn naam is Lena Sands en ik ben de dochter van je vriendin Monique Richelieu...*

Ik keek mevrouw Bell aan – er blonken tranen in haar lichtblauwe ogen – en richtte toen mijn blik weer op de brief.

Ik weet dat jij en mijn moeder al die jaren geleden in Avignon goede vriendinnen waren. Ik weet dat je wist dat ze op transport was gesteld en ik weet dat je na de oorlog naar haar hebt gezocht en hebt ontdekt dat ze in Auschwitz had gezeten. Ik weet ook dat je dacht dat ze gestorven moest zijn – een gerechtvaardigde aanname. Het doel van deze brief is om je te laten weten dat, zoals mijn bestaan bevestigt, mijn moeder het kamp heeft overleefd.

'Je had gelijk,' hoorde ik mevrouw Bell mompelen. 'Je had gelijk, Phoebe...'

Thérèse, ik wil graag dat je eindelijk te weten komt hoe het mijn moeder is vergaan. De reden dat ik in staat ben je dit te schrijven is dat je vriendin Phoebe Swift contact heeft opgenomen met mijn moeders vriendin Miriam Lipietzka, en dat Miriam mij eerder vandaag heeft gebeld.

'Maar hoe kon je nou contact opnemen met Miriam?' vroeg mevrouw Bell me. 'Hoe was dat mogelijk? Dat begrijp ik niet.' Ik vertelde mevrouw Bell over het programmaboekje dat ik in de tas van struisvogelleer had gevonden. Ze staarde me met wijd open mond aan. 'Phoebe,' fluisterde ze even later, 'nog niet zolang geleden zei ik tegen je dat ik niet in God geloofde. Maar ik denk dat ik dat nu wel doe.'
Ik keerde terug naar de brief.

Mijn moeder praatte zelden over haar tijd in Avignon. De associaties daarmee waren te pijnlijk. Maar steeds wanneer ze wel een reden zag om het erover te hebben, Thérèse, kwam jouw naam ter sprake. Ze sprak uitsluitend met grote genegenheid over je. Ze herinnerde zich dat je häar had geholpen toen zij zich moest verschuilen. Ze zei dat je een goede vriendin voor haar was geweest.

Ik keek weer naar mevrouw Bell. Ze zat met haar hoofd te schudden en keek uit het raam. Het was duidelijk dat ze in gedachten de brief weer doornam en ik zag een traan over haar wang rollen.

Mijn moeder overleed in 1987. Ze was toen 58. Ik heb ooit eens tegen
haar gezegd dat ik vond dat haar tekort was gedaan. Ze zei dat ze,
integendeel, een fantastische meevaller van drieënveertig jaar had
gehad.

Nu las ik over het incident waarover Miriam mij aan de telefoon had
verteld, toen Monique door de bewaakster werd meegenomen.

Deze vrouw – ze stond bekend als 'het beest' – zette mijn moeder
op de lijst voor de volgende 'selectie'. Maar toen mijn moeder op
de aangegeven dag met de anderen achter in de vrachtwagen zat
om – en het kost me moeite deze woorden op te schrijven – naar
het crematorium te worden gebracht, werd ze herkend door de
jonge ss-officier die haar aankomst had geregistreerd. Toen hij
destijds hoorde dat ze Duits als moedertaal sprak, had hij gevraagd
waar ze vandaan kwam en ze had 'Mannheim' geantwoord. Hij
had geglimlacht en gezegd dat hij ook uit Mannheim kwam, en
steeds wanneer hij mijn moeder daarna zag, nam hij even de tijd
om met haar over hun stad te praten. Toen hij haar die morgen
in de vrachtwagen zag zitten, zei hij tegen de chauffeur dat er
een vergissing was gemaakt en beval hij mijn moeder om uit de
vrachtwagen te komen. Ze heeft altijd tegen me gezegd dat die dag
– 1 maart 1944 – haar tweede geboortedag was.

Lena's brief beschreef verder hoe de ss-officier ervoor had gezorgd
dat Monique in de keuken van het kamp tewerkgesteld werd, waar
ze vloeren moest schrobben; dat betekende dat ze binnen mocht
werken maar, belangrijker nog, aardappelschillen en soms zelfs een
beetje vlees kon eten. Ze kwam net genoeg aan om in leven te blijven. Na een paar weken, zo vervolgde de brief, was Monique 'keu-
kenassistent' geworden, wat inhield dat ze moest helpen met koken,
al zei ze wel dat het moeilijk was, want de enige ingrediënten waren
aardappelen, kool, margarine en aardappelzetmeel, soms een beetje
salami en 'koffie' van gemalen eikels. Dat werk deed ze drie maanden.

Daarna werd mijn moeder samen met twee andere meisjes
aangewezen om voor de bewaaksters te gaan koken, in de barakken
van die vrouwen. Omdat mijn moeder na de geboorte van haar
tweelingbroertjes zo goed had leren koken, bracht ze het er erg goed
van af en de bewaaksters genoten van haar aardappelpannenkoekjes,
haar Sauerkraut en haar Strudel. Aan dat succes heeft mijn moeder
haar leven te danken. Ze zei altijd dat wat haar moeder haar had
geleerd, haar het leven had gered.

Nu begreep ik de opmerking van Miriam over het grote geschenk dat
Moniques moeder haar dochter had gegeven. Ik draaide de brief om.

In de winter van 1944, toen de Russen vanuit het oosten dichterbij
kwamen, werd Auschwitz geëvacueerd. De gevangenen die nog
in staat waren op hun benen te staan, werden gedwongen door de
sneeuw naar andere kampen dieper in Duitsland te marcheren. Het
waren dodenmarsen waarbij elke gevangene die neerviel of stopte
om te rusten, werd doodgeschoten. Nadat ze tien dagen hadden
gelopen, bereikten 20.000 gevangenen Bergen-Belsen – onder wie mijn
moeder. Ze zei dat het daar ook een hel op aarde was, met praktisch
geen voedsel, en met duizenden gevangenen die aan tyfus leden.
Het vrouwenorkest was ook daarheen gestuurd, dus mijn moeder
kon Miriam weer zien. In april daarna werd Bergen-Belsen echter
bevrijd. Miriam werd herenigd met haar moeder en zus, en niet veel
later emigreerden ze naar Canada, waar ze familie hadden. Mijn
moeder bleef acht maanden lang in een vluchtelingenkamp, wachtend
op nieuws over haar ouders en broertjes; ze was radeloos toen ze
te horen kreeg dat zij het niet hadden overleefd. Maar toen nam de
broer van haar vader via het Rode Kruis contact met haar op en hij
bood haar een thuis aan bij zijn gezin in Californië. En zo kwam mijn
moeder in maart 1946 hier terecht, in Pasadena.

'Je had gelijk,' mompelde mevrouw Bell weer. Ze keek me aan. Er hadden zich tranen in haar ogen verzameld. 'Je had toch gelijk, Phoebe.
Die vreemde overtuiging die je voelde... het klopte. Je had gelijk,'
herhaalde ze verwonderd.

Ik ging verder met de brief.

Hoewel mijn moeder daarna een 'normaal' bestaan leidde in die zin dat ze ging werken, trouwde en een kind kreeg, kwam ze datgene wat haar was overkomen nooit helemaal te boven. Nog jaren nadien liep ze met neergeslagen ogen rond. Ze vond het vreselijk als iemand 'na u' tegen haar zei, omdat in het kamp een gevangene altijd voor de begeleidende bewaker uit moest lopen. Ze raakte van streek als ze gestreepte stoffen zag en wilde die absoluut niet in huis hebben. En ze had een obsessie voor voedsel ontwikkeld: ze bakte voortdurend taarten en gaf die vervolgens weg.

Mam ging naar de middelbare school, maar vond het moeilijk zich echt op haar studie te richten. Op een dag zei een leraar tegen haar dat ze zich niet concentreerde. Mijn moeder antwoordde dat ze alles af wist van 'concentratie', en trok boos haar mouw omhoog om hem het nummer te laten zien dat op haar linkeronderarm was getatoeëerd. Niet lang daarna ging ze van school en hoewel ze erg pienter was, liet ze het idee varen dat ze ooit zou kunnen gaan studeren. Ze zei dat ze niets anders wilde doen dan mensen te eten geven. Ze kreeg een baan bij een door de staat gerund programma voor daklozen, en via die baan leerde ze mijn vader Stan kennen, die bakker was en brood aan de twee opvangcentra hier in Pasadena schonk. Zij en Stan werden geleidelijk verliefd op elkaar, ze trouwden in 1952 en werkten samen in zijn bakkerij: hij maakte het brood en mijn moeder bakte taart en specialiseerde zich in cupcakes: kleine ronde cakejes. Hun bakkerij groeide uit tot een groot concern en werd in de jaren zeventig de Pasadena Cupcake Company, waarvan ik sinds een aantal jaren president-directeur ben.

'Maar ik begrijp het niet, Phoebe,' hoorde ik mevrouw Bell zeggen. 'Ik begrijp werkelijk niet hoe jij dit voor me kon verzwijgen. Hoe kon je hier een paar dagen geleden bij me zitten en er niet over praten, me niet vertellen wat je wist?' Ik keek weer naar de brief en las toen de laatste alinea hardop.

Toen Miriam me vandaag belde, zei ze tegen me dat ze alles al aan
Phoebe had verteld. Thérèse, Phoebe vond dat je niet van haar, maar
van mij moest horen wat er was gebeurd, omdat ik veel dichter bij
Monique stond dan zij. Dus spraken we af dat ik je zou schrijven om
je het verhaal van mijn moeder te vertellen. Ik ben heel erg blij dat ik
die gelegenheid heb gekregen.
De jouwe in vriendschap,
Lena Sands

Ik keek mevrouw Bell aan. 'Het spijt me dat u er even op moest wachten. Maar het was niet aan mij u het verhaal te vertellen, en ik wist dat Lena u onmiddellijk zou schrijven.'

Mevrouw Bell slaakte een diepe zucht en daarna vulden haar ogen zich weer met tranen. 'Ik ben heel blij,' mompelde ze, 'en toch ook heel verdrietig.'

'Waarom?' fluisterde ik. 'Omdat Monique het had overleefd, maar u niets van haar hebt gehoord?' Mevrouw Bell knikte en er rolde weer een traan over haar wang.

'Maar Lena zegt toch dat Monique niet graag over haar tijd in Avignon praatte, en dat is heel begrijpelijk, in aanmerking genomen wat daar was gebeurd. Ze wilde dat deel van haar leven misschien vergeten. Bovendien heeft ze waarschijnlijk niet geweten of ú de oorlog wel had overleefd – of waar u was.' Mevrouw Bell knikte. 'En vervolgens vertrok u naar Londen, en zij zat in Amerika. Met de communicatietechnieken van tegenwoordig zou u elkaar wel weer hebben gevonden. En in zekere zin hebt u elkaar nu ook teruggevonden.'

Mevrouw Bell pakte mijn hand vast. 'Je hebt al heel veel voor me gedaan, Phoebe – waarschijnlijk meer dan wie dan ook – maar ik wil je vragen nog één ding voor me te doen. Je hebt misschien al wel geraden wat dat is.'

Ik knikte en las opnieuw het naschrift van Lena's brief:

Thérèse, ik kom eind februari naar Londen en ik hoop echt dat ik
dan de kans zal krijgen je te ontmoeten, omdat ik weet dat dat mijn
moeder heel gelukkig zou hebben gemaakt.

Ik gaf de brief terug aan mevrouw Bell. Daarna liep ik naar haar kleer-kast en haalde de blauwe jas uit zijn beschermende hoes. Ik draaide me naar haar om.

'Natuurlijk doe ik dat,' zei ik.

15

HET LIEP TEGEN KERSTMIS. IN DE WINKEL WAS HET ERG DRUK, EN IK HAD Katie gevraagd me op de zaterdagen te komen helpen. Mam was weer aan het werk, ze was gelukkiger en ze verheugde zich erop Louis en mijn vader weer te zien op kerstavond. Ze besloot dat ze een feestje moest organiseren voor haar verjaardag op 10 januari en ze gekscheerde dat dat in een bus zou gebeuren.

Ik begon alles te regelen voor de modeshow, die inderdaad in Blackheath Halls gehouden zou worden, op 1 februari. Gelukkig hadden ze voor die datum een annulering voor de grote zaal gehad.

Ik zag mevrouw Bell nog twee keer. De eerste keer wist ze dat ik er was, al was ze erg suf door de medicijnen. De tweede keer, op 21 december, leek ze zich niet van mijn aanwezigheid bewust. Ze kreeg toen inmiddels vierentwintig uur per dag morfine, dus ik ging maar gewoon bij haar zitten en hield haar hand vast, en vertelde haar hoe fijn ik het vond dat ik haar had gekend en dat ik haar nooit zou vergeten, en dat ik me zelfs al iets sterker voelde wanneer ik aan Emma dacht. Daarbij voelde ik een lichte druk van mevrouw Bells vingers. Daarna kuste ik haar gedag. Terwijl ik in de opkomende duisternis naar huis liep en naar de bewolkte hemel keek, realiseerde ik me dat dit de kortste dag was en dat weldra het licht weer terug zou keren.

Toen ik thuiskwam ging de telefoon. Het was Sue. 'Phoebe... het spijt me, maar ik bel je om te zeggen dat mevrouw Bell om tien voor vier is overleden... een paar minuten nadat je was weggegaan.'

'Ik begrijp het.'

'Ze was heel rustig, zoals je hebt gezien.' Ik voelde mijn ogen vollopen. 'Ze had duidelijk een hechte band met jou,' hoorde ik Sue eraan toevoegen terwijl ik op de stoel in de gang ging zitten. 'Jullie kenden elkaar vast al heel lang.'

'Nee.' Ik zocht in mijn jaszak naar een zakdoekje. 'Nog geen vier maanden. Maar het voelt aan als een heel leven.'

Ik wachtte een paar minuten en belde toen Annie op, die verbaasd was op een zondag iets van me te horen. 'Is alles goed met je, Phoebe?' vroeg ze.

'Ik voel me prima.' Ik slikte. 'Maar heb je een paar minuten tijd voor me, Annie? Want ik wil je een verhaal vertellen...'

De volgende paar dagen waren druk, maar de dag voor Kerstmis was het rustig in de winkel. Ik zag de mensen beladen met tassen langs het raam lopen. Ik keek over de Heath in de richting van The Paragon en ik dacht aan mevrouw Bell en aan hoe blij ik was dat ik haar had leren kennen. Het gevoel dat ik haar had kunnen helpen, had misschien ook mezelf een beetje geholpen.

Om vijf uur was ik boven in de voorraadkamer spullen aan het uitzoeken voor de uitverkoop en handschoenen, hoeden en ceintuurs in dozen aan het doen toen ik de deurbel hoorde rinkelen, gevolgd door voetstappen. Ik ging naar beneden in de verwachting een klant aan te treffen die op het laatste moment nog een kerstcadeautje wilde kopen, maar in plaats daarvan stond Miles in de winkel. Hij zag er chic uit in een beige winterjas met een bruinfluwelen kraag.

'Hallo, Phoebe,' zei hij zacht.

Ik keek hem aan en mijn hart bonkte tegen mijn ribbenkast toen ik verder de trap af kwam. 'Ik wilde net gaan sluiten.'

'O, nou, ik... ik wilde... alleen even met je praten.' Weer viel me Miles' schorre stemgeluid op, dat altijd een gevoelige snaar bij me had geraakt. 'Het duurt niet lang.'

Ik draaide het bordje voor de deur op 'Gesloten' en ging achter de toonbank staan, alsof ik daar iets te doen had.

'Gaat het goed met je?' vroeg ik hem, omdat ik niets anders te zeggen wist.

'Het gaat... goed, ja,' antwoordde hij rustig. 'Nogal druk, maar...' Hij stak zijn hand in de zak van zijn jas. 'Ik wilde je alleen dit even komen brengen.' Hij legde een groen doosje op de toonbank. Ik maakte het open en kneep toen van opluchting mijn ogen dicht. In het doosje zat de ring die van mijn grootmoeder was geweest en daarna van mijn moeder en van mij, en die op een dag, zo bedacht ik, misschien aan mijn dochter zou toebehoren, als ik ooit zo gelukkig zou zijn een dochter te krijgen. Ik sloot even mijn hand eromheen en schoof hem toen aan mijn ringvinger. Ik keek Miles aan. 'Ik ben heel blij dat ik hem terug heb.'

'Natuurlijk. Dat geloof ik graag.' Er kroop een rode blos vanaf zijn hals naar boven. 'Ik ben hem zo snel mogelijk komen brengen.'

'Dus je hebt hem nog maar pas gevonden?'

Hij knikte. 'Gisteravond.'

'En... waar dan?'

Ik zag een spier bij zijn mondhoek trillen. 'In Roxy's nachtkastje.' Hij schudde zijn hoofd. 'Ze had het laatje open laten staan en toen zag ik hem liggen.'

Ik ademde langzaam uit. 'Wat heb je tegen haar gezegd?'

'Ik was razend op haar, natuurlijk... niet alleen omdat ze hem heeft weggepakt, maar vanwege de leugens die ze heeft verteld. Ik heb gezegd dat ik haar hiervoor in therapie zou doen, want – en het is moeilijk voor me om dit toe te geven – dat heeft ze nodig.' Hij haalde gelaten zijn schouders op. 'Ik geloof dat ik dat eigenlijk al een tijdje geweten heb, maar dat ik er niet aan wilde. Maar Roxy lijkt het idee te hebben dat ze niets heeft... een gevoel van...'

'Gemis?'

'Ja, dat is het juiste woord.' Hij tuitte zijn lippen. 'Gemis.' Ik weerstond de verleiding om te zeggen dat Miles misschien zelf ook maar in therapie moest gaan. 'Maar goed, het spijt me, Phoebe.' Hij schudde zijn hoofd. 'Het spijt me, van alles, want je betekende veel voor me.'

'Nou... bedankt voor het terugbrengen van mijn ring. Dat zal niet gemakkelijk zijn geweest.'

'Nee. Ik... Maar goed...' Hij slaakte een zucht. 'Je hebt hem terug. Ik wens je een fijne kerst.' Hij schonk me een sombere glimlach.

'Dank je, Miles... dat wens ik jou ook.' Er viel verder niets meer te zeggen, dus ik opende de deur en Miles vertrok. Ik keek hem na tot hij helemaal uit het zicht verdwenen was. Daarna deed ik de deur op slot en ging ik weer naar boven.

Ondanks mijn opluchting over de ring was ik van streek geraakt door het weerzien met Miles. Toen ik bezig was een paar jurken van het ene naar het andere rek te verplaatsen, haakte een van de hangertjes vast aan het hangertje ernaast. Ik kon het niet loskrijgen; ik rukte eraan en probeerde het los te haken, maar dat ging niet, en uiteindelijk haalde ik het kledingstuk, een blouse van Dior, maar van het hangertje af. Maar dat deed ik zo ruw dat de zijden stof scheurde. Ik liet me op de vloer zakken en barstte in tranen uit. Zo bleef ik een paar minuten zitten, maar toen ik de klok van de All Saints Church zes uur hoorde slaan, duwde ik mezelf overeind. Terwijl ik vermoeid de trap af liep ging mijn mobiele telefoon over. Het was Dan, en daardoor verbeterde mijn stemming weer, want dat effect heeft het geluid van zijn stem altijd. Hij wilde weten of ik misschien belangstelling had voor een 'privévertoning' van een 'buitengewoon verleidelijke' klassieker.

'Toch niet *Emmanuelle 3*?' zei ik, plotseling glimlachend.

'Nee, maar hij lijkt er wel op. Het is *Godzilla vs King Kong*. Vorige week heb ik een 16-mm-exemplaar weren te bemachtigen via eBay. Ik heb *Emmanuelle 3* trouwens wel, mocht je belangstelling hebben voor een andere keer.'

'Hm... dat zou best eens kunnen.'

'Kom maar wanneer je wilt, vanaf zeven uur... Ik zal risotto maken.' Ik merkte dat ik me erop verheugde om samen met Dan − breed en solide, troostvol en opgewekt − in zijn prachtige schuur naar een derderangs klassieker te kijken.

Veel vrolijker haalde ik de UITVERKOOP!-posters uit de doos en legde ze klaar om ze na Kerstmis voor de ramen te hangen om de aanvang van de uitverkoop op de 27e aan te kondigen. Annie zou tot begin januari afwezig zijn, omdat ze van deze rustige periode wilde profiteren om te schrijven, dus had ik Katie gevraagd voor haar in te vallen. Vanaf half januari zou Katie elke zaterdag voor me komen werken. Ik pakte mijn jas en mijn tas, stapte naar buiten en deed de deur achter me op slot.

Terwijl ik naar huis liep en de venijnige wind in mijn wangen beet, stond ik mezelf toe om − zij het voorzichtig − vooruit te kijken naar het nieuwe jaar. Eerst zou er de uitverkoop zijn, daarna mijn moeders grote verjaardagsfeest en dan de modeshow, die nog een hoop organisatie zou vergen. Nog later zou ik Emma's sterfdag moeten zien door te komen, maar daar probeerde ik nog maar niet aan te denken.

Ik draaide Bennett Street in, opende mijn voordeur en ging naar binnen. Ik raapte de post op van de mat – een paar late kerstkaarten, waaronder een van Daphne – en liep toen de keuken in en schonk mezelf een glas wijn in. Van buiten hoorde ik gezang en daarna ging de bel. Ik deed de deur open.

Stille nacht, heilige nacht...

Het waren vier kinderen, vergezeld door een volwassene, die geld ophaalden voor de crisis.

Alles slaapt, sluimert zacht...

Ik deed wat geld in de bus, luisterde het lied tot het eind af, deed toen de deur dicht en ging naar boven om me klaar te maken voor mijn afspraak met Dan. Om zeven uur hoorde ik weer de bel. Ik holde de trap af en pakte mijn tas van het tafeltje in de gang in de veronderstelling dat het weer mensen waren die kerstliedjes kwamen zingen. Ik verwachtte immers niemand.

Toen ik de deur opendeed had ik het gevoel of ik in ijswater werd ondergedompeld.

'Hallo, Phoebe,' zei Guy.

'Mag ik binnenkomen?' vroeg hij.

'O. Ja.' Ik dacht dat mijn benen het zouden begeven. 'Ik... had je niet verwacht.'

'Nee. Sorry... ik dacht, ik ga maar gewoon even langs, want ik ben op weg naar Chislehurst.'

'Ga je naar je ouders?'

Guy knikte. Hij droeg het witte ski-jack dat hij in Val d'Isère had gekocht: ik herinnerde me dat hij het alleen had gekozen omdat ik het zo mooi vond. 'Dus je hebt de kredietcrisis overleefd?' zei ik toen we de keuken in liepen.

'Ja.' Guy ademde in. 'Ternauwernood. Maar... mag ik even een paar minuten gaan zitten, Phoebe?'

'Natuurlijk,' zei ik nerveus. Terwijl hij ging zitten, keek ik naar Guys knappe, open gezicht, blauwe ogen en korte donkere haar, dat langer was dan ik het me herinnerde, en bij de slapen duidelijk begon te grijzen. 'Kan ik je iets aanbieden? Iets te drinken? Een kop koffie?'

Hij schudde zijn hoofd. 'Nee, dank je... ik kan niet lang blijven.'

Ik stond tegen het aanrecht geleund. Mijn hart ging hevig tekeer. 'Nou... waar kom je voor?'

'Phoebe,' antwoordde Guy geduldig, 'dat weet je best.'

Ik keek hem vorsend aan. 'Weet ik dat?'

'Ja. Je weet dat ik hier ben omdat ik al maanden met je probeer te praten, maar je negeert al mijn brieven, e-mails en telefoontjes.' Hij speelde met een takje hulst dat ik rond de voet van een grote witte kaars had vastgemaakt. 'Je stelt je volstrekt onvermurwbaar op.' Hij keek me aan. 'Ik wist niet wat ik anders moest doen. Ik wist dat als ik een afspraak met je probeerde te maken, je zou weigeren.' Dat was waar, dacht ik. Ik zou geweigerd hebben. 'Maar vanavond, wetend dat ik zo goed als langs je huis zou komen, besloot ik maar gewoon te proberen of je thuis was... omdat...' Guy slaakte een pijnlijke zucht, '...omdat er nog steeds iets onopgelost tussen ons staat, Phoebe.'

'Voor mij niet.'

'Maar voor mij wel,' pareerde hij, 'en ik wil dat graag opgelost zien.'

Ik voelde mijn ademhaling versnellen. 'Het spijt me, Guy, maar er valt niets op te lossen.'

'Jawel,' hield hij vermoeid vol. 'En ik wil het nieuwe jaar beginnen met het gevoel dat ik het eindelijk kan loslaten.'

Ik sloeg mijn armen over elkaar. 'Guy... als het je niet aanstaat wat ik negen maanden geleden tegen je heb gezegd, waarom kun je het dan niet gewoon... vergeten?'

Hij staarde me aan. 'Omdat het veel te ernstig is om te worden vergeten – zoals je heel goed weet. En omdat ik altijd mijn best heb gedaan fatsoenlijk te leven, kan ik het idee niet verdragen dat ik van zoiets... afschuwelijks word beschuldigd.' Ik realiseerde me plotseling dat ik de vaatwasser nog niet had uitgeruimd. 'Phoebe,' hoorde ik Guy zeggen toen ik me van hem afwendde, 'ik moet één keer met je praten over wat er die avond is gebeurd... en daarna nooit meer. Dat is waar ik voor ben gekomen.'

Ik haalde twee borden uit de vaatwasser. 'Maar ik wíl er helemaal niet over praten. Bovendien moet ik zo weg.'

'Goed, maar wil je dan alsjeblieft wel naar me luisteren... Het duurt maar een paar minuten.' Guy sloeg zijn handen voor zich op de tafel in elkaar. Hij zag eruit alsof hij zat te bidden, bedacht ik terwijl ik de borden in het keukenkastje zette. Ik wilde dit gesprek niet voeren. Ik voelde me in de val zitten en ik was boos. 'Ik wil allereerst graag zeggen dat het me spijt.' Ik draaide me om en keek Guy aan. 'Het spijt me oprecht als ik die avond iets heb gedaan of gezegd dat – al was het onbedoeld – heeft bijgedragen aan wat er met Emma is gebeurd. Vergeef me alsjeblieft, Phoebe.' Dit had ik niet verwacht en ik voelde mijn verontwaardiging afnemen. 'Maar ik wil dat je erkent dat jouw beschuldiging aan mijn adres onterecht was.'

Ik haalde twee wijnglazen uit de vaatwasser. 'Nee, dat doe ik niet... want het was waar.'

Guy schudde zijn hoofd. 'Phoebe, het was niet waar. Dat wist je toen en dat weet je nu.' Ik zette een glas op de plank. 'Je was duidelijk heel erg van streek...'

'Ja, ik was radeloos.' Ik zette het tweede glas op de plank, zo hard dat het bijna brak.

'En als mensen in een dergelijke gemoedstoestand verkeren, zeggen ze soms vreselijke dingen.'

Als jij er niet was geweest, zou ze nog geleefd hebben!

'Maar je gaf mij de schuld van Emma's dood en die beschuldiging kan ik niet verdragen. Hij achtervolgt me al die tijd al. Je zei dat ik je had overgehaald niet naar Emma te gaan.'

Nu keek ik hem aan. 'Dat heb je ook gedaan! Je noemde haar de "gekke hoedenmaakster", weet je nog, en je zei dat ze altijd zo "overdreef".' Ik haalde het bestekbakje uit de vaatwasser en begon de messen in de lade te gooien.

'Dat heb ik inderdaad gezegd,' hoorde ik Guy zeggen. 'Ik had behoorlijk genoeg van Emma – dat zal ik niet ontkennen – en ze maakte echt overal een drama van. Maar ik heb alleen gezegd dat dat iets was waar je aan moest denken voordat je in alle haast naar haar toe ging.'

Ik gooide de lepels en vorken in de lade. 'Toen zei je dat we gewoon volgens plan naar de Bluebird moesten gaan omdat je had gereserveerd en dat etentje niet wilde laten schieten.'

Guy knikte. 'Ik geef toe dat ik dat ook heb gezegd. Maar ik voegde eraan toe dat ik, als je echt niet mee wilde, de tafel zou annuleren. Ik heb gezegd dat ik het aan jou overliet.' Ik keek Guy aan – mijn bloed ruiste in mijn oren – en draaide me weer om naar de vaatwasser en haalde er een melkkannetje uit. 'Phoebe, toen heb jíj gezegd dat we inderdaad maar moesten gaan eten, en dat je Emma wel zou bellen zodra we terug waren.'

'Nee.' Ik zette het kannetje op het aanrecht. 'Dat was jóúw suggestie... jóúw compromis.'

Guy schudde zijn hoofd. 'Het was jouw idee.' Ik had weer het bekende gevoel weg te glijden. 'Ik weet nog dat ik verbaasd was, maar ik zei dat Emma jouw vriendin was en dat ik me bij jouw oordeel zou neerleggen.'

Ik voelde me plotseling vervuld van ontzetting. 'Oké... Ik heb inderdaad gezegd dat we maar moesten gaan eten... maar alleen omdat ik jou niet wilde teleurstellen, en omdat het Valentijnsdag was en dus een bijzonder etentje.'

'Je zei dat we niet al te laat terug zouden zijn.'

'Ja, dat is waar,' zei ik. 'En dat was ook zo. En toen we terug waren heb ik Emma gebeld... ik heb haar meteen gebeld; en ik was van plan toen naar haar huis te gaan, meteen...' Ik keek Guy aan. 'Maar jij weerhield me daarvan. Je zei dat ik waarschijnlijk te veel had gedronken om nog te mogen rijden. Je maakte van die gebaren van drinken en autorijden terwijl ik met haar aan de telefoon was.'

'Dat heb ik inderdaad gedaan, omdat ik er vrij zeker van was dat je over de limiet zat.'

'Nou, dan is het toch waar!' Ik duwde de vaatwasser dicht. 'Jij hebt me ervan weerhouden naar Emma te gaan.'

Guy schudde zijn hoofd. 'Nee. Want daarna zei ik dat je een taxi zou moeten nemen en dat ik wel naar buiten zou gaan om er een voor je aan te houden. En ik stond op het punt dat te doen, als je je dat nog herinnert... ik had zelfs de voordeur al open...' Ik gleed nu niet langer, ik viel, ik tuimelde in een kloof. '...toen jij plotseling zei dat je toch maar niet naar haar toe ging. Dat je had besloten het niet te doen.' Guy keek me aan. Ik probeerde te slikken, maar mijn mond was te droog. 'Je zei dat je dacht dat Emma zich wel zou redden tot de volgende ochtend.' Toen Guy dat zei, begaven mijn benen het. Ik zakte op een stoel neer. 'Je zei dat ze erg moe klonk en dat het waarschijnlijk het beste voor haar zou zijn om eens lekker lang te slapen.' Ik staarde naar de tafel en voelde mijn ogen vollopen met tranen. 'Phoebe,' hoorde ik Guy zacht zeggen, 'het spijt me vreselijk dat ik dit allemaal weer moet ophalen, maar het heeft al die maanden mijn gemoedsrust verstoord dat me iets zó ernstigs werd verweten zonder dat ik de kans kreeg er iets tegenin te brengen. Ik heb het al die tijd niet los kunnen laten. Dus ik wil alleen maar dat je... nee, je móét erkennen dat wat je tegen me zei niet waar was.'

Ik keek Guy aan en zag hem door een waas. In gedachten zag ik het voorpleintje van het Bluebird Café, Guys flat, toen de smalle trap in Emma's huis en ten slotte haar slaapkamerdeur toen ik die openduwde. Ik hapte naar adem. 'Oké dan,' zei ik schor. 'Oké dan,' herhaalde ik zacht. 'Misschien...' Ik keek door het raam naar buiten. 'Misschien heb ik...' Ik beet op mijn lip.

'Misschien herinner je het je niet helemaal zoals het was,' hoorde ik Guy zacht zeggen.

Ik knikte. 'Misschien is dat zo. Ik was erg overstuur, weet je.'

'Ja... daarom is het begrijpelijk dat je... vergat wat er precies was gebeurd.'

Ik keek Guy aan. 'Nee... het was meer dan dat.' Ik keek omlaag naar de tafel. 'Ik kon de gedachte niet verdragen dat het alleen maar míjn schuld was.'

Guy pakte mijn hand met zijn beide handen vast. 'Phoebe... ik geloof niet dat het jouw schuld was. Je kon niet weten hoe ziek Emma was. Je deed wat jou het beste leek voor je vriendin. En de dokter heeft tegen je gezegd dat het zeer onwaarschijnlijk was dat Emma het – zelfs al was ze de avond tevoren al naar het ziekenhuis gebracht – zou hebben overleefd...'

Ik keek Guy aan. 'Maar het ergste is dat ik dat niet zeker weet. De vreselijke, kwellende mogelijkheid dat ze het misschien wél had overleefd als ik het anders had aangepakt.' Ik sloeg mijn handen voor mijn gezicht. 'En ik wou zo graag, zo graag, dat ik het anders had aangepakt.'

Mijn hoofd zakte op mijn borst. Guy schoof zijn stoel naar achteren en kwam naast me zitten. 'Phoebe... jij en ik waren verliefd,' fluisterde hij.

Ik knikte.

'Maar wat er gebeurde... maakte dat gewoon kapot. Toen je me die morgen belde om te zeggen dat Emma was gestorven, wist ik meteen dat onze relatie dat niet zou overleven.'

'Nee.' Ik knikte. 'Hoe hadden we ooit nog gelukkig kunnen worden?'

'Ik denk niet dat dat had gekund. Het zou altijd een schaduw over ons leven hebben geworpen. Maar ik kon de gedachte niet verdragen dat we op zo'n vreselijke manier uit elkaar waren gegaan.' Guy haalde zijn schouders op. 'Ik wou echt dat het nooit was gebeurd...'

'Ik ook.' Ik keek somber voor me uit. 'Dat wou ik met heel mijn hart.' De telefoon ging en dwong me de fantasie van wat had kunnen zijn weer los te laten. Ik pakte een stukje keukenrol, drukte het tegen mijn ogen en nam toen op.

'Hé... waar blijf je?' vroeg Dan. 'De film gaat zo beginnen en ze doen hier nogal lastig tegen laatkomers.'

'O, ik kom echt wel, Dan.' Ik kuchte om mijn tranen te maskeren. 'Alleen wel een beetje later, als je het goedvindt.' Ik snufte. 'Nee... alles is in orde, ik denk alleen dat ik verkouden begin te worden. Ja, ik kom zeer beslist.' Ik keek Guy aan. 'Maar ik denk niet dat ik Godzilla en King Kong aankan.'

'Dan kijken we daar niet naar,' hoorde ik Dan zeggen. 'We hoeven helemaal nergens naar te kijken. We kunnen ook gewoon naar wat muziek luisteren, of samen een potje kaarten. Het maakt niet uit... kom maar als je zover bent.'

Ik legde de telefoon terug.

'Heb je momenteel een relatie?' vroeg Guy vriendelijk. 'Ik hoop het voor je,' voegde hij eraan toe. 'Ik wil dat je gelukkig bent.'

'Tja...' Ik droogde mijn ogen nog een keer. 'Ik heb een... vriend. Meer is hij op het moment nog niet... gewoon een vriend, maar ik ben graag met hem samen. Hij is een goed mens, Guy. Net als jij.'

Guy ademde in en langzaam uit. 'Ik ga er maar eens vandoor, Phoebe. Ik ben heel blij dat ik je heb gesproken.'

Ik knikte.

Ik liep met hem naar de voordeur. 'Ik wens je een gelukkig kerstfeest, Phoebe,' zei Guy. 'En ik hoop dat het komende jaar een goed jaar voor je wordt.'

'Dat wens ik jou ook toe, Guy.'

Guy omhelsde me even en vertrok toen.

Ik bracht eerste kerstdag door met mijn moeder die, zo merkte ik op, eindelijk haar trouwring had afgedaan. Ze had een exemplaar van het januarinummer van *Woman & Home* met daarin de spread getiteld 'Het verleden herleeft', waarvoor mijn kleren waren gebruikt. Tot mijn plezier zag ik dat dit duidelijk werd vermeld. Een paar bladzijden verder zag ik een foto van Reese Witherspoon bij de uitreiking van de Emmy Awards. Ze droeg de middernachtelijk blauwe jurk van Balenciaga die ik bij Christie's had gekocht. Dus dat was de topactrice voor wie Cindi de jurk had gekocht. Het was een fantastisch gevoel om zo'n grote ster in een jurk te zien die ik had geleverd.

Na de lunch belde pap om te zeggen dat Louis heel erg blij was met de loopauto van Lights'n'Sounds die mam hem de dag ervoor had gegeven, en met mijn startset van de Kleine Blauwe Locomotief. Pap zei dat hij hoopte dat we snel allebei weer bij Louis langs zouden komen, en terwijl we naar de kerstspecial van *Dr Who* keken, breide mam verder aan het blauwe vestje dat ze voor Louis aan het maken was en waarvoor ik haar de vliegtuigknoopjes had gegeven.

'Godzijdank nemen ze een kindermeisje voor Louis,' zei ze toen ze het garen om de naald sloeg.

'Ja... en pap zei dat hij les gaat geven aan de Open Universiteit. Dat is echt een opkikker voor hem.' Mam knikte welwillend.

Op 27 december begon de uitverkoop. Het was vreselijk druk in de winkel, dus ik kon iedereen over de modeshow vertellen, en de klanten die ik in gedachten had vragen of ze de kleren wilden showen. Carla, die de turquoise cupcake-jurk had gekocht, zei dat ze dat heerlijk zou vinden. Ze voegde eraan toe dat het een week voor hun bruiloft was, maar dat dat geen probleem was. Katie wilde met alle plezier haar gele schoolbaljurk showen. Via Dan wist ik in contact te komen met Kelly Marks, die zei dat ze het geweldig zou vinden om haar 'Tinker Bell-jurk', zoals zij hem noemde, te komen showen. En toen kwam de vrouw binnen die de roze schoolbaljurk had gekocht. Ik legde haar uit dat ik een vintage modeshow aan het organiseren was voor een goed doel, en ik vroeg haar of ze daarvoor de roze cupcake-jurk wilde showen.

Haar ogen begonnen te schitteren. 'Dat lijkt me geweldig... Wat leuk! Wanneer is het?' Ik vertelde haar de datum. Ze pakte haar agenda en schreef het op. 'Blije... jurk... showen,' mompelde ze. 'Het is alleen... nee, het is in orde.' Wat ze ook van plan was geweest te zeggen, ze had zich duidelijk bedacht. '1 februari is prima.'

Op 5 januari nam ik de ochtend vrij om naar de rouwdienst voor mevrouw Bell in het crematorium aan Verdant Lane te gaan. Het was een heel bescheiden dienst: er waren twee vriendinnen van haar aanwezig uit Blackheath, haar huishoudelijke hulp Paola, en mevrouw Bells neef James en zijn vrouw Yvonne, die beiden achter in de veertig waren.

'Thérèse was er klaar voor om te gaan,' zei Yvonne toen we naderhand aan de zijkant van de kapel naar de bloemen stonden te kijken. Ze trok haar antracietgrijze omslagdoek wat strakker om zich heen tegen de schrale wind.

'Ze leek inderdaad tevreden,' zei James. 'De laatste keer dat ik haar zag vertelde ze me dat ze zich heel rustig en... gelukkig voelde. Ze gebruikte het woord "gelukkig".'

Yvonne keek naar een bos irissen. 'Op het kaartje bij dit boeket staat *Met liefs van Lena*.' Ze wendde zich tot James. 'Ik heb haar nooit over iemand horen praten die Lena heette, jij wel, schat?' Hij haalde zijn schouders op en schudde zijn hoofd.

'Ik heb haar die naam wel eens horen noemen,' zei ik. 'Maar ik geloof dat het een kennis van lang geleden was.'

'Phoebe, ik heb iets voor je van mijn tante,' zei James toen. Hij opende zijn koffer en gaf me een kleine tas. 'Ze vroeg me je dit te geven... zodat je je haar zou blijven herinneren.'

'Dank je.' Ik nam het geschenk aan. 'Niet dat ik haar ooit zal vergeten.' Ik kon hun niet uitleggen waarom.

Thuis maakte ik de tas open. Daarin zat, in krantenpapier verpakt, de zilveren tafelklok met een brief, gedateerd 10 december, geschreven in mevrouw Bells toen inmiddels zeer beverige handschrift.

Lieve Phoebe,
Deze klok is van mijn ouders geweest. Ik geef hem aan jou, niet
alleen omdat het een van de dingen was die me het dierbaarst
waren, maar ook om je eraan te herinneren dat de wijzers
doordraaien, en dat daarmee alle uren, dagen en jaren van je leven
verstrijken. Phoebe, ik smeek je niet te veel van de kostbare tijd die
je nog hebt te besteden aan spijt over wat je hebt gedaan of niet hebt
gedaan, of wat had kunnen zijn of niet had kunnen zijn. En ik hoop
dat je, telkens wanneer je toch verdrietig bent, jezelf zult troosten
met de herinnering aan de onschatbaar grote dienst die je mij hebt
bewezen.
Je vriendin,
Thérèse

Ik zette de klok gelijk, wond hem voorzichtig op met het sleuteltje en
zette hem toen midden op de schoorsteenmantel in mijn woonkamer.
'Ik zal vooruitkijken,' zei ik toen de klok begon te tikken. 'Ik zal vooruitkijken.'

En dat deed ik... allereerst naar de verjaardag van mijn moeder.
Ze hield haar feest in een van de ruimtes op de bovenverdieping
van wijnlokaal Chapters – een etentje voor twintig mensen. In haar
korte toespraak zei mam dat ze het gevoel had dat ze 'meerderjarig'
was geworden. Al haar bridgevriendinnen waren er, net als haar baas
John en een paar andere mensen van haar werk. Mam had ook een
sympathieke man uitgenodigd die Hamish heette en die ze tijdens de
kerstborrel van Betty en Jim had leren kennen.

'Hij leek me aardig,' zei ik de volgende dag door de telefoon tegen
haar.

'Hij is erg aardig,' stemde mam met me in. 'Hij is achtenvijftig, gescheiden en heeft twee volwassen zoons. Het grappige is dat het heel
druk was op het feestje bij Jim en Betty, maar dat Hamish tegen me
begon te praten vanwege wat ik aanhad. Hij zei dat hij het palmbo-
menmotief van mijn jurk heel leuk vond. Ik zei tegen hem dat de jurk
uit de vintage-kledingwinkel van mijn dochter kwam. Dat leidde vervolgens tot een gesprek over stoffen, omdat zijn vader in Paisley in de
textielindustrie heeft gewerkt. En de volgende dag belde hij om me

mee uit te vragen – we zijn naar een concert in de Barbican Hall geweest. En volgende week gaan we naar het London Coliseum,' voegde ze er opgetogen aan toe.

Intussen werkten Katie, haar vriendin Sarah en ik ons uit de naad voor de modeshow. Dan zou het licht en het geluid verzorgen en hij had een muziekverzameling gemonteerd die ons naadloos van Scott Joplin naar de Sex Pistols zou voeren. Een vriend van hem zou de catwalk bouwen.

De bewuste dinsdagmiddag gingen we naar de grote zaal van Blackheath Halls voor de repetitie, en Dan bracht een uitgave van de *Black & Green* mee, waarin Ellie een vooruitblik op de modeshow had geschreven.

Er zijn nog een enkele kaarten verkrijgbaar voor de modeshow 'Passie voor Vintage Mode' die vanavond in Blackheath Halls wordt georganiseerd. De kaarten kosten 10 pond, maar dat bedrag kunt u terugkrijgen als korting op een aankoop bij Villa Vintage. De gehele opbrengst gaat naar Malaria No More, een stichting die met insecticide behandelde muskietennetten distribueert in het deel van Afrika ten zuiden van de Sahara, waar triest genoeg elke dag drieduizend kinderen overlijden aan malaria. Elk net, dat maar 2,5 pond per stuk kost, kan twee kinderen en hun moeder beschermen. De organisatrice van de modeshow, Phoebe Swift, hoopt voldoende geld voor de stichting bijeen te brengen om duizend muskietennetten te kunnen aanschaffen.

Tijdens de repetitie liep ik naar de kleedkamer achter de coulissen, waar de modellen zich voorbereidden op het onderdeel Jaren vijftig, en allemaal gekleed waren in outfits van New Look, klokrokken en 'wiggle-dresses'. Mam droeg haar doorknoopjurk. Katie, Kelly Marks en Carla stonden klaar in hun cupcakes; alleen Lucy, de eigenares van de roze, wenkte me. 'Ik heb een beetje een probleem,' fluisterde ze. Ze draaide zich om en ik zag dat haar jurk bovenaan zeker vijf centimeter open stond.

'Ik geef je wel een stola,' zei ik. 'Het is wel vreemd,' voegde ik eraan toe terwijl ik haar bekeek, 'want toen je hem kocht, paste hij precies.'

'Ik weet het.' Lucy glimlachte. 'Maar toen was ik nog niet zwanger.'
Ik keek haar aan. 'Ben je echt...?'
Ze knikte. 'Ruim drie maanden.'
'O.' Ik omhelsde haar. 'Dat is echt geweldig!'
Er blonken tranen in Lucy's ogen. 'Ik kan het zelf nog maar nauwelijks geloven. Ik kon het niet tegen je vertellen toen je me vroeg om vandaag model te zijn, omdat het nog veel te pril was. Maar nu ik mijn eerste echo heb gehad, kan ik er wel over praten.'
'Dus de blije jurk heeft het 'm geleverd!' zei ik opgetogen.
Lucy lachte. 'Ik weet het niet zeker... maar ik zal je vertellen waaraan ik het wel toeschrijf.' Ze begon zachter te praten. 'Begin november ging mijn man naar je winkel. Hij wilde iets kopen om me op te vrolijken en hij zag heel mooie lingerie – prachtige onderjurken en hemdbroekjes en wat al niet meer – uit de jaren veertig.'
'Ik weet nog dat hij die kocht,' zei ik, 'maar ik wist niet wie hij was. Dus die waren voor jou?'
Lucy knikte. 'En niet lang daarna...' Ze klopte op haar buik en giechelde.
'Nou,' zei ik. 'Ik vind het fantastisch.'
Dus de lingerie van tante Lydia had de verloren tijd ingehaald.
Katie zou de jurk van Madame Grès, die ik bij Christie's had gekocht, showen voor het onderdeel Jaren dertig; Annie met haar slanke, jongensachtige figuur zou kleren uit de jaren twintig en zestig showen, en vier van mijn vaste klanten zouden de kledingstukken uit de jaren veertig en tachtig dragen. Joan hielp achter de coulissen met het omkleden en de accessoires, ze hing op dat moment de kleren aan de respectievelijke rekken.
Na de repetitie zetten Annie en mam de glazen klaar voor de drankjes. Terwijl ze de doos openmaakten, hoorde ik Annie mijn moeder over haar stuk vertellen, waar ze bijna mee klaar was en dat voorlopig de titel *De blauwe jas* had gekregen.
'Ik hoop wel dat het een gelukkig einde heeft,' zei mam bezorgd.
'Maak u geen zorgen,' antwoordde Annie, 'dat heeft het. Ik begin er in mei mee als lunchvoorstelling in de Age Exchange. Ze hebben daar een klein theater met vijftig zitplaatsen dat er volmaakt geschikt voor is.'

'Dat klinkt geweldig,' zei mam. 'Misschien kun je het daarna voor een grote zaal brengen.'

Annie opende een doos wijn. 'Dat ga ik zeker proberen. Ik ga managers en impresario's uitnodigen om te komen kijken. En Chloë Sevigny was laatst in de winkel; ze zei dat ze ook zou komen als ze dan in Londen is.'

Dan en ik begonnen aan de indeling van de zitplaatsen: we zetten tweehonderd met rood fluweel beklede stoelen aan elke kant van de catwalk, die vanaf het midden van het podium tien meter lang was. Toen ik zeker wist dat alles klaar was, ging ik me omkleden. Ik trok het pruimenpaarse pakje van mevrouw Bell aan, dat wel speciaal voor mij gemaakt leek te zijn, en ving daarbij de vage geur van Ma Griffe op.

Om halfzeven 's avonds gingen de deuren open en een uur later was elke stoel bezet. Toen de stilte over de zaal neerdaalde, dimde Dan het licht en knikte hij naar me. Ik stapte het podium op, haalde de microfoon van de standaard en keek nerveus naar de zee van naar me opgeheven gezichten.

'Hallo, ik ben Phoebe Swift,' begon ik. 'Ik heb de eer u hier vanavond te mogen verwelkomen, en ik wil u allemaal bedanken voor uw komst. We gaan van deze avond genieten, kijken naar een aantal mooie oude kleren en geld bij elkaar brengen voor een heel goed doel. Ik wil ook graag zeggen...' Ik voelde mijn vingers verstrakken rond de microfoon, '...dat deze avond is opgedragen aan de herinnering aan mijn vriendin, Emma Kitts.' De soundtrack begon, Dan regelde de verlichting en de eerste modellen kwamen de catwalk op.

Het was een dag waar ik heel lang tegenop had gezien, en nu was hij aangebroken. Geen enkele herdenkingsdag zou ooit zo moeilijk voor me zijn als deze, realiseerde ik me toen ik in de auto stapte en naar de begraafplaats in Greenwich reed. Ik liep over het grindpad langs nieuwe graven en graven die zo oud waren dat de in de stenen gebeitelde namen nauwelijks nog te lezen waren, ik keek op en zag Daphne en Derek staan. Ze zagen er kalm en beheerst uit. Naast hen stonden Emma's oom en tante en haar twee neven, en Emma's bevriende fotograaf Charlie, die opgewekt tegen haar assistente Sian stond te praten die een zakdoekje in haar hand hield. Tot slot was er pastoor Bernard, die Emma's begrafenis had geleid.

Ik was sinds die dag niet op de begraafplaats geweest – ik had het niet aangekund – en dus was dit de eerste keer dat ik Emma's grafzerk zag. Ik voelde een schok... vanwege het vreselijke, onbetwistbaar definitieve dat hij vertegenwoordigde.

Emma Mandisa Kitts, 1974-2008
Beminde dochter, voor altijd in ons hart

Groepen sneeuwklokjes lieten hun tere hoofdjes hangen aan de voet van het graf, en er braken al krokussen door de koude aarde heen, die hun paarse bloemen ontvouwden. Ik had een boeketje meegebracht van tulpen, narcissen en blauwe druifjes, en ik moest aan de hoedendoos van mevrouw Bell denken toen ik het op het zwarte graniet neerlegde. Toen ik me weer oprichtte, scheen de vroege voorjaarszon in mijn ogen.

Pastoor Bernard sprak een paar welkomstwoorden en vroeg daarna Derek iets te zeggen. Derek zei dat Daphne en hij Emma 'Mandisa' als tweede naam hadden gegeven omdat dat 'lief' betekende in het Xhosa, en ze was een lief mens; hij vertelde over zijn hoedenverzameling en dat Emma's fascinatie daarvoor toen ze klein was ertoe had geleid dat ze hoedenmaakster was geworden. Daphne sprak over het feit dat Emma zo talentvol was, over hoe bescheiden ze altijd was geweest en hoezeer ze haar misten. Ik hoorde dat Sian een snik smoorde en Charlie sloeg zijn arm om haar heen. Toen sprak pastoor Bernard een gebed uit, gaf zijn zegen, en het was voorbij. Toen we langzaam over het pad wegliepen, wenste ik dat de sterfdag niet op een zondag was gevallen. Ik zou dankbaar zijn geweest voor de afleiding die mijn werk bood. Toen we de poort van de begraafplaats hadden bereikt, nodigden Daphne en Derek iedereen uit met hen naar huis te gaan.

Het was jaren geleden dat ik er was geweest. In de woonkamer praatte ik een poosje met Sian en Charlie, en toen met Emma's oom en tante. Daarna excuseerde ik me en liep ik de keuken in en door het washok naar buiten, de tuin in, waar ik onder de plataan ging staan.

Ik had je echt te pakken, hè?

'Ja, dat had je zeker,' mompelde ik.

339

Je dacht dat ik dood was!

'Nee. Ik dacht dat je sliep...'

Ik keek op en zag Daphne bij het keukenraam staan. Ze stak haar hand op in een groet. Even later zag ik haar over het gras naar me toe komen lopen. Het viel me op hoe grijs haar haar was geworden, alsof ze niet meer de moeite nam het te verven. Wie kon haar dat kwalijk nemen?

'Phoebe,' zei ze zacht, en ze pakte mijn hand. 'Ik hoop dat het een beetje met je gaat.'

Ik slikte. 'Het... gaat wel, Daphne. Het... Tja, ik zorg dat ik bezig blijf.'

Ze knikte. 'Dat is heel goed. Je hebt een succes van de winkel gemaakt, en ik las in de krant dat je modeshow ook een groot succes is geweest.'

'Dat klopt. We hebben iets meer dan 3000 pond bijeengebracht, genoeg voor 1200 muskietennetten en dus... nou ja...' Ik haalde mijn schouders op. 'Het is in elk geval iets, nietwaar?'

'Dat is het zeker. We zijn heel trots op je, Phoebe,' zei Daphne. 'En dat zou Emma ook geweest zijn. Maar ik wilde je vertellen dat Derek en ik pas haar spullen hebben uitgezocht.'

Mijn maag kromp samen. 'Dan hebben jullie vast haar dagboek gevonden,' zei ik meteen, omdat ik het moeilijke moment zo snel mogelijk achter de rug wilde hebben.

'Dat heb ik inderdaad gevonden,' zei Daphne. 'Ik weet dat ik het ongeopend had moeten verbranden, maar ik kon het idee niet verdragen om mezelf ook maar enige informatie over Emma te onthouden. Dus ik vrees dat ik het gelezen heb.' Ik keek Daphne aan en zocht in haar gezicht naar de weerzin die ze voor me moest voelen. 'Het maakte me erg verdrietig te weten dat Emma de laatste maanden van haar leven zo ongelukkig is geweest.'

'Ze was inderdaad ongelukkig,' stemde ik met haar in. 'En zoals je nu weet, was dat mijn schuld. Ik werd verliefd op iemand op wie Emma heel erg gesteld was en dat maakte haar vreselijk overstuur. Ik voel me afschuwelijk bij de gedachte dat ik haar zoveel pijn heb gedaan. Dat was niet mijn bedoeling.' Nu mijn bekentenis achter de rug was, zette ik me schrap voor Daphnes vermaning.

'Phoebe,' zei Daphne, 'Emma gaf in haar dagboek helemaal geen blijk van boosheid op jou: integendeel zelfs; ze zei dat dat het bijna nog erger voor haar maakte... het feit dat ze jou niets kwalijk kon nemen. Ze was kwaad op zichzelf omdat ze niet... volwassener met de situatie om kon gaan. Ze gaf toe dat ze niet in staat was haar negatieve gevoelens te bestrijden, maar ze erkende dat ze er met de tijd wel overheen zou komen.'

Tijd die ze niet meer had. Ik stak mijn handen in mijn zakken. 'Ik wou dat het allemaal niet gebeurd was, Daphne.'

Daphne schudde haar hoofd. 'Maar dat is net zoiets als zeggen dat je wou dat ze nooit had geleefd. Dit soort dingen hoort bij het leven, Phoebe. Verwijt jezelf niets. Je was een heel goede vriendin voor Emma.'

'Nee, dat was ik niet altijd. Weet je...' Ik zou Daphne niet kwellen met de gedachte dat ik Emma had kunnen redden. 'Ik heb het gevoel dat ik Emma in de steek heb gelaten,' zei ik. 'Ik had meer kunnen doen. Die nacht. Ik ben...'

'Phoebe, we wisten geen van allen hoe ziek ze was,' onderbrak Daphne me. 'Stel je voor hoe ík me voel in de wetenschap dat ik op vakantie was, en onbereikbaar...' Er verschenen tranen in haar ogen. 'Emma had een afschuwelijke... vergissing begaan. Dat heeft haar het leven gekost, maar wij moeten allemaal verder. En je moet nu proberen gelukkig te zijn, Phoebe... anders zijn er twee levens verloren gegaan. Je zult Emma nooit vergeten; ze was je beste vriendin en ze zal altijd deel blijven uitmaken van wie je bent, maar jij moet van het leven genieten.' Ik knikte en haalde een zakdoek uit mijn zak. 'Goed.' Daphne slikte. 'Ik wilde je een paar dingen van Emma geven als herinnering. Kom mee.' Ik volgde Daphne terug naar de keuken, waar ze een rood doosje oppakte met de gouden Krugerrand erin. 'Emma's grootouders hebben haar deze gegeven bij haar geboorte. Ik wil graag dat jij hem krijgt.'

'Dank je,' zei ik. 'Emma heeft hem altijd gekoesterd, en dat zal ik ook doen.'

'En dan is dit er nog...' Daphne gaf me de ammoniet. Ik legde hem in mijn handpalm. Hij voelde warm aan. 'Ik was erbij toen ze deze op het strand van Lyme Regis vond. Dat is een heel blije herinnering. Dank je, Daphne. Maar...' Ik glimlachte zwakjes. 'Ik denk dat ik nu maar ga.'

'Je houdt toch wel contact met Derek en mij, nietwaar, Phoebe? Je bent altijd welkom, dus kom af en toe eens langs en laat ons weten hoe het met je gaat.'

Daphne sloeg haar armen om me heen en ik knikte. 'Dat zal ik doen.'

Ik was net een paar minuten thuis toen Dan belde. Hij vroeg naar mijn bezoek aan het kerkhof – hij is nu op de hoogte van Emma. Daarna vroeg hij of ik zin had nog een mogelijke locatie voor zijn bioscoop te gaan bekijken... een victoriaans pakhuis in Lewisham.

'Ik zag het net bij de onroerendgoedadvertenties in de *Observer* staan,' legde hij uit. 'Ga je mee als ik alvast de buitenkant ga bekijken? Kan ik je over twintig minuten ophalen?'

'Natuurlijk.' Ik verwelkomde de afleiding, nog afgezien van de rest.

Dan en ik hadden al een koekjesfabriek in Charlton, een niet meer gebruikte bibliotheek in Kidbrooke en een oude bingozaal in Catford bekeken.

'De locatie moet precies goed zijn,' zei Dan toen we een halfuur later Belmont Hill op reden. 'Ik moet iets vinden in een gebied waar niet al binnen drie kilometer een andere bioscoop zit.'

'En wanneer hoop je te openen?'

Hij remde zijn zwarte Golf iets af en sloeg linksaf. 'Het zou ideaal zijn als ik volgend jaar rond deze tijd de zaak draaiende had.'

'En hoe ga je het noemen?'

'Ik dacht aan "Cine Qua Non",' antwoordde Dan.

'Hmm... klinkt niet populair genoeg.'

'Nou, vooruit dan... de Lewisham Lux.'

Hij reed Roxborough Way af, parkeerde toen voor een pakhuis in bruine baksteen en opende het portier van de auto. 'Dit is het.' Omdat ik met mijn zijden rok niet over de gesloten poort wilde klimmen, zei ik dat ik een stukje ging wandelen. Ik liep Lewisham High Street in, kwam langs Nat West, een gordijnenwinkel, Argos en een winkel van het Britse Rode Kruis. Daarna kwam ik bij Dixons, waar plasma-tv's in de etalage stonden. Ik bleef plotseling staan. Op het grootste scherm zag ik Mag voor een studiopubliek staan. Met haar vingers tegen haar slapen gedrukt begon ze heen en weer te lopen. Omdat de ondertiteling aanstond, kon ik zien wat ze zei. *Ik krijg een militair door. Een stoere man. Als een goede sigaar...* Ze keek op. *Zegt dat iemand van jullie iets?* Terwijl het publiek wezenloos naar haar keek, rolde ik met mijn ogen en merkte toen plotseling dat Dan naast me stond.

'Dat was snel,' zei ik, naar zijn mooie profiel kijkend. 'Hoe was het?'

'Nou, ik vond het er goed uitzien, dus ik bel morgenvroeg meteen even de makelaar. De constructie van het gebouw lijkt me prima en het formaat is perfect.' Toen hij zag dat ik naar Mag stond te staren, volgde hij mijn blik. 'Waarom sta je daar naar te kijken, lieverd?' Hij tuurde naar het scherm. 'Is het een helderziende?'

'Dat beweert ze wel.'

Zie me maar als een telefoniste aan een ouderwets schakelbord...

Ik vertelde Dan hoe ik Mag had leren kennen.

'Dus je hebt belangstelling voor spiritualisme?'

'Nee, niet echt,' zei ik terwijl we verder liepen.

'Mijn moeder belde trouwens net,' zei Dan terwijl we hand in hand terug naar de auto slenterden. 'Ze vroeg zich af of we misschien zin hadden om volgende week zondag bij hen op de thee te komen.'

'Volgende week zondag?' herhaalde ik. 'Dat had me heel leuk geleken, maar ik kan niet... er is iets wat ik moet doen. Iets belangrijks.'

Terwijl we wegreden legde ik hem uit wat het was.

'Tja... dat is inderdaad belangrijk,' zei Dan.

EPILOOG

Zondag 22 februari 2009

Ik loop Marylebone High Street af, niet zoals zo vaak in mijn dromen, maar in het echt, en wel om een vrouw te ontmoeten die ik nog nooit heb gezien. In mijn hand hou ik een draagtas zo stevig vast alsof de kroonjuwelen erin zitten.

Het was mijn fantasie dat ik Monique op een dag de jas zou geven...
Ik loop langs de winkel met linten en kant.
...en weet je wat? Dat is het nog steeds.

Toen Lena me had gebeld om te zeggen dat haar hotel midden in Marylebone stond, had mijn hart een slag overgeslagen. 'Ik heb een kleine koffiebar vlak bij de boekhandel ontdekt,' had ze gezegd. 'Het leek me wel leuk om daar af te spreken. Het heet "Amici's". Vind je dat goed?' Ik had op het punt gestaan te zeggen dat ik liever ergens anders heen wilde, vanwege de pijnlijke associatie die het tentje voor me had, maar ik was plotseling van gedachten veranderd. De laatste keer dat ik er was geweest, had zich iets triests voorgedaan. En nu zou er iets positiefs gebeuren...

Zodra ik de deur openduw, ziet Carlo, de eigenaar, me. Hij zwaait vriendelijk. Nu zie ik een slanke, leuk geklede vrouw van voor in de vijftig van haar tafeltje opstaan en met een aarzelende glimlach naar me toe komen.

'Phoebe?'
'Lena,' zeg ik hartelijk. We schudden elkaar de hand en ik neem haar energieke verschijning, haar hoge jukbeenderen en zwarte haren in me op. 'Je lijkt op je moeder.'
Ze kijkt verbaasd. 'Hoe kun jij dat nou weten?'
'Dat zul je dadelijk wel zien,' zeg ik. Ik ga de koffie bestellen, wis-

sel even een paar woorden met Carlo en neem de koffie mee naar het tafeltje. Met haar zachte Californische accent vertelt Lena over haar reis naar Londen om het huwelijk van een oude vriendin, de volgende dag bij de burgerlijke stand van Marylebone, bij te wonen. Ze zegt dat ze zich er erg op verheugt, maar vreselijk last heeft van jetlag.

Nu we de eerste beleefdheden hebben uitgewisseld komen we toe aan het doel van onze ontmoeting. Ik open de draagtas en geef Lena de jas. De geschiedenis ervan is haar inmiddels grotendeels bekend.

Ze voelt aan de hemelsblauwe stof, streelt over de wol, de zijden voering en het fijne handstikwerk. 'Hij is prachtig. Dus de moeder van Thérèse heeft hem gemaakt...' Ze kijkt me met een verbaasde glimlach aan. 'Ze was goed.'

'Ze was zeker goed. Hij is prachtig gemaakt.'

Lena strijkt over de kraag. 'Maar wat een verbijsterend idee dat Thérèse nooit het idee heeft laten varen om hem aan mam te geven.'

Ik heb hem vijfenzestig jaar bewaard en ik blijf hem bewaren tot aan mijn dood.

'Ze wilde gewoon haar belofte aan je moeder nakomen,' zeg ik. 'En nu heeft ze dat in zekere zin gedaan.'

Lena's blik wordt triest. 'Arme vrouw... dat ze al die jaren niet heeft geweten wat er was gebeurd. En het nooit los heeft kunnen laten... tot aan het eind.'

Terwijl we onze koffie drinken vertel ik Lena iets meer over wat er was gebeurd, over dat Thérèse die fatale avond werd afgeleid door Jean-Luc, en dat ze het zichzelf nooit had vergeven dat ze hem Moniques schuilplaats had onthuld.

'Mijn moeder had heel goed toch ontdekt kunnen worden,' zegt Lena. Ze zet haar kopje neer. 'Ze vertelde dat ze het zó moeilijk vond om de hele dag in die stille, eenzame stal te zitten – ze troostte zichzelf door aan de liedjes te denken die haar moeder altijd voor haar zong – dat het bijna een opluchting was toen ze werd gevonden. Natuurlijk had ze geen idee wat haar te wachten stond,' voegt Lena er somber aan toe.

'Ze heeft veel geluk gehad,' mompel ik.

'Ja.' Lena tuurt een paar seconden in gedachten verzonken in haar koffie. 'Dat mijn moeder het heeft overleefd was... een wonder. En mijn bestaan dus ook, iets wat ik nooit vergeet. En ik denk vaak aan de jonge Duitse officier die haar die dag gered heeft.'

Nu geef ik Lena de luchtkussenenvelop. Ze maakt hem open en haalt de halsketting eruit. 'Hij is prachtig,' zegt ze terwijl ze hem tegen het licht houdt. Ze voelt aan de roze en bronskleurige glazen kralen. 'Hier heeft mijn moeder het nooit over gehad.' Ze kijkt me aan. 'Hoe past die in het verhaal?'

Terwijl ik het haar uitleg, zie ik Thérèse tussen het stro naar de kralen zoeken. Ze moet ze een voor een hebben opgeraapt. 'Volgens mij is de sluiting in orde,' zeg ik als Lena die openmaakt. 'Thérèse zei dat ze hem een aantal jaren geleden opnieuw heeft laten rijgen.' Lena doet de halsketting om en de kralen glanzen en schitteren tegen haar zwarte trui. 'En dit is het laatste,' zeg ik, en ik geef haar een bruine envelop.

Lena schuift de foto eruit en doorzoekt de zee van gezichten, waarna haar vinger recht naar Monique gaat. Ze kijkt me aan. 'Dus zo wist je dat ik op mijn moeder lijk.'

Ik knik. 'En dat is Thérèse, die hier naast haar staat.' Als ik daarna Jean-Luc aanwijs, betrekt Lena's gezicht.

'Mam was erg verbitterd over die jongen,' zegt ze. 'Ze heeft nooit kunnen vergeten dat hij, een schoolkameraad, haar had verraden.' Nu vertel ik Lena over de goede daad die Jean-Luc tien jaar later had verricht. Ze schudt verbijsterd haar hoofd. 'Ik wou dat mijn moeder dat geweten had. Maar ze verbrak elk contact met Rochemare, al zei ze wel dat ze vaak over het huis droomde. Ze droomde dan dat ze door de kamers rende, op zoek naar haar ouders en haar broertjes, en dat ze riep of iemand, wie dan ook, haar wilde helpen.'

Ik voel een lichte huivering door me heen gaan.

'Nou...' Lena drukt de jas tegen zich aan en vouwt hem op. 'Ik zal dit koesteren, Phoebe, en te zijner tijd zal ik hem doorgeven aan mijn dochter Monica. Ze is nu zesentwintig en was pas vier toen mam overleed. Ze herinnert zich haar wel en vraagt me soms naar haar leven. Hierdoor zal ze meer over haar grootmoeder te weten komen.'

Ik pak een papieren servet op, waar 'Amici's' op gedrukt staat. 'Er is nog iets anders wat daarbij zou kunnen helpen,' zeg ik, en ik vertel Lena over Annie, en over het toneelstuk.

Lena's gezicht fleurt op. 'Dat is fantastisch. Dus het is geschreven door een vriendin van je?'

Ik bedenk hoezeer ik op Annie gesteld ben geraakt in de bijna zes maanden dat ik haar nu ken. 'Ja. Ze is een goede vriendin.'

'Misschien kom ik dan wel naar het stuk kijken,' zegt Lena, 'samen met Monica. Als het kan, komen we. Maar nu...' Ze stopt de jas en de foto voorzichtig in de tas. 'Ik vond het erg leuk je te ontmoeten, Phoebe.' Ze glimlacht. 'Dank je.'

'Ik ben ook blij dat ik jou heb ontmoet,' zeg ik, en we staan op.

'Dus... is er verder nog iets?' vraagt Lena.

'Nee,' antwoord ik opgewekt. 'Verder niets.' We nemen afscheid met de belofte contact te houden. Wanneer ik wegloop gaat mijn telefoon. Het is Dan.

DANKWOORD

Ik wil graag de volgende mensen bedanken voor hun hulp bij de voorbereiding en het schrijven van dit boek.

Voor hun expertise over vintage kleding: Kerry Taylor van Kerry Taylor Auctions, Sonya Smith-Hughes en Deborah Eastlake van Biba Lives, Claire Stansfield en Stephen Philip van Rellik, Marianne Sundholm van Circa Vintage, Dolly Diamond van Dolly Diamond, en Pauline en Guy Thomas van Fashion Era.

Voor informatie over de Provence dank ik Frank Wiseman, en Georges Frechet van de Avignon Médiathèque, die onderzoeksmateriaal over Avignon tijdens de oorlog ter beschikking stelde.

Voor hun onderricht over de wijnbouw ben ik dank verschuldigd aan de familie Boiron van Bosquet des Papes, en aan Nathalie Panissieres van Château Fines Roches.

Ik wil ook graag Rich Mead bedanken, assistent-redacteur van de krant *Metro*, en Carole Bronsdon, huisarts, Jonathan en Kim Causer, Peter Crawford, Ellen Stead, Louise Clairmonte en, nog maar eens, de staf van Blackheath Halls en van de Age Exchange, en Sophia Wallace-Turner voor het corrigeren van mijn Frans. Eventuele fouten of onnauwkeurigheden zijn alleen aan mij te wijten.

Ik ben mijn briljante redacteur Claire Bord zeer dankbaar, en voor aanvullende redactionele suggesties dank ik Rachel Hore en Anne O'Brien. Heel veel dank aan mijn fantastische agent Clare Conville, aan Jake Smith-Bosanquet, iedereen bij Conville & Walsh en aan Ailsa Macalister.

Bij HarperCollins ben ik grote dank verschuldigd aan Amanda Ridout, Lynne Drew, Fiona McIntosh, Alice Moss, Victoria Hughes-

Williams, Leisa Nugent, Lee Motley, Bartley Shaw, Nicole Abel, Wendy Neale en iedereen van de afdeling verkoop.

Tot slot wil ik Greg, Alice en Edmund bedanken voor hun liefde, steun en eindeloze geduld tijdens het schrijven van dit boek.

BIBLIOGRAFIE

De volgende boeken hebben tijdens mijn onderzoek nuttige achtergrondinformatie geleverd:

France: the Dark Years van Julian Jackson; Oxford University Press.

Vichy France and the Jews van Michael R. Marrus & Robert O. Paxton; Stanford University Press.

People in Auschwitz van Hermann Langbein; University of North Carolina Press, in samenwerking met het United States Holocaust Memorial Museum.

Hiding to Survive: Stories of Jewish Children Rescued from the Holocaust van Maxine Rosenberg; Topeka Bindery.

It's Vintage, Darling! van Chrisa Weil; Hodder & Stoughton.

Shopping for Vintage van Funmi Odulate; Quadrille Publishing Ltd.

Alligators, Old Mink & New Money: One Woman's Adventures in Vintage Clothing van Alison Houtte en Melissa Houtte; Orion Books.